在日朝鮮人資料叢書17

宇野田尚哉編・宋恵媛解説

在日朝鮮文学会関係資料

一九四五～六〇

1

緑蔭書房

凡　例

一、第1部の一、二と第2部の一の資料は神奈川近代文学館所蔵資料を使用した。
一、原本がハングルのものは目次で日本語訳を（　）内に付した。
一、目次で編者が補記したものは（　）又は［　］で表示した。
一、原本は基本的に原寸で使用したが、新聞記事は、本復刻版の判型（Ａ５判）にあわせて適宜拡大した。
一、解説（宋恵媛）は本巻の巻頭に収録した。

解説

宋恵媛

*印は朝鮮文、［　］は筆者注であることを示す。人名の読み仮名は、本人が用いた読み方にできるだけ忠実に沿って付した。

脱植民地化と「文学の大衆化」

一、日本帝国主義残滓の掃蕩
二、封建主義残滓の清算
三、国粋主義の排撃
四、民主主義民族文学の建設
五、朝鮮文学と国際文学との提携
六、文学の大衆化

これは、本書収録資料の主な発行母体である在日本朝鮮文学会(以下、在日朝鮮文学会と記す)の綱領である。同会の結成は一九四八年一月、つまり日本敗戦／朝鮮「解放」から朝鮮戦争勃発に至るまでの五年間のうちの、ちょうど折り返し地点に当たる。すでに冷戦の影響は米軍の日本占領政策に浸透しており、在日朝鮮文学会が密接に連携していた大衆団体である在日本朝鮮人連盟(朝連)、およびその系列の朝鮮人学校への弾圧もはっきりとした形を取りはじめていた頃のことだ。

右記の綱領からは、日本帝国主義の克服、朝鮮の旧弊の克服、新しい民族文学創出といった脱植民地化への志向が見いだせるが、一から五項目までは一九四六年二月に朝鮮半島南部で結成された朝鮮文学家同盟のそれと同一である。ただし両者の文学的交流は、手紙のやり取りが数回あった以外には行われなかったとみられる。日本以上に米軍の強圧的支配を経験していた南朝鮮では、左翼的傾向を持つとされた朝鮮文学家同盟の弾圧が一九四七年初に始まっており、在日朝鮮文学会結成の時点ではほぼ壊滅状態にあった。

在日朝鮮人文学のおかれた状況を如実に示すのが、六番目に掲げられた「文学の大衆化」である。敗戦後の日本に残っていた朝鮮人の多くは、労働者としてかつかつの生活を送っていた、文化や文学とは縁遠い人々だった。若い世代の場合は比較的教育を受けた者も多かったが、それは日本語によるものだった。決して数多くはない在日の朝鮮人作家やその志望者たちは、文学を「大衆化」するために、朝鮮語を自ら学び、かつ同胞たちのための朝鮮語識字教育と出版活動も同時に行うことから始めなければならなかった。じっさい、在日朝鮮文学会の会員たちの大半は、朝鮮人学校の教員もしくは在日民族新聞の記者だった。

在日朝鮮文学会の目標が、日本による植民地支配の影響を脱し、独自の民族文化を創造することに置かれたことは間違いないが、その解釈はまちまちだった。たとえば朝鮮性の回復／創造の拠り所を国家と故郷のどちらに見出すのか、国家と個人の関係をどう捉えるかをめぐる見解も一致していなかった。冷戦の最前線に立たされた朝鮮が南北に分断された後は、イデオロギー対立も深刻化した。使用言語に関しても、朝鮮語での創作を目指す者もいれば、日本人の啓蒙のためとして日本語使用を正当化する者、あるいはそれ以外の言語や文学を媒介にして新たな価値観を創造しようとする者もいた。朝鮮語での創作活動は民族主義の王道といえるかもしれないが、能力的な問題や、朝鮮語活字がないなどの物理的な要因が重なりあい、当初から困難を極めた。朝鮮語で書くか日本語で書くかの問題は、在日作家たちの間で論争の種となってくすぶり続けることになる。とくに一九五〇年代後半からは、日本語で書くと日本人以外には読者を想定できず、朝鮮語作品を書いても発表の場は読者数の限られる総連周辺の媒体以外にはないという、隘路に陥ることになった。

在日朝鮮文学会の活動期間は一九四八年一月から一九五九年六月までである。この間に、米国による日本と三八度線以南の南朝鮮の占領、東西冷戦、朝鮮戦争、第三世界の興隆、共産圏内での葛藤や対立などが立て続けに起きた。日本の主流文化からはほど遠い場所で少数の朝鮮人青年によって結成された同会は、会員数が最大時でも六〇名ほどにしかならず、その中で実際に執筆活動を行った者はさらに少なく、朝鮮戦争期には活動停止状態に陥るなど、その歩みは決して順調なものとはいえなかった。それでも、在日朝鮮人文学を通史的にみるなら、同会は持続的に活動を行った最初の民族文学団体と位置付けられる。李殷直（イウンジク）、許南麒（ホナムギ）、金達寿（キムタルス）、姜魏堂（きょうぎどう）、金石範（キムソクボム）、金時鐘（キムシジョン）、金泰生（キムテセン）らの日本語作家も含め、「解放」以後の主要な第一世代作家と初期の第二世代作家のほとんどが同会に属していた。

◆

厳密にいうと、在日朝鮮文学会の名称は〝在日本〟、〝在日〟、〝在日本〟と変遷している。まず、その名称の整理をしておきたい。一九四八年一月の結成当初の名称は〝在日本〟朝鮮文学会で、朝鮮文の機関誌『우리文学(ウリムナク)*』と『봉화(ボンファ)*』にもこのように表記された。だが朝連の準機関紙だった『解放新聞*』では、〝在日〟朝鮮文学会と記されることが多かった。一九五二年一月に再建を期して開催された第三次大会の際に、〝在日〟朝鮮文学会が正式名称として固定化されたとみられる。これ以後に発刊された機関誌『文学報』、『朝鮮文学*』にも〝在日〟と記載されている。しかしながら、一九五五年の総連結成以後は、その翌年刊の『朝鮮文芸*』に見られるように、再び〝在日本〟朝鮮文学会の名が使用されている。これは、総連の正式名称である在日本朝鮮人総聯合会(総連)に倣ったものとみられる。

在日朝鮮文学会の歩み

在日朝鮮文学会が活動した約一一年の間に、計七回の大会(当初は「総会」と呼ばれた)が開かれている。これらの大会に沿って文学会の変遷を辿っていく。

第一次大会(結成大会)(一九四八年一月)——在日作家たちの大同団結

一九四七年末頃のある雨の降る日、お茶ノ水付近の焼け残ったビルの二階で七名の朝鮮人男性が集まった。そこでは小説家の李殷直が司会者となって、それまでばらばらに活動していた在日文学諸団体を統一するための話し合いが行われた。そして一九四八年一月一七日、在日朝鮮文学会の結成大会が朝連東京本部二階の講堂で開催された。前年結成の在日朝鮮文学者会、芸術の大衆化を目指した朝鮮芸術家同盟といった朝連系団体ばかりでなく、朝連と距離を置いていた金慶植、鄭達鉉、朴熙盛が関わった白民社、それに新人文学会、朝鮮新人作家倶楽部、青年文学会などが連帯したものだった。「本国文学家同盟に歩

調を合わせ、海外において祖国民主革命に貢献する道へと大同団結し、民主文学運動に第一歩を踏み出す」という目標がここで掲げられたが、前述したようにすでに「本国」の朝鮮文学家同盟は機能していなかった。また同会では、「これまでの文学至上主義を清算し、文学者自身が文化運動の先頭に立って同胞を啓蒙し、反動文学を封鎖し、高度の民族文学樹立に献身すること」(「民族文学樹立의 礎石─在日本朝鮮文学会単一組織을 結成」『解放新聞*』一九四八年一月二〇日)が決議された。執行委員は鄭白雲、尹紫遠、金元基、金達寿、許南麒、李珍珪、李殷直、朴元俊、張斗植、魚塘、金慶植、朴熙盛、鄭達鉉、姜舜、財政監査は康玹哲、鄭在弼である。その後、一九四八年半ば頃に作成された会員名簿には、以下のように三六名の名が記載された。このうち女性は、在日本朝鮮女性同盟の幹部とみられる姜秀子一名のみだが、作品発表を実際に行ったかは確認できない。

東京：朴水郷(詩)、全永春(小説)、李珍珪(詩)、金敬天(評論)、姜秀子(詩)、朴元俊(戯曲)、金昌奎[金一勉](小説)、林光澈(古典)、千宗珪(小説)、金寿植(詩)、鄭泰裕(児童)、李殷直(小説)、姜晃星[姜舜](詩)、金慶植(小説)、鄭達鉉(評論)、康玹哲(外・文)、安渉(詩)、李昌奎[金一勉](戯曲)、殷武巌(詩)、李■烈(小説)、魚塘(詩)、洪萬基(小説)、張飛(戯曲)、■宇正(外)、高成浩(詩)／福島県：李中春(詩)／埼玉：許南麒(詩)／神奈川県：尹紫遠(詩)、鄭白雲(詩)、金元基(小説)、金達寿(小説)、張斗植(小説)／岐阜：鄭■烈／大阪：李賛義(詩)、姜律(小説)、朴明■(詩)[(外)は外国文学を表す。■は判読不明]

この名簿からうかがえるように、在日諸団体の連合という看板は掲げられたものの、実態としてはそのほとんどが朝連周辺の人々だった。民団(在日本朝鮮居留民団、在日本大韓民国居留民団、現在の在日本大韓民国民団と変遷)はこの当時は規模がずっと小さかったうえ、知識人青年たちはほとんど寄り付かなかったと言われる。

新しく出発した在日朝鮮文学会の活動内容は、許南麒、姜舜、李珍珪による詩の朗読会、高木東六作曲、村山知義台本で一九四八年に初演された「オペラ春香伝」の試聴会、金達寿『後裔の街』(朝鮮文藝社刊)出版記念会、演劇「国境線」(許南麒作、李殷直、許南麒、朴元俊、洪萬基、金達寿、林光澈出演)、研究発表会(康鉉喆[康玹哲]「私が見たサルトル」、金達寿「朝鮮民族文学論」等)、紙芝居「狼と狗」、「三・一記念日の意義」(李殷直作、許南麒画)の制作等だった。

出版活動をみると、在日朝鮮文学会結成以前に創刊された『朝鮮文藝』（日本語版）【本書第一巻に五号まで収録】が、同会メンバーによって六号まで継続して刊行された。また、一九四八年三月には朝鮮語版『조선문예（朝鮮文藝）*』が、一九四八年八月には『우리문학（私たちの文学）*』、翌一九四九年六月には『봉화（烽火）*』がそれぞれ同会機関誌として創刊された【いずれも次回収録予定】。だが三誌とも一号のみを出して終わった。

早くも結成の九か月後には、教育活動に注力するあまり文化運動がまともにできなかったと反省されているが、無理もないことだった（「文化工作運動―民青、文学会에서 推進」『解放新聞*』一九四八年一〇月一二、一五日）。占領下日本で唯一の非常事態宣言が発令された阪神民族教育闘争が、文学会結成からわずか数か月後に起きていたのだった。その後も在日朝鮮人を取り巻く状況は厳しくなる一方だった。一九四九年九月には団体等規正令第四条により朝連が強制解散させられて、財産没収と公職追放が行われ、その翌月には朝鮮人学校に閉鎖、解散勧告が指示された。文化活動の基盤をも破壊したこの一連の在日朝鮮人の弾圧から一九五〇年六月二五日の朝鮮戦争勃発までの道は、まっすぐにつながっていた。朝連解散後の一九四九年一一月二八日、在日朝鮮文学会は朝・日親善協会準備会とともに、林光澈『朝鮮歴史読本』と許南麒の詩集『朝鮮冬物語』の合同出版記念会を、布施辰治、平野義太郎ら日本人を含め一〇〇名あまりを集めて行ったが、その後の文学会の動向には不明な点が多い。それには、折に触れて文学会の動向を伝えていた『解放新聞*』が、朝鮮戦争勃発の約一か月後に停刊処分を受け、約二年発行不能に陥ったということがある。『解放新聞*』の停刊は、会員たちの朝鮮語作品発表の場が失われたばかりでなく、朝鮮語作品の印刷、配布、流通の道が断たれたことも意味していた。

第二次大会（一九五一年二月頃）――朝鮮戦争と活動の停滞

戦争さなかの一九五一年一月、朝連の後継団体として在日朝鮮統一民主戦線（民戦）が結成された。東アジア同時革命の一翼を担うため、日本共産党とともに日本の革命を目指して実力闘争をするという、民戦、日本共産党民族対策部、非合法の祖国防衛委員会（祖防委）の時代に入ったのだった。朝鮮戦争は、「米帝」とその傀儡である李承晩政権を打倒するための「祖国解放戦争」と解釈された。

民戦結成の翌月付で在日朝鮮文学会会員名簿が作成されており、民戦結成に合わせて第二次大会が開催されたとみられる。名簿には五一名の会員と二名の賛助会員が名前を連ねており、四八年版の名簿よりも一五名増えているが、これは朝鮮戦争初期の共和国優勢を見て、急に顔を出すようになった人々がいたためのようである。在日朝鮮文学会の機関誌として、一九五一年から一九五二年にかけて朝鮮文文芸誌『群衆*』が刊行されたが(四号までは在日朝鮮文学会刊、五号は在日朝鮮人文化総会刊)、実際にはほぼ有名無実の状態だったようである。在日朝鮮文学会の結成当初に主導的な役割を担っていた李殷直の証言によれば、同氏はこの時期は横浜市での中学再建に没頭しており、文学会の活動はほとんど行っていなかったという。

朝鮮戦争によって在日朝鮮人の文学活動は大きな打撃を受けたが、新たにもたらされたものもあった。政治亡命者、避難民として日本に渡ってきた知識人青年たちである。柳碧、金時鐘、金民、金在南、尹学準、金潤らは、その朝鮮語能力も生かしながら、その後の在日文学運動の重要な一翼を担っていくことになる。

第三次大会(一九五二年一月)――どん底からの再建

戦争が膠着状態に陥るなか文学運動は停滞したが、代わりに若者を中心とした文化工作隊の歌、踊り、演劇を通した全国的な宣伝活動が活発化した。その活躍に鼓舞されて文学、音楽、美術、舞踊分野の文化人たちが「解放」後初の総合芸術祭を開催し、一九五一年一二月に在日朝鮮文化人総会(文総)が誕生した。在日朝鮮文学会の再起が図られたのはその翌月のことだった。このようにして一九五二年一月、再建大会となる総会が東京の産別会館の一室で開かれた。出席者は二〇名から二五名、中野重治が来賓として冒頭に祝辞を述べて去ったという。再出発した在日朝鮮文学会の委員長には、朝鮮戦争中にも日本の媒体で作品発表を続けていた金達寿が選出された。一九五二年五月二〇日には『解放新聞*』の復刊が実現し、再び朝鮮語作品の発表の場として機能するようになったが、文学会の活動は依然として低調だった。

同年末には、一年前に組織されたばかりの文総を引き継ぎ、在日朝鮮文学芸術家総会(文芸総)が結成された。文芸総は文学、美術、音楽、舞踊、演劇、映画の六つの専門団体によって構成された団体で、大阪に文化人総会と自然科学者協会、京都と兵庫に各文化人協会、名古屋に東海文化人協会を擁した。このとき在日朝鮮文学会も文芸総に組み込まれることになる。文芸総は、文化運動の重点的目標として、在日朝鮮人への宣伝啓蒙を通じて戦争挑発者たちに大打撃を与えること、在日朝鮮人に愛国思想を注入すること、日本人に共通の敵を明確に認識させ、朝日親善を図り、国際的団結を固くすることを掲げた。日本の人民とともに「米帝国主義」と闘うという姿勢が明確に打ち出されていたのだった。

第四次大会(一九五三年一月)――再びの再起大会と新たな加入者たち

文芸総に組み込まれた翌月の一九五三年一月二五日、在日朝鮮文学会は東京の上野倶楽部で第四次大会を開催し、改めて再出発が期された。準備委員は許南麒、金達寿、朴元俊、李殷直、金元基らで、野間宏、間宮茂輔ら日本人作家も出席した。この大会では、それまでの常任委員会制に代わって少数の委員と書記局制を採用することを決定し、書記長に金達寿を選出した。大会後の報告で朴元俊は、在日朝鮮人たちの文学が「原則的に日本文学の一環として取扱われるべきことが是認された」と記しており(朴元俊「在日朝鮮文学大会(報告)」『人民文学』一九五三年四月)、この時点ではまだ日本文学との結びつきが強調されていたことが分かる。

第四次大会後に作成された一九五三年四月一日付の名簿には、以下の三八名の名が記載されている。

東京：李賛義、卓喜銖、殷武巌、金洪喆、魚塘、張斗植、李丞玉、金元基、朴三文、金達寿、南時雨、金民、高成浩、尹紫遠、李仲春、呉隆、朴英逸、尹彩、曺龍達、金石範、鄭白雲、全平／神奈川：李殷直、姜魏堂、朴元俊、成允植、呉林俊、李錦玉、金炳元／埼玉：許南麒、鄭泰裕／京都：全和光／大阪：康玹哲、金時鐘、李静子、韓宗錫、金東錫／兵庫：朴文狭(その後、一九五三年七月までに孫翼均、李青渓、金宙泰、金東誠、康敏星(すべて東京)の五名が新規加入し、四三名になる)

結成当時、大同団結の旗印のもとに集った非朝連系の金慶植や鄭達鉉らの名が消えている(その後、一九六〇年代初めにふたたび歩み寄りがなされた。『祖国の統一のために―文化人会議文集』(一九六一年)参照【在日朝鮮人資料叢書(以下、叢書と略)一四、第二巻収録】)一方で、金石範、呉林俊、成允植(ソンユンシク)、金時鐘、李錦玉(リクモク)、李静子(イチョンジャ)、李丞玉(イースングオク)など、一九二〇年代半ば以降生まれの若い世代の人々の名前が新たに加わっている。女性会員は、『民主朝鮮』後期の編集に携わった詩人の李錦玉、『ヂンダレ』会員だった李静子の二名のみである。

在日朝鮮文学会の日本文機関誌『文学報』創刊号が発行されたのは、第四次大会後すぐの一九五三年三月のことで、同年内に四号出した。その間の一九五三年五月一七日には、文芸総拡大常任委員会が、翌六月一四日には文化戦線の組織強化と積極的文化運動の発展のための臨時全体大会が開かれた。朝鮮戦争の休戦間際に朝鮮民主主義人民共和国(以下、共和国と略)から送られた、祖国戦線の呼訴文を受けてのことだった。ここから共和国文化・文学政策との連携が始まっていくことになる。

第五次大会（一九五三年一二月）――活気づく文学サークル運動とピョンヤンからの手紙

朝鮮戦争休戦直後の八月八日、朝鮮停戦を祝賀する日朝文化人懇談会が東京・中野のモナミグリルで開催された。文芸総と新日本文学会が後援し、中野重治、徳川直、藤森成吉、村山知義、除村吉太郎など約三〇名の日本人文学者と、約二〇名の在日文化人が参加して行われた（「友誼를더욱強化 일조문화인 간담회」『解放新聞*』一九五三年八月二〇日）。このように日本の文学者と共同歩調を取りつつも、在日朝鮮文学会はしだいに共和国への傾倒を深めていき、その文芸政策、作品傾向、言語問題は共和国文学の影響を大きく受けることになった。

一九五三年一二月一三日に開催された第五次大会は、朝鮮戦争休戦後に初めて行われた大会となった。同大会では委員長に金達寿、書記長に南時雨が選出された。一九五二年と五三年に詩集『호동의 별（湖東の星）*』と童謡集『봄소식（春の便り）*』をそれぞれ刊行していた南時雨は、朝鮮語での創作運動において中心的な役割を果たすことになる人物で、朝鮮語作家と日本語作家の形勢逆転の予兆がこの人事からはうかがえる。大会決意では、祖国復興事業運動が日本文学者たちに呼びかけられた。新日本文学会常任委員会はこの呼びかけに応え、実践することを決議した。具体的には、湯浅克衛、伊藤永之介らが、朝鮮人を扱った日本人作家たちの選集を在日朝鮮文学会員たちと共同編集で刊行すること、金史良作品の出版を行い、その印税を朝鮮の復興に充てることを提案している（「日本作家들도 蹶起 朝鮮復興을 新日本文学会서 호소」『解放新聞*』一九五四年一月一六日）。『金史良作品集』は同年六月、保高徳蔵の序を付して金達寿編として理論社から刊行された。

一九五三年から五五年にかけては、日本の文化サークル運動に呼応するように、地方の各団体、サークル、朝鮮学校、日本の大学内で在日青年たちの文学活動が盛り上がった。同時代の大阪における現代詩運動から多大な影響を受け、独自の道を歩む力を得ることになる『ヂンダレ』に代表されるように、日本共産党やその民族対策部の影響下で日本語で創作活動が行われた場合も多かったが、それと並行して朝鮮語による文学運動も朝鮮学校周辺の人々を中心に盛んになっていった。『新脈*』は解放新聞社を拠点にして発刊された文芸誌だ。これらの動きは地方在住の人材を可視化させる効果を生み、在日朝鮮文学会の組織強化につながっていくことにもなった。

在日朝鮮文学会はこの時期のサークル運動を指導、監督したが、自らもそれに刺激され一九五四年三月に朝鮮文機関誌『조

선문학（朝鮮文学）』*を創刊することになる。その二か月後、文芸総は民戦四全大会での決定を受け、在日朝鮮文化団体総連盟（文団連。機関誌『文化戦線*』を発行した）へと改編された。文団連結成大会の際には、朝鮮作家同盟の韓雪野から直々にメッセージが送られている。ピョンヤンもまた、休戦後に新たな民族／国民文学の創出を模索しており、在日朝鮮人文学との直結はその重要な戦略の一環だったのだろう。これは在日朝鮮人文学史における一大事件だった。「祖国」文学とじかにつながったことで、言語問題をめぐる長年の膠着状態も動き出すことになる。

一九五五年五月に総連が結成されると、文団連は在日本朝鮮人文化団体協議会（文団協）へと再び組織改編された。許南麒を委員長とする文団協は、総連の文化宣伝部に直結され、在日朝鮮文学会もその傘下に置かれた。このように、朝鮮戦争休戦前夜からほとんど一年おきに文化組織の改編がなされることになったが、これは文化運動の活性化を狙った形式的なものといえる。在日朝鮮文学会内部に大きな変化が訪れるのは一九五六年以降のことである。

第六次大会（一九五六年四月）――ピョンヤンと足並みを揃える

前回から約二年半の歳月を経て、一九五六年四月に第六次大会が開催された。これは、同年一〇月に予定されていた第二次朝鮮作家大会で、共和国文芸方針が転換されることを睨んだものとみられる。このとき委員長になっていた南時雨の報告によると、この間に会員数は五二名に増えたが、過去三年間に作品発表を行ったのは一四名のみだったという。会員中の半数近くが総連の教育分野に、残りの人々は総連の言論機関等で仕事を抱えており、文学活動に専念できる会員はごく少数であることも報告では指摘された。ここで南時雨は、生活記録や「私小説」的文学を批判しており、金達寿や張斗植らの日本語グループをけん制している様子がうかがえる。同大会を機に新規加入したのは一二名で、日本語作家の朴春日、金泰生と、朝鮮語作家の金允浩、尹グァンヨン、そして『ヂンダレ』会員の趙三龍、鄭仁、朴実らが含まれている。

第六次大会の翌月には、『朝鮮文学*』を引き継いで『朝鮮文芸*』【本書第二巻収録】が通巻三号として刊行された。なお、『ヂンダレ』が在日朝鮮文学会方針との乖離をはっきり示しはじめた第一五号（「金時鐘研究」特集）を発刊したのも、同じ月のことだった。また、大会開催の時点で文学会の会報が一一号まで発行されており、それ以降は毎月出されたという。九月には、朝鮮文学叢書第一集として三人詩集『조국에 드리는 노래（祖国に捧げるうた）』*が在日朝鮮文学会詩分科委員会編で刊行された。許南麒、南時雨、姜舜の朝鮮語詩集である。これに続いて小説集も刊行される予定だったが、こちらは実現しなかったよ

うである。

この年の一〇月にピョンヤンで開催された第二次朝鮮作家大会は、スターリン批判が行われた一九五六年二月のソ連共産党第二〇次大会と、それを受けて中国とソ連の影響を排することを目指した朝鮮労働党第三次党大会の後に開かれた朝鮮作家同盟の大会である。後の金日成体制の布石となった大会だ。在日朝鮮文学会では、同大会に許南麒と南時雨を派遣しようとしたが、日本外務省の許可が下りず参加はかなわなかった。その代わりに、在日朝鮮文学会六次大会報告、事業報告、手紙、日本の『新日本文学』誌が、共和国へ渡る在日朝鮮人進学生等などに託された。

この第二次朝鮮作家大会の後に共和国で創刊された朝鮮作家同盟機関紙『文学新聞*』は、在日朝鮮文学会の動向を詳細に伝えた。第二次朝鮮作家大会の模様を伝えるラジオに聞き入る在日作家たち、宋影(ソンヨン)の活動報告「在日作家たちに同志的声援を送ろう」の録音音声を聞く会、一九五六年一一月の「第二次作家大会慶祝・朝鮮文学の夕べ」の様子も同紙で報じられている。この頃までには、金民の韓雪野宛の手紙が作家同盟機関誌『朝鮮文学』付録に掲載されたり、別の在日作家の手紙がラジオ放送で読み上げられたりするようになっていた。

第七次大会(一九五七年八月)——朝鮮語作家たちが主導権を握る

一九五七年は在日文学運動における激動の年である。一九五七年の前半には、許南麒、南時雨、金民の三名が朝鮮作家同盟の正盟員となるなど共和国文学界との紐帯が堅固になり、社会主義リアリズムの採用と朝鮮語使用がセットになって、在日朝鮮文学会の基本方針として固定化されていく一方で、日本各地でそれとは異なる新たな文学的試みがなされた。

第七次大会が約三〇名の会員と傍聴者を集めて開かれたのは一九五七年八月のことだった。当初は四月開催予定だったが、メンバーに教員が多いため参加が難しいことから延期されたという。在日朝鮮文学会の中央委員会は、委員長に許南麒、副委員長に南時雨と金民、監査委員に金達寿と李殷直をそれぞれ選出した。また、小説分科に林炅相、詩分科に姜舜、評論分科に李賛義、外国文学分科に朴春日と李丞玉、劇文学分科に鄭泰裕、機関誌編集に安宇植が、それぞれ責任者として就任した。

同大会に提出された「総括報告と当面の活動方針」では、「[在日作家の作品の]大部分が祖国の平和的統一独立と、公民の権利を守って闘う在日同胞たちの現実生活に目を向けており、その愛国主義的現象を示そうとしたものであり、また国際主義的親善団結を形象化した作品」であると、過去一年の朝鮮語および日本語作品が等しく評価された。だが大会当日に行われた使用言語に関する討論で、朝鮮語作家たちの優位は決定的なものとなった。

この討論の司会者は金達寿で、朝鮮語支持が南時雨、金民、柳碧、尹ヴァンヨン、日本語を擁護したのは金時鐘、朴春日、金達寿だった。ここで朝鮮語での創作を支持した作家たちの思想の核になっていたのは、当時の共和国および総連のスローガン「主体性の確立」である。その文学活動における具現は、在日朝鮮人読者のために朝鮮語で在日朝鮮人の姿を描くことであり、それによって「朝鮮人としての人間回復」(柳碧)がなされるというものだった。朝鮮語作家たちの優勢で終わったこの討論の後、金民は「一部機会主義者たちは日本では新しい創作方法がなければならないと公々然と主張し始めました」と、金時鐘批判を含んだ報告書をピョンヤンに書き送っている。以下は、その約半年後に朝鮮作家同盟が発表した在日朝鮮人の文学状況の総括である。

> 在日朝鮮人作家たちは第二次朝鮮作家大会で討議された社会主義リアリズムの創作方法と図式主義発生の思想的根源を研究し、自らの創作的態度を確固たるものとした。彼らは金時鐘の詩で発露された反リアリズム創作傾向に対して根気強く批判し、また論戦を通じて欠陥を大胆に是正している。環境と条件が不利な異国で、あらゆる難関と隘路を突破して闘う在日朝鮮作家たちが収めたこのような創作的成果を、われわれは高く評価する。(「祖国の公民、祖国の作家としての矜持と栄誉の中で―この一年間在日朝鮮文学会が歩んできた道」『文学新聞』*一九五八年一月三〇日)

一九五七年秋には、共和国初の在日朝鮮人作家による単行本となる許南麒、南時雨、姜舜の三人詩集『조국에 드리는 노래(祖国に捧げるうた)*』がピョンヤンで出版された。前年の在日朝鮮文学会刊の三人詩集をもとに、姜舜の詩を大幅に削って編集し直したものだ。その一方で、この年にはその姜舜らの『불씨(火種)*』(一月)【本書第三巻収録】、長崎県の大村朝鮮文学会の機関誌『大村文学』(七月)【前掲叢書一四、第二巻収録】、金時鐘らによる日本文総合雑誌『青銅』(九月)、崔鮮による総合文化誌『白葉』(一〇月)等、さまざまな傾向を帯びた雑誌が次々と創刊された。金達寿らの『鶏林』はその翌年に誕生した。

一九五九年五月、南時雨は『조국의 품 안에로(祖国の懐の中へ)*』を在日朝鮮文学会から出版した。この詩集はその翌年に、ピョンヤンの朝鮮作家同盟出版社から同題で刊行されるが、その際に「귀국의 첫배가 뜬다(帰国第一船が出る)*」が加えられている。ここに象徴されるように、在日朝鮮人の共和国への「帰国」実現(一九五九年一二月)は、在日朝鮮人文学運動に地

殻変動をもたらした。総連周辺の老若男女の間で朝鮮語学習熱が巻き起こるなか、日本の作家や出版界と連携することで「解放」当初から圧倒的優位に立っていた、金達寿を筆頭とする日本語作家たちは、激しく動揺することになった。

その翌月の一九五九年六月、東京で在日本朝鮮文学芸術家同盟(文芸同)が結成された。文芸同は「解放」後最大となる文化団体の連合体で、七月に大阪支部も設置された。日本の植民地支配の影響を払拭し、新たな民族文学の創造を希求した在日朝鮮文学会の一一年に及ぶ歴史はここにおいて幕を閉じた。

資料解説

第1部　在日朝鮮文学会の結成まで

本資料集の第1部は、一、金達寿初期評論集、二、『朝鮮新報』紙上での金達寿—魚塘論争、三、『朝鮮文藝』で構成されている。一と二は、一九四六年四月創刊の日本文総合雑誌『民主朝鮮』刊行の立役者で、在日朝鮮人文学の先駆者の一人に数えられる金達寿に焦点を当てた。金達寿は早くから敗戦後日本のいわゆる進歩的文学者たちと交流を持ち、一九四六年一〇月の新日本文学会第二回大会では中央常任委員に選出されている。『民主朝鮮』では数々の筆名を使いながら主に小説を書く一方、『新日本文学』など日本人発行の雑誌媒体では、同時期の許南麒、李殷直、朴元俊らと同様、南朝鮮や北朝鮮の文学動向の紹介者、あるいは翻訳者としての位置を与えられていた。「北朝鮮の文学」「朝鮮文学における民族意識のながれ」「新しい朝鮮文学について」「八・一五以後の朝鮮文学」「朝鮮南北の文学情勢」「朝鮮文学の史的おぼえがき」などが日本人発行媒体に書かれている。一方、在日朝鮮人発行の雑誌はこの当時、部数も発行頻度もごく限られていた。しかし、新聞はまた少し事情が異なっていた。

本書に収録したのは一九四七年から一九四八年にかけて、金達寿が主に新聞に発表したエッセイや評論である。このうち『国際タイムス』(日本文)と『朝鮮新報*』は在日朝鮮人経営の新聞である。『国際タイムス』は日本人および在日朝鮮人を対象読者としており、『朝鮮新報*』同様、当時の在日社会の内情に踏み込んだ記事が書かれた。とはいえ、「極右・極左事前検閲雑誌」に指定され、何度も削除と書き直しを命じられていた『民主朝鮮』刊行の経験から金達寿自身が身に染みて分かっていたように、両新聞とも占領軍の検閲を免れていたわけではない。在日朝鮮人たちに関連する検閲の対象は、占領軍批判、朝鮮分割占領や信託統治に関する米ソ批判のほか、朝鮮の民族主義的宣伝や新朝鮮建設に関するものなどで、当然あって然るべき、日本と南朝鮮における米占領軍への批判が一切見られないのもそのためである。在日朝鮮文学会と密接な関係を有していた朝連の準機関紙『解放新聞*』も同様の事情を抱えていたのは言うまでもない。

『国際タイムス』(一九四六年六、七、八月頃〜一九四八年一二月)の編集方針は、「朝鮮独立と日本民主化への貢献」、「日本と朝鮮両民族の提携と強調」、「在日朝鮮人の指導啓蒙と日本人の既成概念の払拭」だった。東京で一般ニュースを扱った唯一の夕刊紙である同紙は、一〇万部の発行部数を誇った。同紙編集長の高成浩、記者か編集者だった康玹哲、李賛義は在日朝鮮文学会結成当初からの会員である。李賛義は後に金達寿らの雑誌『鶏林』の批判者となる。一九四六年六月一日に創刊号を発行した『朝鮮新報*』は、中立の政治的立場を目指した朝鮮語紙である。一九六一年創刊の同名の総連機関紙とは無関係である。『朝鮮新報*』は用紙割当不正使用や内紛の末、一九四八年七月に『新世界新聞』と改題されて朝鮮語版、日本語版が出された。一時期はそれぞれ七万五千部、二〇万部もの部数を発行したが、その後分裂を繰り返した。一方『東京民報』は、一九四五年一二月に『民報』として創刊された日本人発行の政論紙で、一九四八年一一月末に廃刊した。本書に収録された記事は、一九四八年の購読調整により新興紙の用紙割当が大幅に削減され、既存の大手新聞の購読が促される前―いわゆる逆コースが加速する前でもある―の、新興新聞が活況を呈し、在日朝鮮人たちの言論の場もある程度確保されていた、ごく短い一時期に書かれたものといえる。なお本書に収録されている記事は、金達寿自身が切り抜きをして保存していたものである。

一、金達寿初期評論集

一九四〇年代後半の金達寿の執筆内容は多岐にわたっている。「朝鮮文化人への提言」(『国際タイムス』)、「朝鮮「民族文学」運動の開展　わが文化運動の特質」(同)は、一九四八年一月結成の在日朝鮮文学会の綱領の原型となった「本国」朝鮮文化団体総連盟とその傘下の朝鮮文学家同盟の方針に沿った内容である。「朝鮮文学者の立場」(同)にも見られるように、金達寿はこの時点では階級文学や社会主義文学をはっきりと否定し、帝国主義、封建主義、国粋主義を排した民主主義民族文学への志向を明らかにしている。「朝鮮近代文学の発展と方向」(同)では、従来言われてきたように近代の朝鮮文学が日本白樺派の影響下で生まれたのではなく、一九一九年の三・一運動を契機とした民族独立への機運の中から生成されたものだとして、林和(イムファ)を援用しながら朝鮮文学の独自性と自立性を強調している。

その一方で、日本の民主主義文学運動への傾倒と、在日作家の日本語使用の擁護の傾向も同時期からみられる。金達寿が「朝鮮文学の現状について」を発表した新日本文学会第三回全国大会を紹介した「日本文学の現状—新日本文学会の大会を見て」（『朝鮮新報*』）では、南朝鮮の文学家同盟に思いを馳せつつ、「私たちがここにいて日本のこのような新しい民主的文学運動を支持し、応援することも私たちの新しい文学運動に対して一つの大きな利益になるだろうと考えた」と肯定してみせる。また「朝鮮文学者の立場」（『国際タイムス』）では、在日朝鮮文学会の前身の一つとなった在日朝鮮人文学者会について書かれているが、「畸形的」ではあっても「われわれの言語の芸術をより豊富にする」と日本語使用を積極的に認めている。「朝鮮文学の性格—実質的な内容主義」（同）でも、「堂々とした」、「饒舌」、「空とぼけた」、「逞しい」という在日作家の作品の特性に「外国語によっても朝鮮文学が成立し得る振幅の広さ」を見出し、朝鮮人作家たちの日本語作品を評価しようとしている。

「噫・張赫宙—公開状　金達壽氏より張赫宙氏へ」（『文化ウィクリー』）では、「解放」以後も日本に残ったほぼ唯一の朝鮮人の既成作家で、「親日（対日協力）」作家とされた張赫宙の批判を行った。この記事では、主に張赫宙の「解放」後の作品を批判しているが、そこには、もう「そんな小手先には騙されない」と、新生した日本人読者たちへの信頼と連帯感ものぞかせている。類似の批判は『民主朝鮮』誌上でも行われている。これに対し、自身の植民地期の親日的行動をさておいて張赫宙批判をする金達寿に苦言を呈し、「罵るものと罵られるもの、何と醜悪な光景だ、醜悪以上になにかがあるというのか、なにもありやしない」（K「〝後裔の街〟の作者　金達寿おぼえ書」（『民主新聞』一九四八年四月二四日）と、双方へ痛烈な批判を浴びせた朝鮮人作家もいた。この筆者は金胤圭（立原正秋）と推測される。

二、『朝鮮新報*』紙上での金達寿—魚塘論争

一九四七年七月に掲載された金達寿のエッセイに端を発した、魚塘との一連の言語問題をめぐる論争である。魚塘は人民大衆の文化啓蒙運動の実践として在日朝鮮人の民族教育を地道に取り組み、朝鮮語の児童用雑誌や教材の発行にも奔走した人物である。地理学者でもあった。「論争」の経過を要約すると以下のようになる。まず金達寿が『民主朝鮮』とその周辺の日本語作家たちについて自画自賛するような文章を掲載（金達寿「日本語で書かれる朝鮮文学（上）（下）*」）。それに対し魚塘が、「解放」後の「本国」での民主主義民族文学樹立の動きと、朝鮮文学の歴史をひも解きながら、日本語で書かれた朝鮮文学は畸形的であると批判。極めて不利な条件下で朝鮮語で創作活動を行う在日作家たちを過小評価していることにも苦言を呈した（魚塘「金達

寿氏の日本語で書く朝鮮文学について㈠㈡*」。これに金達寿は、日本語使用が「過渡期であって一時的」なのは百も承知だと反論し、魚塘を「感情的」で「誤謬と誤解に満ち」た朝鮮人知識人の悪い典型と結びつけ、半ば人格攻撃を行う（金達寿「魚塘氏に答える*」）。対する魚塘は、日本語使用への自負を綴った金達寿とその他の在日作家たちの「日本語に自信満々」な具体例を挙げ、金達寿の態度が「客観情勢の好転」、つまり日本の進歩的作家たちの絶大な支持に支えられていることを指摘しながら、持論を再主張した（魚塘「畸形文学の端緒　金達寿に再言する*」）。

この言語論争は、『朝鮮文藝』（日本語版）の「用語問題について」（四号、一九四八年四月）という特集【本書第一巻収録】に引き継がれているが、こちらでは魚塘は、「朝鮮語なしに朝鮮文学は、なりたたない」と切り捨て、議論の俎上にも上っていない。対する金達寿は、朝鮮人の過去と未来を日本人に伝えることの重要性を強調し、日本語で書かれた「朝鮮文学」という新しいカテゴリーの創出を示唆している。ここで注目されるのは、金達寿が日本の「この階級」「プロレタリアート」との「協力」によって成り立つ、階級文学を志向している点である。先に見たように、当初は階級文学を明確に否定していたが、日本語使用の正当化のためにそれが新たに持ち出されているのが分かる。金達寿はその後も朝鮮語作品を発表することはなく、一貫して日本語での執筆と雑誌作りを行うことになる。

三、『朝鮮文藝』（第一号　一九四七年一〇月、第二号　一九四七年一一月、第三号　一九四八年二月、第四号　一九四八年四月、第五号　一九四八年七月）

『朝鮮文藝』は、在日朝鮮文学会の前身の一つとなった在日朝鮮人文学者会（一九四七年二月結成）のメンバーたち（金達寿、金元基、張斗植、李殷直［宋車影］、朴元俊、許南麒、康玹哲、尹紫遠）が中心になり、一九四七年一〇月に創刊された日本文の文芸専門誌である。朝連傘下にあった朝鮮文藝社が発行を担った。約一年間の間に六号まで刊行された【第六号は次回収録予定】。編集兼発行人は朴三文、住所は東京都文京区大塚坂下町である。全四〇ページの活版印刷で、発行部数は二〇〇〇部。「在日同胞が六十萬人も居りながら文藝雑誌の一つも持たぬことは寂しいことであつた。解放となるや間もなく、朝鮮文學者會が創立され、（中略）盛んに文藝活動が行われて居り、（中略）小誌も微力ながらこれらの文學運動の一助」となろう（創刊号編輯後記）という意図で創刊された。ＧＨＱの民間検閲局（ＣＣＤ）は『朝鮮文藝』の思想傾向を「中立」とみなしており、実際、検閲で引っかかった痕跡も見られない。植民地下や「解放」直後の朝鮮人たちの苦難をリアリズムの手法で描いた小説が充実しており、同時期にほぼ同じ顔ぶれで刊行されていた『民主朝鮮』掲載作品の傾向とほぼ変わらない。許南麒「新狂人日記」は、まもなく詩集『朝鮮冬物語』や『火縄銃のうた』で広く知られることになる詩人による、数少ない小説作品の一つである。『朝鮮文藝』を発行した朝鮮文藝社は、一九四八年三月に『朝鮮文藝』の朝鮮語版創刊号(在日朝鮮文学会機関誌)も発行している。「解放」直後の在日朝鮮人文化運動の理解に不可欠の資料である朴三文(パクサムムン)編『在日朝鮮文化年鑑　一九四九年版*』(編纂委員は許南麒、魚塘)と、金達寿の小説『後裔の街』の刊行を担ったのも朝鮮文藝社である。

第2部　在日朝鮮文学会機関誌

第2部は、在日朝鮮文学会の機関誌のうち、『文学報』、『朝鮮文学*』、『朝鮮文芸*』の三誌を収録した。『文学報』(全四号)は日本語誌、『朝鮮文学』(全二号)と『朝鮮文芸』(全九号)は朝鮮語誌で、いずれも謄写版である。

一、『文学報』第一年第四号　一九五三年八月

『月刊文学報』の名で出発した全四頁の在日朝鮮文学会機関誌は、本書収録の第四号を機に『文学報』と改称された。一九五三年三月の創刊から三号までは月一度の頻度で刊行されたが、三号と四号の間に三か月空いている。発行所は東京都新宿区新小川町二丁目、五月書房内の在日朝鮮文学会。文学会はこのとき民戦の傘下に入っていた。編集兼発行人は金達寿となっているが、実際には金石範が編集を担当していた(金石範氏談)。「八・一五と停戦成立記念」として出される予定だった第五号は刊行されなかった。ピョンヤン放送が『文学報』二号掲載の「主張　民族教育について—われわれは要求する」を取り上げたとあるように(四号「平壌放送『文学報』を報道」)、同誌は戦争の只中にあった共和国になんらかの形で渡っていたようである。

一九五二年末の民戦第三回全体提出議案では、朝鮮語での出版活動が組織として行えなかった理由が「充分な国文[朝鮮文]印刷施設を持たない為」と説明されているが、これは『文学報』が日本語誌である理由の一つでもあったとみられる。『文学報』発刊に先立つ一九五一年には、『民主朝鮮』を引き継ぐ形で大阪朝鮮人文化協会の日本文の機関誌『朝鮮評論』が創刊されており、金石範はその編集を三号まで担当したが、この『朝鮮評論』と『文学報』の執筆者はほぼ重なっている。

四号での執筆者には、後に児童文学者となる李錦玉と、『ヂンダレ』会員だった李静子という二人の女性が含まれている。女性作家の登場は、朝鮮文学会の機関誌のうちでは『文学報』が初めてとみられる。「在るノート」の作者の全和光は一九二九年に

鮮展に入選し、植民地期に童謡や童画を多く発表した画家である。「解放」後も観音像、阿修羅像、百済観音、三・一運動や朝鮮戦争、平安南道の故郷を題材にした絵を描いた。一九五八年頃から全和凰（チョンファファン）と名乗った。民族教育闘争を女性主人公の視点から描いた「西粉の抗議」の作者である金民は、同作品を含む三編の日本語小説（「朝の対陣」、「試写会」）を書いた後、もっぱら朝鮮語で小説執筆を行うことになる。「西粉の抗議」も朝鮮語で大幅に書き直され、翌年に『解放新聞*』に連載されている。また、『解放新聞*』（後には『朝鮮民報*』）の記者でもあった金民は、在日朝鮮人たちによる文学サークル運動の指導、監督の役割を在日朝鮮文学会内で担った。当初はそれらの動きを好意的に捉えたが、やがて『ヂンダレ』や『プルシ*』といった一部の文学サークルと正面から対立することになった。

二、『조선문학（朝鮮文学）*』（創刊号　一九五四年三月、第二号　一九五四年五月）

『朝鮮文学*』は一九五四年三月に創刊号を発行した、朝鮮文の在日朝鮮文学会機関誌である。二号まで刊行された。編集人は南時雨で、発行所は東京都港区芝新橋七－一二、文芸総内（第二号は「文団連内」）の在日朝鮮文学会、印刷は解放新聞社印刷所で行われた。同誌からは、合評による掲載作品の事前チェック体制が徐々に整えられていった様子がうかがえる。

　創刊号は、第一次朝鮮作家同盟会議決定書、全国作家芸術家大会決定書などの共和国関連資料と、朝鮮戦争で戦死した共和国詩人、趙基天論等で約半分を占めている。在日朝鮮人作家によるものは、金達寿の評論「われわれの文学運動の前進のために*」、南時雨の詩「私の庭で*」、柳碧の童話「うさぎと緑豆おじいさん*」、朴元俊のルポ「出張ノート　栄誉ある落下傘部隊*」、金民「文学サークル運動により大きな関心を向けよう*」である。金民はこの評論の他に、日本語誌『朝鮮評論』でもサークル運動を取り上げ、創刊当初の『ヂンダレ』について「闘いの武器としての文学を求め、かつその苦しい闘いの中でよい作品を作りあげようとしている」（「文学サークルについて」『朝鮮評論』九号、一九五四年八月）と好意的に記している。

　第二号は、同号にも収録された「文団連大会に送ってきた韓雪野先生の手紙*」の到着後に発行されており、より共和国との距離が縮まっている様が見て取れる。韓雪野「前進する朝鮮文学　一九五三年度創作事業の諸成果*」、李燦「創作活動におけるいくつかの問題点*」、李ウォヌ「児童文学の前進のために*」など共和国関連の文章と、ピョンヤン放送でも朗読された南時雨の詩「校門の歴史*」、許南麒の野談、金民のサークル誌評等、在日作家の作品で構成されている。第二号に掲載されたスケッチ「枝川同胞部落」と挿絵を担当したのは、「倉庫」や「マンホール」の一連の作品で日本の美術界からも注目された曺良奎（チョリャンギュ）

である（一九六〇年に共和国へ「帰国」）。
創作特集として刊行が予定されていた『朝鮮文学*』第三号は、『朝鮮文芸*』と改題されてその二年半後に発刊された。

三、『조선문예（朝鮮文芸）*』（第三号　一九五六年一一月、第四号　一九五六年一二月、第五号　一九五七年一月、第六号　一九五七年四月、第七号　一九五七年六、七月頃、第八号　一九五七年一一月、第九号　一九五八年三月）

『朝鮮文学*』二号発行後、一九五六年一一月に通巻三号として『朝鮮文芸*』が出るまでには間が空いているが、この間の一九五五年五月に総連が結成されていた。民戦と連携していた日本共産党の国際派と所感派への内部分裂、日本共産党内の民族対策部の解消を経た後のことであった。『朝鮮文芸*』の発行は在日本朝鮮文学会常務委員会が担った。編集者等の記載はないが、実質的には南時雨が行っていたようだ。住所は東京都北区上十条二―二二。これは東京朝鮮中高級学校の近くで、同年四月一〇日に敷地内に朝鮮大学校が創立されていた。許南麒、南時雨、柳碧ら文学会の主要メンバーは朝鮮大学校で教鞭も取った（朝鮮大学校は一九五九年六月に現在の小平へ移転）。

同誌の主な執筆者は、詩分野では南時雨、許南麒、姜舜、尹グァンヨン、金テギョン、金時鐘、全和光（全和鳳）、金允浩、小説／コント［短編］分野では柳碧、金民、林炅相（リムギョンサン）、尹グァンヨン、成允植等である。在日朝鮮文学会第七次大会（一九五七年八月）の際の討論（第八号にその要約が掲載されている）において、柳碧は日本語で朝鮮人の世界を書くと文学の質が落ちるという『ヂンダレ』会員たちの考え方は間違いで、その逆にならねばならないと主張しているが、たしかに同誌には、在日朝鮮人たちの生活、とりわけ朝鮮学校の教師や総連分会の人々を描いた小説作品が多い。

同誌第五号では、一九五六年頃に長崎県の大村収容所内で誕生した文学サークル、大村朝鮮文学会の会員たちの作品が特集された。大村収容所は、外国人登録証不所持や日本の政治運動に関与して捕えられた在日朝鮮人、あるいは韓国からの密航者が収容された場所である。直接の対面ができないまま、書面のやり取りによって大村朝鮮文学会は在日朝鮮文学会の会員団体となった。その一方で、大村朝鮮文学会会員たちは共和国作家と直接に連絡を取ってもおり、ピョンヤンで発行された『文学新聞*』も収容所内で読んでいた。一九五七年八月には『大村文学』が創刊されたが【叢書一四、第二巻収録】、収容所内の何らかの事情で在日朝鮮文学会との連絡が途絶したため、文学会は直接的にはその発刊に携わっていない。もともと朝鮮語誌として刊行される予定だったというが、実際には日本語で出された。

一九五七年の六月か七月に発刊された七号には、許南麒が金時鐘の詩集『地平線』を、南時雨が『プルシ*』掲載の姜舜の詩をそれぞれ批判する内容の評論が掲載されている。金時鐘と対立して文学会の主流派へと近づいていくことになる、『ヂンダレ』の洪允杓(洪宗根の筆名)の評論も発表されている。その翌年に刊行された九号には、次の第一〇号から六四ページの活字版になると告知されているが、発刊には至っていないようである。

一九五九年六月に在日本文学芸術家同盟(文芸同)が結成され、『朝鮮文芸*』を引き継いで『文学芸術*』が一九六〇年一月に活字版の機関誌として創刊された。『朝鮮文芸*』の執筆者たちは、初期の『文学芸術*』にも頻繁に登場するが、尹グァンヨン、李キョンソン、柳碧は、一九六〇年代初めに共和国へと「帰国」した。柳碧は帰国者を主人公とする小説を出版するなど、その後も共和国で小説家、童話作家として活躍した。尹グァンヨンと李キョンソンも共和国『文学新聞*』に何度かその名が確認できる。

第3部　在日朝鮮文学会の周辺

第3部では、在日朝鮮文学会の主流から外れて文学活動を行った人々が、一九五七年と一九五八年にそれぞれ創刊した二種類の雑誌を収録した。前述のように、一九五七年前後の在日朝鮮文学会の内部は分派闘争の様相を呈していた。共和国公民としての「主体性の確立」、社会主義リアリズムの採用、朝鮮語使用が在日朝鮮文学運動の原則となり、在日朝鮮文学会ではそれ以外の傾向を排する方向へと進んでいったのだった。大まかにいえば、このとき「象徴主義」的とされたのが『プルシ*』(全三号)、近代日本文学の伝統である「自然主義」的手法を取っていると批判されたのが『鶏林』(全五号)である。

一　詩・詩編『불씨*』(火種・BUL SSI)（第一号　一九五七年一月、第二号　一九五七年八月、第三号　一九五七年一一月）

詩誌『気流』を引き継いで発刊されたという『プルシ*』の創刊時の会員は、姜舜、具本彩、金棟日、李盛夏(姜舜の筆名)、金炳三、呉林俊、金太中の合計六名である。その後一〇名、一七名と号を重ねるにつれ増加した。編集兼発行人は創刊号が金棟日(金潤)、二号、三号がプルシ同人会となっている。連絡所は横浜市神奈川区沢渡二〇－一。三号の印刷所は東京都板橋区大谷口五八八、教同印刷所。教同は総連傘下の在日本朝鮮人教職員同盟である。神奈川朝鮮中高級学校(当時の校長は小説家で評論家の朴元俊)の教員をしていた人々が中心となって創刊された。一九一八年生まれの姜舜と、一回りも年齢の低い、外国文学等を日本の大学で学んだ男性エリートたちが集まった。女性は見当たらない。

金潤(金棟日)氏によると、『プルシ*』(火種)という誌名の名付け親は、植民地期に『乳色の雲　朝鮮詩集』等の日本語訳で北原白秋等に高く評価された金素雲だという。金素雲は一九五二年に立ち寄った東京で、韓国の現状を否定的に語ったために、駐日韓国代表部に旅券を没収され、一九六五年まで日本に滞留しており、メンバーたちとも接触があったとみられる。

在日朝鮮文学会の第六次大会(一九五六年四月)に提出された「総括報告と当面の活動方針」では、朝鮮語誌として出発したことで『プルシ*』は一応評価はされたものの、思想や芸術性の深度に問題点を残すとの留保がつけられた。南時雨「私の不満—『プルシ』の姜舜兄へ」(『朝鮮文芸*』七号)では、創作歴が長く、その才能を広く認められていた姜舜が大胆に批判されているが、その数か月後に刊行された『プルシ*』第三号は、文学会方針に挑戦するかのように日本語版として発刊されている。同号はさまざまな翻訳作品で構成されており、「朝鮮語か日本語か」という二者択一の問いそのもの自体を揺るがすことを目的としたかのようにもみえる。姜舜と金潤は、韓国の同時代の詩を日本語に移し替えた。姜舜は一号で発表した自らの朝鮮語詩の日本語訳も行っている。尹東柱「自画像*」と金素月「つつじの花*」を英訳した皮千得は、韓国の英文学者、随筆家である。「解放」後に日本を数度訪れているが、『プルシ*』会員たちと直接交流があったかは不明である。安宇植(アンウシク)、康敏星(カンミンソン)、黄寅秀(ファンインス)らのアラゴン、レールモントフ、ヒューズ等の翻訳作業からは、植民地主義、同化主義への異議申し立てと新たな民族主義の模索が、欧米やロシアという第三項を手がかりとしてなされている様子がうかがえる。

三号の編集後記で康敏星が二世問題について問題提起をしているが、ここからは『プルシ*』と『ヂンダレ』の影響関係をみることができる。じっさい、両誌のメンバーの間には互いに行き来があったようだ。『プルシ*』二号掲載の金時鐘「追悼詩*」は南朝鮮労働党済州道委員長等を務めた安世勲を悼んだ詩で、彼の日本語詩ではほとんど触れることのなかった、一九四八年の済州島四・三事件に関連した作品といえる。

一二月に刊行が予告されていた『プルシ年刊詩集』を出すことなく、『プルシ*』は終刊となった。その後、姜舜は総連機関紙の『朝鮮新報*』に記者として勤務するかたわら、文芸同の一員として朝鮮語詩を創作したが、一九六〇年代後半に総連を去り、以後は翻訳者、バイリンガル詩人として活動した。金潤は民団側に移り、『韓国文芸』、『若人』、『漢陽*』といった在日韓国系雑誌の編集を行った。韓国の出版社から朝鮮語詩集も刊行した。一九五八年にエリュアール『芸術論集』の翻訳を刊行した康敏星は、その後韓国の大学で教鞭を取った。金太中同様、東京大学英文科出身の黄寅秀は、ネグリチュード「「黒人性」を意味するエメ・セゼールの造語」を最初に日本に紹介した人の一人となり、リロイ・ジョーンズ（アミリ・バラカ）『根拠地』やW・E・B・デュボア『黒人のたましい』などの翻訳を多数手がけた。

二、『鶏林』（第一号　第一年一号　一九五八年一一月、第二号　第二年一号　一九五九年一月、第三号　第二年二号　一九五九年三月、第四号　第二年三号　一九五九年六月、第五号　第二年四号　一九五九年一二月）

『鶏林』は日本文の総合雑誌で、一九五八年一一月に創刊された。最終号となった『ヂンダレ』二〇号発刊の翌月のことである。発行は鶏林社、住所は東京都墨田区寺島町一－二。編集兼発行人は張斗植となっているが、実際には金達寿や尹学準が編集を行っていたという。誌名の「鶏林」は朝鮮の雅名で、植民地期の一九四三年に金達寿、張斗植、李殷直、金聖珉の四名が作った手書きの回覧雑誌の名でもあった。『鶏林』創刊辞には、日本人との「相互理解」を期し、橋渡しの役割を担う意思が明言されているが、日本人作家たちの協力を得て刊行するというスタイルは『民主朝鮮』以来のものといえる。この当時金達寿は、一九五七年に新日本文学会から袂を分った霜多正次、窪田精、西野辰吉、小原元らとリアリズム研究会を結成しており、同誌にもそれらの人々が寄稿した。

在日朝鮮人の執筆者は金達寿、張斗植、鄭貴文、姜魏堂、朴春日、尹学準、金泰生などである。『民主朝鮮』以来の執筆者に、済州島出身の金泰生、ロシア文学の学究の徒だった卞宰洙（ピョンジェス）、法政大学で日本文学を学んだ朴春日、尹学準など若い文学徒たちが加わっている。『ヂンダレ』の洪允杓や『プルシ*』の黄寅秀や金棟日の名もみえる。内容は古典、歴史、小説、詩、戯曲、翻訳、評論、書評、随筆、身辺雑記、読者欄など多岐にわたった。創刊号から連載が開始された張斗植の自伝「私の歩いてきた道」、朴春日の評論「近代日本文学における朝鮮像」は、後年、それぞれ『ある在日朝鮮人の記録』（同成社、一九六六年）、『近代日本文学における朝鮮像』（未来社、一九六九年）として結実した。

総連は『鶏林』の活動を当初から芳しく思わず、対決姿勢を見せた。その前段階として、創刊直前の金達寿『朝鮮―民族・歴史・文化』（岩波書店、一九五八年九月）の出版をめぐる騒動があった。総連は同書に対して厳しい批判を展開したが、その理由は植民地期の日本の文献ばかり参照していたこと、共和国史観に立っていないこと、総連の批准なしに刊行したことなどだった。

『鶏林』創刊からすぐ、「朝鮮総連の中央宣伝部が一九五九年一月二十一日、各県本部執行委員長、各単一団体委員長宛」に、「われわれはこの雑誌についてもまた、機関において取扱うとか、同胞に対して勧誘をするとか、配布、読者獲得、財政協力、その他一切しないということを明白にする」という公文を発したという(「公ろん　私ろん」通巻三号)。また同年四月には、李賛義の批判文「思想性と組織性の問題―雑誌『鶏林』に関連して」(『朝鮮民報*』一九五九年四月一一日)が総連機関紙に掲載された。

広範な読者の関心を集めたとみられるが、『鶏林』は『民主朝鮮』の時のような成功を収めることはできなかった。これは、総連文学運動の主流たりえなかった当時の金達寿の立場をよく物語るものである。終刊号となった通巻五号は、共和国への「帰国」第一船が就航する直前に発刊された。「帰国」実現が在日朝鮮人の文学、言論に与えたインパクトは絶大なもので、金達寿は自分が共和国の作家同盟正盟員になれなかったのは、朝鮮語での創作ができないからだと認め、自分は「朝鮮の作家」ではないから、もし帰国しても作家ではなく労働者になろうと思う、という決意すら同誌で述べている(通巻四号「わが家の帰国」)。

『鶏林』終刊の約四年後の一九六三年、金達寿はリアリズム研究会機関誌『現実と文学』の姉妹誌として日本語誌『朝陽』【叢書一四、第三巻収録】を、一九七五年には『季刊三千里』を創刊することになる。

最後に本書の刊行にあたっては、神奈川近代文学館・公益財団法人神奈川文学振興会、大村益夫先生の御協力を得ました。感謝申し上げます。

主要参考文献

『解放新聞*』、『朝鮮民報*』、『朝鮮新報*』、『文学新聞*』(朝鮮民主主義人民共和国)
金一勉「後進性における人間葛藤の様相―在日朝鮮文学組織に関する朝鮮作家同盟への公開状」『朝鮮評論』、一九六〇年
『全和凰画集―その祈りの芸術』求龍堂、一九八二年
宮本正明「解題」『在日朝鮮人関係資料集成　戦後編』第一〇巻、不二出版、二〇〇一年
小林聡明『在日朝鮮人のメディア空間―GHQ占領期における新聞発行とそのダイナミズム』風響社、二〇〇七年
宋恵媛『「在日朝鮮人文学史」のために―声なき声のポリフォニー』岩波書店、二〇一四年
宋恵媛編・解説『在日朝鮮人資料叢書一四　在日朝鮮人文学資料集一九五四－七〇』緑蔭書房、二〇一六年

本解説は科研費 17K02666 の助成を受けたものである。

目次

第1部　在日朝鮮文学会の結成まで

一　金達寿初期評論集

朝鮮文化人への提言（上）

――わが民族文化のために――

金　達　壽

いまや新しい世界のために世界各國の國民がそれ〴〵に大きな問題を課せられ、その切實な任務を果すことを要請されてゐるときであることはいうまでもないのであるが、われわれ朝鮮人ほどその課せられた問題の複雜なこと、その果すべき任務の根本的なこと、切實なことはないといつても過言ではないであろう。すくなくとも朝鮮人である私はそう思う。われ〳〵朝鮮人は宿命的な世紀の子である。私は考える。私は無限の焦慮に驅られ、悲しくならずにはいられない。―といつてもこゝで私は三十八度線のことや、南朝鮮における左右合作のことやをいほうとしているのではないのである。このことについても私は私なりに意見と信ずるところがないわけではないが、それよりもつと根本的なこれらのすべてのことを推進するわれ〳〵朝鮮人の破壞された性格のことをいいたいのである。

あの八・一五の解放から一年有餘をすぎたげんざい、この悲しむべき性格はいよ〳〵その深い疾患を露呈してきたと思われる。

よくつかう言葉であるが、かこ三十六年という長久の時間にわたつて、われ〳〵のあらゆる發展的生育を阻んだ日本帝國主義によつてわれ〳〵朝鮮人の失つた最大なものは何であつたであろうか。多いときは年に一千萬石を超えたわれらの豐饒な農產物、世界の標本室といわれるわれらの地下資源が蒙昧な彼等の戰爭に消耗されたこと。――なるほどこれも失われた大きなものであることには違いない。

しかしながらこれもわれ〳〵朝鮮人の破壞された性格にくらべるならば、いまとなつてははんの微小なことにすぎないのである。日本帝國主義のしつ梏によつて失われたわれ〳〵の最大の損失は、われ〳〵の性格の破壞である。わが白衣民族は純情であり、優雅であり、協同的であつた。このことはわが朝鮮の歷史と古典文化をひもといたことのある人々ならば誰でもおのづから指摘しないではいないところのことであり、日本人でさえもしば〳〵感歎してゐることを私は知つてゐる。そしてこれらの日本人はいう。この朝鮮人がなぜこうなのだろう、か、と私はこれらの議論にたいしては何時もおだやかな意味深い苦笑をもつて答えてきた。その人々は現象の面しか觀察しない片手落ちにおちいつているからである。

その原因を考えずして現象の面から現代の朝鮮人を觀察するならばまさにそうである。蔑視、中傷、偏狹な自尊は偏屈的な個人主義、非協同、これがそれである。これらすべてのことはあの日本帝國主義がすべての發展的生育を阻んで意識的に陷入れた牢獄的政策のためであることはいうまでもない。たとえばわれわれ朝鮮人はたいてい思想犯として刑務所の生活を經驗しているものが多いが、あの刑務所における人間の意識形態を仔細に考えてみるならば、このことはすぐに諒解されるであろう。あのなかにおいてもたとい、詐欺漢であろうと、窃盗犯であろうと、人格的には尊敬すべき人間が なにかの はずみで、（あるいは社會機構の矛盾や缺陷のためでもよい）そうなつたものもないでわないのである。しかしあの社會における支配的な意識は『お前も囚人ならば俺も囚人である』という これである。こうしてその人間の本來的な純潔や協同の精神はますます ゆがめられ、陷沒してゆくのである。日本帝國主義はわれわれ朝鮮人にとつてこの刑務所のやうなものであつたのだ。

『われわれ朝鮮人どうしはなぜ上へのぼつてゆかうとすると、下から足をひつぱつて引きずりおろそうとするのだろうか』とかいわれることも、またなにか協同的な動作をとるとすぐに分裂してかみあつたりするのも このためである。かくてわれわれに本來的に備わつているはずの大陸的な抱擁性にかわるに少數派的なセクト主義、おおらかな度量にかわるに偏屈的な自尊心、無意味な排斥、これがいまやわれわれの性格の特徴となつている。これから派 生する嫉視、中傷にいたつてはもはやいうべき言葉を知らないというのが本當である。

私はわれわれ朝鮮人の後天的な性格的缺陷をすこし誇張し、いゝすぎたであろうか。なるほど

［一行欠］

いすぎたかも知れない。だが、こういう私自身もこの朝鮮人の一人である。われわれはわれわれの缺點を率直にかえりみ、認め、えぐり そして新しいわれわれを『創造』しなければならない。このことから眼をそむけこのことの反省と認識に盲目であろうとすることは、そのことがすでにこれらの重大な缺點に陷入つていることであることを知らなければならない。

私はわれわれのこれらの缺點が刑務所的な日本帝國主義のし梏のためであるといつた。しかし、われわれはこれらの既成のことをその原因である事實に責任を負わせておわるわけにはゆかないのである。原因はあくまでも原因であり 解決ではないのだ。いまとなってはその犯罪的であつた原因も證文のない借金のやうなものである。

われわれに負わされた傷はわれわれ自身が處置し、解決しなければならないことはいうまでもないであろう。……そこで、私はやうやくこゝでおこなおおとしてゐる提言のところへきた

それはげんざい日本に在留しているわれわれ朝鮮人の問題、とくに文化團體の問題についてである。（筆者は作家）

［『国際タイムス』一九四七年二月六日］

朝鮮文化人への提言（中）

非協同を排せ

金　達　壽

總司令部の斡旋による歸國の計畫輸送が昨年の十二月十五日とさる一月三十日をもつてわづかな數である三十八度線以北をのぞいて一應打切られたことは周知のことであるが、この結果日本に在留する同胞の數は約六十万人といわれる。そしてこれらの同胞の手によつて發行される新聞、雜誌だけでもちよつと數えただけで十指にのぼる。このほかに演劇、音樂等の諸團體を數えたならば有名無名がらつに數十にのぼるといわれるのである。

解放されたわが朝鮮人の文化的意欲みるべきものがあるといふところであろう。しかしながらわれ〳〵はこれらのものがこのようにできてゐることを知つていると同じように、有力ないくつかをのぞいではそれらが障容的にどのような內容のものであるかもよく知つている。なぜなればわれ〳〵は日本に在留している範圍における文化的人材の底を知つているからである。何々、と名稱をつけ看板をかゝげて電話の一本もひき、ゴム印や角判の一つ二つをこしらえたということで、それで切實な人間的問題である文化にタッチしていると考えるならば甘いというよりも、それ自身はなはだしく非文化的なことであるといわなければならない。

とくに、外國においてわれ〳〵の缺點の一つであるその偏狹な自尊心がわざわいした非文化的な行爲が、外國人に笑われていやしないか、よく反省すべきことである。われ〳〵は自己の力量を盲目的に過大視することを警戒しなければならない。これは文化團體に限つたことでわない。その他の團體においても共通の目標をもち、共通の苦難を擔つているにもかゝわらず團體は數箇にわかれ、とるに足らないすでに必要のない團體をつくつては何々部長、何々次長と人をえらぶのに苦勞を兼ねている その結果は幹部（？）倒れになつていることがおちである。

これら共通の目標をもつものたちによつて、その目標の共通性を確認し一つのものにまとまつたならば、それがどれだけ組織的であり、强力なものであるかはいうまでもないであろう。それにも拘らずこのような非組織的無意味な分派的現象はどうであろうか。これはいうまでもなく嫉視、偏狹な自尊心からの偏屈な輕蔑、中傷等の非協同的なわれ〳〵の缺點がなすところのことである。われ〳〵の負わされた傷は深い。

しかしながらいやしくも文化自づから文化人をもつて任じているものの間にもこのようなことがおこなわれているとすればどうであろうか。それはもはや批判を越えた嘆かわしいことであるといわなければならない。われ〳〵の本國においてはすでにこのようなことは、すくなくとも文化運動においては克服されている。本國では朝鮮文化團體總聯盟の最有力な一つの名のもとに、文學者は朝鮮文學家同盟に、音樂は音樂同盟に、演劇映畫、科學、美術はそれ〴〵同樣の名稱同盟に結集して協同的に、親和的に强力な運動を展開している。在日本のわれ〳〵も本國のこれにならうべきであるだがそれには目標にたいする問題もあるだろう。私はこのわれわれの共通目標についてのべてみたい。

本國の目標と同樣にわれ〳〵は健全な民族文化を建設し、これを建設するために同胞を啓蒙することがわれ〳〵の當面の目標でなければならない。われわれの目標が李朝の封建的文化に還元することでもなければ、頽廢的な資本主義的文化を宣傳することでもないことはいうまでもないであろう。そして社會主義的階級文化を樹立することでもないのである。とくに後者のことは、朝鮮共産黨の文化政策（朝鮮民族文化の建設路線）においても明らかにのべているところである。すなわち建設される新しい文化は社會主義、あるいはプロレタリア的な文化ではなく反帝國主義的、反封建的な民主主義的な文化であり、無産階級の反資本主義的文化ではないのである』となおこの全譯は日共機關紙〃前衛〃に掲載される。

私が後者に限つて朝鮮共産黨の文化政策を引用し、あえてこれを譯して人を通じて〃前衛〃に掲載してもらつたりすることには次のような意味からのことである。それは日本に在留するわれわれ朝鮮人の間に、朝鮮共産黨の文化政策（政策というよりもこの場合、意見とか見解とかいつた方が妥當だと思うが）をしらないものは（しらない、というのは分らないの意味ばかりではない）朝鮮共産黨と文化といつただけで極左破壞的だと無條件的に考える傾向があり、しつているものはしつているものできた依然とした公式主義的な傾向があるからである。

［『国際タイムス』一九四七年二月□(不明)日］

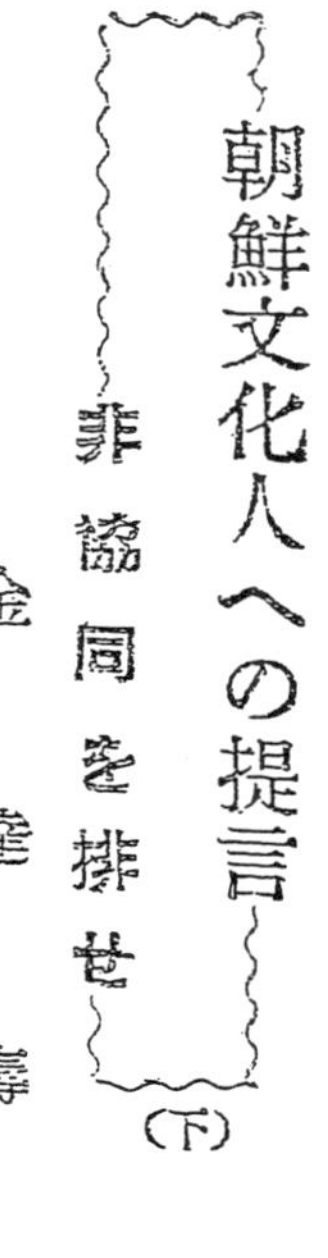

朝鮮文化人への提言（下）

非協同を排せ

金達壽

公式主義は極左に通じることはいうまでもない。文化における極左的な傾向は、朝鮮共産黨それ自身が極右とともに破壞的行爲として强く指摘し戒めている。このようにわれ〳〵の主張する文化の目標、すなはち民族文化の建設とその目標は共産黨からも廣く支持されているものであるが、この反對の資本主義的なたい廢的、封建的な文化を建設しようなどと眞面目に力むものはまさかいないのではないと私は思う。民族文化という民族文學ということは實に廣汎な解釋を含み、われわれの廣汎な團結的行動の可能性を廣汎に示さしているということは、私がこゝでいちいちのべるまでもないであろう。かくてわれわれには共通の目標があたへられた

それならばいまなおわれ〳〵の統一的强力な團結を阻むものはなにか。——私はこゝでこの文章の最初にもどらなくてはならない。しかし私はもどりたくないのである。そのかわりに私はこゝで一つの提案をしたい。とにかくわれ〳〵は一つ試みてみようではないか。それはまずわれ〳〵が會うことである。

われ〳〵は會つてみもしなけ

れば、知りもしないで對手をそれ〴〵に政治的に色分けして、政治的な想像をしてゐるのではなかろうか。私はさいきんある團體の訪問をして非常な成功をした。同胞どうしとしての親しみはおのずから湧き、たちまち相方の連絡の手がかりがつけ、おなじ文學の同志をさえも獲得した。お互に危險な想像のみを逞ましくし、鐵のカーテンをおろしていることは、たとえば政治的な駆け引きならば何かの意味があるのかどうか知らないが文化とその運動にとつては有害なばかりだと思う。ことに外國にいながらのわれ〳〵にとつてこのことはなおさらそうである。

とにかくわれ〳〵は會つて、語り、交際してみることである。エトランゼである同胞どうしが會つたり、交際することがこんなにもむずかしいことであるとはこれはどんな原因からなのだろうか。われ〳〵はひとたび會うことでこれらの小むづかしげなことはすぐに氷解してしまうのではないかと私は信じる。それにしてもたゞ會おう、語ろうといつてもこのことはまたむずかしいことであるだろうから、こういうことの機會を比較的につくり易いと思われる有力な新聞社などでこのための努力を拂つてほしいものである。このことを私はさいごにお願いする。

われ〳〵にあたえられたものは無限の可能性であり、希望である。このことから眼をおおうことはもう止めてもよいと思うのだ。（一九四七・一・三一）

［『国際タイムス』一九四七年二月九日］

朝鮮「民族文學」運動の開展（上）

わが文化運動の特質

金　達　壽

日本の人々が終戰とか敗戰とかいうようにわれわれは何かをかこうとし、いおうとするとすぐに『あの八・一……』というふうに發想法がゆくが、何しろわれわれのすべてがこの八・一五の歷史によつてすくわれ、開始されたのだからいましばらく發想法的表現も仕方のないこととしてゆるしてもらう。そこで、あの八・一五の號泣的感動からさめたわれわれは、ことに多少知識のあるわれわれ朝鮮人はわが國のもろもろの將來について、いろいろ考へた。政治的な方面のものは政治的に、文化的な方面のものはこの政治的なことをも含んで、文化的……如何に建設さるべきか、と。私もおよばずながらこれらのことについて考へた一人である。

私はまずわれわれ朝鮮人の『現代人としてのレベル』を考へた。私達朝鮮人は解放されたことによつて無限の可能性があたえられ、無限のスケールをもつ展望が開けられたことはいうまでもなく喜びにたえない事實である。そして、世界の步みは社會主義の段階にきていることも事實である。しかしながらわれわれは外來帝國主義のために三十有餘年という半世紀にちかい長久な時を失つていた。この期間は世界にとつてどういう期間であつたか。それは朝鮮とおなじ東洋の一封建王國であつた日本の文化的な飛躍をみればわかる。われわれは卑少な感情にとらわれて見るものを見誤つてはならない。さらに原子力の時代を迎えたことをつけ加えれば、この期間が如何に世界にとつて重大な期間であつたかはいうまでもないであろう。

いわばわが朝鮮民族の後進性ということである。この後進性は政治的な面においては一擧に追いつくことも可能であり、現在の朝鮮における情勢はこれを如實にものがたるものがある。しかしながらこと文化の面においてはこの跳躍はゆるされないのである。跳躍する爲には踏み臺をこしらえなくてはならないのである。つまりわれわれの近代的な主體の建設、ほかの言葉でいえば個性、新しい民族内容の形成が第一の任務でなければならない。世界のたとえばアメリカ人やフランス人、ソヴイエト人が判斷したものに飛びつくよりもわれわれ自身がこの判斷力を謙虚にしかも積極的に培養してそれを克服してゆかなければならない。歐米の先進のそれをう呑みにしながらだんだんと自己を形成した日本の方式もあるにはあるがこの日本の場合とは事情もちがうしさらに時代がちがうのである。そして自己を形成したとはいえ、う呑みと先つ走りの結果はこの通りだ。そしてわれ／＼はこの日本のごとき壮大な愚をなすような武力の國家をつくるのでもなければ世界を征服して白衣民族の下に跪伏せしめようなどというだいそれた自滅的野望などはさらにないとあってみれば、それこそわれ／＼の目標は文化國家、文化民族の建設になければばならない。これはうすっぺらな文化主義ではない。それであるから階級闘争とそれの克服を内容とする政治朝鮮の樹立運動に並進するとはいっても、文化朝鮮の樹立運動は一歩しりぞいて謙虚にわが民族の後進性に留意するところがなければならない。先進諸民族にとってはもはや昇りつめた階段であっても、われ／＼にとってはいま與えられた新しい階段なのである。

私はこう考えた。これは一見焦れったいことのようであるが致し方のないことである、と私は政治運動の友人に語ったりしたことであるが、その友人は政治的な立場から『お前のそれは反動だ』といわんばかりの眼つきをして挑んできた。しかし私は動じないのであった。かくて私は限りない鼓舞とよろこびに胸をふるわせることとなった。私はわが民族とわが先輩たちの聡明にたいして敬愛と感謝の念を強めないではいられなかった

それは一時に私にもたらされた本國における朝鮮民族文化運動のニュースである。しかも廣汎な充實した内容をもった。よではこの民族文化、文學運動はどのようにして、どんなように展開されてゆるであろうか。

［『国際タイムス』一九四七年二月二四日］

朝鮮「民族文學」運動の開展（中）

わが文化運動の特質

金達壽

その前にわれ／＼はこの大運動の裏づけであるところの過去約半世紀のわが國の文學の消息をたずねてみる必要がある。

英國の産業革命を契機としてとう／＼と東洋をおそった西歐の近代思想が日本の明治資本主義革命を斷行せしめたことはいうまでもない。機をみるに敏感なこの島國の民族はこれを直ちに感受して成就したのであった。しかし立ち上りにスローモーな大陸半島の朝鮮民族はついにこの機を逸してしまった。そしてその後進の國家のために長年にわたってドレイ的呻吟を餘儀なくされたのである。

この時期における西歐近代思想の輸入と影響は、その強弱の度こそちがうが朝鮮にもかなりあったのである李朝末葉の貴族文學は諺文の發達と大衆への浸潤とともに漸次平民文學へと移行した。李朝封建社會のなかでこの文學を代表する『時調』『ものがたり本』等は猛烈な勢で一般化していた。李人稙、李海朝等によって新小説が書かれ、それは市民階級の生活が表現されているばかりか、近代思想の影響が加わって市民階級の民主的改革と近代國家樹立の歴史的な欲求さえも表現されていた。封

建李朝は大きく揺れはじめ、近代文學のれい明はきだかに見えた。しかしこのときわがスロモーな両班政治家たちによつてわが國は日本帝國主義の侵入をゆるしてしまつた。

李朝の封建制度を法文化し、真向から愚民政策をふりかざした日本帝國主義によつて出版は禁壓され、集會は彈壓された。いわゆる武斷政治というのがこれであるが、かくてれい明期をむかえんとした朝鮮文學はそのいずれをもおしならべて暗黒の彼方に追いやられてしまつた。これがほゞ十年間、『三・一烽起』までつづいた。第一次世界大戰の終了とともにアメリカ大統領ウイルソンの提起した『民族自決』宣言に刺戟されておこつた三・一烽起、すなわち一九一九年三月一日を期して勃發し空前の虐殺と檢擧人員五十六餘万人を數えるという彈壓にあつて敗北した一大民族解放運動はわが民族運動史上もつとも劃期的な意義をもつものである（このことについて又べつにのべる機會があるだろう）が、これはわが朝鮮文學史上にとつても大きな意義をもつた。この運動の結果、日帝は武斷政治をいわゆる文治政治に切りかえ、少量ではあるが讓歩をして若干の朝鮮語による新聞、雜誌の發行を許可した。

こゝでわが朝鮮文學はあくらつな條件下ではあつたがいみじくも本格的な新文學の運動に入つた。丁度このときは市民的思想の圓熟と自然主義の末期にあたり、やがて社會主義的思想の擡頭とプロレタリア文學の發生をむかえようとするときであつた。うつ積していた新文學への欲求は一時にほとばしり出た。新しい朝鮮文學は花開いた。その内容においては今日あらたな課題となつた反封建性、反帝國主義性さえもすでに表現されていた。だがその特徴は三・一運動を契起として弱小民族解放の革命的波潮を含み、日帝にたいする日常的反抗運動の一翼として派生した『開花』であつた。そしてこの領導勢力は小ブルジヨア市民階級であり、その小市民たちであつた。

日帝のあくらつな、その反面巧妙な植民地政策は、地主、ブルジョア階級を懷柔することで懷柔的妥協の擧に出づるとともに、一方にその武力的勢力を世界に競い、間もなくこれら新文學運動を領導した小市民層を脱落と絶望的デカダニズムの淵へおしやつた。しかしながらこれは全面的な崩壞を意味するものではなかつた。それはまた自然主義末期の主潮でもあつたから。

一九二四―五年の市民的思想と社會主義的思想の交替期において、プロレタリア文學の發生と興隆をむかえ、日帝にたいする民族的反抗はこれに結びついた。この意味で朝鮮のプロレタリア文學運動は獨特なものである（これも何時かのべる機會があるだろう）が、かくて新傾向派運動と稱したこの文學運動の主體は小市層から勞働者、農民を主體とする勤勞大衆の手に移された。そしてこゝにおいては日本の進歩的人民との共同鬪爭というあらたな展望もひらかれたが、これはあの滿洲事變からはじまる日帝の中國にたいするあたらしい侵略戰爭の開始とともに、潰滅されてしまつたことはまだ記憶のなまなましいところである。そうして太平洋戰爭というわれらにとつては脱落と汚辱。彼らにとっては狂氣の時代に入った。

以上が朝鮮近代文學の概觀であるが、單的にいえばこの期間の朝鮮文學を次のようにいえる近代朝鮮文學は民族解放という第一義の『主人』をもって、しかも絶えざる壓迫の惡條件下で崩え出ようとしては踏みつぶされ、踏みつぶされた單純な一つの歴史にすぎなかった。と。ここに朝鮮民族文學運動の歴史的意義とその特質がはいたいするのである。


「国際タイムス」一九四七年二月二五日」

朝鮮「民族文學」運動の問題（下）

階級文學か、民族文學か

金　達　壽

朝鮮民族解放の日八月十五日とともに朝鮮は歡喜の大混亂におちいり、民族國家再建の政治活動は直ちに猛然と開始された。そして一方に文學の再建運動もこれにおとらず活潑に展開された。翌八月十六日にはソウル（京城）に朝鮮文學建設本部が設立され、十七日には朝鮮プロレタリア文學同盟が結成された。かくてはじめて朝鮮の近代文學は遠大な展望と希望の下に健全な發展を目ざして確定した。しかし同時にまた直ちに大きな問題がそこに横たわってゐることに氣がつかなければならなかった。それは階級文學か民族文學かの問題である。

文學者の團體はいづれも獄中か、地下から出てきたところの精力的な人々によって構成されてゐたが、これが二つに分れて一方は民族文學を主張し、片方は階級的プロレタリア文學を主張した。議論の應酬ははげしくなった。しかしながら共通の歡喜と建設への意欲に燃えた人々は、この建設の途上において分裂こそもっとも避くべきことであるということには意見が一致してゐた。こうして議論は實質的となり、やがて大陸人らしい雅量と落着きとをもって兩者は歩みよりをはじめ、十二月三日、本部側代表と同盟側代表とが會見した。

各々誠實な自己批判をもって合同をはかり、具體的な議論をかはした結果、十二月六日には合同に關する聲明を發表して十三日には合同總會が行はれ、朝鮮文學同盟の名稱の下に統一されることとなり、朝鮮全國文學者大會のための準備委員會が林和、李泰俊、金藥俊等十人によって構成され、この大會は翌年二月八、九の兩日盛大に開催され名稱を朝鮮文學家同盟と改稱して名實ともに統一的動作の下に朝鮮民族文學の建設を宣言した。

ではこの階級文學、すなはちプロレタリア文學を包含した朝鮮民族文學運動についてのべよう。さきにも指摘したやうに日帝の侵略のためにわが近代文學はあらゆる苦難をなめたのであるが、その實質においてはほんの上つかはを撫でたにすぎず、われ〳〵朝鮮人が空白の時代をおくることを余儀されたのと同じやうに、その内容においては空白に等しかった。ここにおいてわれ〳〵は階級闘爭といふ局限的な『主人』をもつことはすくなくとも文學においては危険である。それはわれ〳〵が後進の自己を考へない一つの自惚れといふものである。われ〳〵はいまやすべてを急速に見なをす必要がある。さうして去勢されたわれわれ自己内容を 整へなくてはならない。

それではその自己内容は如何に整備されるか。まづわれ〳〵は第一に日帝の殘滓をわが國内から徹底的に掃蕩し、われ〳〵内部に細かく沁みわたつてゐる封建的遺制を徹底的に除去しなくてはならないのである。かうしてわれ〳〵は民族的文學遺産を科學的批判的に繼承し、世界の先進文學を批判的に進取して國粹主義的偏狭を排さなくてはならない。これが朝鮮民族文學運動の綱領である。かくて局限的な主人よりも、進歩的民主々義的に全民族をその最大の主人として、そしてこの全民族の最大の主人であるところの勤勞人民大衆を主人とするのである

これはかこのプロレタリア文學の公式主義的に墮した點をも克服するものであり、眞に新しい文學進動を示さするものである。こゝにはじめてわが朝鮮民族の新しい人間内容は確立され、そして眼前に迫つた新しい段階のより高い文學へと飛躍することが約束されるのだ。

この運動がおこつてすでに一年、文學家同盟機關誌『文學』をはじめ洪水のように發行される諸雜誌にはこの主張に結ばれた同盟員の手によつて必ず三、四の創作が書かれ、金學鐵、池河淳その他あまたの注目すべき新人をおくり出し、指導部の李箕永、李泰俊等によつては早くも西歐近代文學を克服する新しい金字塔が打ちたてられてゐるのだ。

いまや階級文學か、民族文學かなどといふ聲はすでに後方のことゝなりつゝ、朝鮮文學は歴史の指向する新しい段階に入ろうとしてはげしい身じろぎをはじめてゐる。

〔『国際タイムス』一九四七年二月二六日〕

『文学新聞』（アンケート）

金達壽

満足できる長篇を一冊だけは必ずかくつもりである。これはいまかきつづけてゐる「後裔の街」（「民主朝鮮」に連載中三月までにをはるよてい。）のをはり方によることでもあるが「族譜」と題もきまつたものであり第一部はすでにかけてゐるものであるから必ずかき上げるつもりである。できれば新聞の連載を一つかき、それから短篇を二冊分かくつもりである。どうせ歸ることもかなはずある時期まで日本語での制作をつづけるとしたら腰をおちつけてばり／＼かく。

私はわれ／＼朝鮮人がいままでいきてきたことや、これからいかにいきていかうかとしてゐるかのことを、特に日本人に知らせ、分らせたい性急な慾望をおさへることができない。そして私の手で本當の、そして新しい朝鮮文學を紹介し普及したい。そのとき加藤清正の作者張赫宙のエセ作品や、彈壓のために展開不足にをはつた金史良の諸作品でさへも朝鮮文學のほんの一端のまた一端にすぎないものであつたことがわかるだらう。そして兩國の民主的文學の提携がその端緒を見出すだらう。

［『文学新聞』一九四七年二月］

朝鮮文學の立場（上）

金 達 壽

朝鮮はまだ統一独立されずはげしい陣痛のうちにあって政治的には混乱をきわめているが、解放の日からただちにはじまった文學運動は成熟のときにきている。

八・一五の翌十六日には李泰俊金臺俊、林和等を中心に『朝鮮文學建設本部』が設立され十七日は李箕永、嚴興せう等を中心に『朝鮮プロレタリア文學同盟』が再建された。

このほかに地方などにも多くの團體がぞくぞくとつくられたが、その年の十二月三日にソウル（京城）におけるこの兩團體が合同をして統一に乗出した結果、翌年の二月八、九の兩日ソウルで最初の畫期的な朝鮮全國文學者大會が開催され『朝鮮文學家同盟』を結成して機關誌『文學』を發行、全國に文部細胞をつくってさかんな活動を展開したのであった、自らも長篇小説『八・一五』を書いて大きな反響を呼んで問題をとうじた金南天は、文學讀者二千萬獲得運動を提唱してこれが强力に推進されるなど、文化文學の上においてすでに『獨立』を達成している。

同盟の組織と運動は日本における『新日本文學會』と期せずしてそっくりおなじであるが、新日本文學會の場合のように對立するものがなく、より强大で幅廣く彈力性にとんでいることがちがう。それは朝鮮では全く無から有が生じたように若々しいからである。そしてこの若々しいということを自覺しているからである。この若いことの自覺ということが朝鮮の文學運動ではもっとも問題となるところであって、これは『民族文學』の建設という目標に要約されている。

南鮮の昨年の騒動を契機としてこの運動の主流はだんだんと北鮮にうつされ、現在はむしろソウルよりもペンヤン（平じよう）を中心にして活潑な運動を展開しているようである。北鮮では軍のあっせんで訪ソ文化使節團（ちなみに團長は李箕永）のほかにも李泰俊その他がどしどしとソ連へ出かけて、ソ連の新しい文學に刺戟をうけ、これを取り入れて運動に一段の精彩を加えているという。

日本においては小田切秀雄、岩上順一氏等の評論活動や、宮本百合子、平林たい子氏等女流の目立つ仕事によって最近ようやく本當の時代を迎えたような觀をみせているが、朝鮮では池河連、許俊、李鳳九、田在耕などという新人が現われてもっとも注目すべき仕事をし、ソヴイエト育ちの金學鐵などがぐんぐん主流に迫ってゆくなど、實に多彩である。

そこで、これらの人々が一様に目ざす『民族文學』とはどういう主張によって貫かれ、どういう内容のものであろうか。次にそれをのべてみよう。

［『東京民報』一九四七年四月九日］

朝鮮文學の立場（下）

金　達　壽

朝鮮民族文學運動の特質的な内容を知るためにはまず朝鮮の現代文學、つまり八・一五までの文學がどんなものであつたかを知る必要がある。もちろん日帝の强壓下にあつて眞の朝鮮現代文學が存在するはずがなかつた。それでもいわゆる萬歳事件として知られている一九一九年三月一日におこつた獨立革命――三・一運動、三・一革命とよばれる――を契機として若干の朝鮮語による新聞、雜誌の發行ができるようになつたので、これを基盤として新しい文學が芽生えて。そしてこれはたゞちに新傾向派文學と呼ばれたプロレタリア文學運動に継續され、それは滿洲事變を發端とする日帝の新しい侵略行動のために日本と同様さんざんに叩きつぶされ再び三・一以前の暗黒時代に入つてしまつた。

この期間（これを私はわれわれの空白の世紀という）を通じてわずかながらではあつたが芽生えた朝鮮文學な内容的にどうであつたかというと、その期間がものがたるように民族獨立、民族解放という絶對的な傾向文學であつた。このたきにおいては、この傾向がまたわれわれにとつては純粋なのであつた。三・一運動を契機として起つた朝鮮文學は、三・一運動の精神を継承する唯一のものでありプロレタリア文學を新傾向派と呼んだのもこの消息をいうものであり、これがまたそうであつた。

しかし、今やわれわれは解放された。われわれは一時に過去のこの偏屈な姿勢を修正しなければならない。なにもかも最初からやり直しである。こゝに民族文學が提起される理由があつた。

朝鮮民族文學の建設とは一言にしていえば、新しい朝鮮民族内容の創造ということである。このためには帝國主義を否定し、封建、國粹主義に反對する。新しい人間タイプ、新しい人間性格の確立が朝鮮民族の建設であると考える。朝鮮民族文學は階級文學は否定する。こゝに朝鮮民族文學運動の幅廣い特質的な進歩性があるのであるが、このことが朝鮮勞働黨においてはその文化政策において次のやうに指摘している。

「問題の觀察とか研究の方法において辯證法的唯物論の立場に立たなければならないにしても、民族文化（文學か―筆者）が階級的文化になつてはならない。社會主義を内容とし、その形式において民族的な民族文化は、社會主義的政治經濟を反映するものであるから、われらにおいてはこのような政治經濟の土臺がいまだうち樹てられていないのであるからこのような社會主義的民族文化はまだうち樹てることは出來ない」

（一九四七、三）

〔『東京民報』一九四七年四月一〇日〕

朝鮮文學者の立場

「在日本朝鮮文學者會」に就て

キム・タルス

本國の運動と呼應し、朝鮮民族文學の創造と発展を目的としてわれわれ（尹紫遠、康玄哲、李殷直、金元基、張斗植、許南キ、金達壽このほか日本の國籍をもつキヨウキ堂があるが連絡中）はこのほど「在日本朝鮮文學者會」をつくつた。われわれ朝鮮人にとつては外國である日本でこのような團体をつくり、このような目的を推進しようとすることはやゝ疑問とするところがあるかも知れない。この文章はそのために書かれるのであるがまづこの會がこれから行おうとしている仕事をみよう。

同會はやはり日本でそれぐ活動している朝鮮人出版業者（新聞雜誌等）の理解と協力をもとめて、朝鮮語雜誌「朝鮮文學通信」日本語雜誌「朝鮮文學」を発刊し優秀な朝鮮文學の日本語による飜訳紹介、優秀な日本文學の朝鮮語による飜訳紹介にたづさわることになつた。前者は早くも手答をとのえて着手しているが、後者の場合は両國の國際的関係の調整がその発展をもたらすだろう。おしつづめていえばこの會は朝鮮・日本両國文學の接触点となろうというのである。

血なまぐさい戰爭によつてかちえられた新しい世界、新しい東洋とくに新しい朝鮮と日本との間にこのような新しい接触のための中間機関ができたことにたいしてはたとえそれが日本人の手によつてつくられたとしてもわれわれは大きな意義をみとめないではいられないものだ。これは現在までの両國とその民族の関係を考えたときにとくに然りであると思ふ。世界は一つだといわれるいま、われわれは何も特別に「民族」を云々して民族的に對立しようとするものではない。中國、朝鮮、日本をつなぐ線が今後いかに固かれてゆくかについては格別に胸膨るゝものがあるし、なければならないであろう。「この世界にとつてこれは内輪であるのだから。

いまこそわれわれは虚心たん懐に相互を押しあげつゝ生きるときにきたのである。

しかしながらおとづれてきたこのわれわれの新しき親和も、まづ民族平等観の確立がその底にたゝえられていないことにはそれも單なる無意味な標語にしかすぎなくなるだろう。民族の平等観とは互いが理解されてある事だと思う。一方が一方を壓へつけて一方のものを押しつけることではない。日本人は日本人のごとくであり、朝鮮人は朝鮮人のごとくあつて、互いがそうあることを尊重し、理解してゆかなければならない。そしてこの相互の敬愛と理解のためにわれわれはまづ何を知るべきであらうか。文學者であるわれわれは、それは相手の文學であると考える。

わが朝鮮は「不幸な近代」をもつた。このことは朝鮮人にとつて不幸なばかりではなく、日本人にとつても不幸であつた。このために日本人はもつとも知るべきであつた隣人を知らずにすごしてしまつたのである。それは朝鮮と朝鮮人であるが、これは自國の人民をも壓へつけて眼をふさいでいたその手によつて更に強く壓へつけられていたために、何よりも朝鮮人は自己を提示することができなかつたがためである。しかしいまやわれわれは互に自己を語るときにきた。われわれは知らなければならない。朝鮮を、日本を、中國を世界を。――このために「在日本朝鮮人文學者會」はその分に應じたはたらきをするだろう。

それからもう一ついつておきたいことがある。それはわれわれはげんざいこゝに居て多く日本語でぢかに創作をしているということだ。そして今後もそうすることであるが音樂、美術その他はしらず文學はもちろん言語の藝術である。朝鮮語で書きあらわされない朝鮮文學ということには疑問があろう。おなじように朝鮮語で制作をしない朝鮮文學者にも疑問がある。このことはわれわれ自身の内面的な問題であるが、もちろんこれはわれわれが言語をうばわれていたための一種畸型的な現象ではある。

しかしわれわれはいまとなつてはこれを「福となす」ことを知つている。私もそうであるがわれわれのなかには國語よりもこの日本語の方をよくするものもある。いやな運命的記憶はつきまとうけれども、國語の完全回復を目ざすとともにわれわれはこの日本語も忘れないつもりである。これはまたわれわれの言語の藝術をより豊富にするだろう。

われわれが國へ帰つたり、あるいは本國へ作品を送つたりするときには日本人が朝鮮文學を訳したりもしているかもしれない。これがいちばん理想にかなつた鮮日文化の交情である。しかしそれまでは時間がある。それまでわれわれのこの會はもつとも活潑なはたらきをするだろう。そして、おもしろいことにはこの會が戰爭中から企画されていたことだ。

〔『国際タイムス』一九四七年四月一〇日〕

朝鮮文學の性格（上）

抑壓に耐えた民族的個性

金 達 壽

朝鮮文學の性格なり特質をかたることは、朝鮮民族の性格やその特質を説明することであるとおもう。このことは「文は人なり」という文章修得上の言葉を考えるまでもなく、文學が形象である以上にこれはたしかなことである。

したがって朝鮮文學をかたるにはまず朝鮮民族が今日までどうあつたかを考えてみなければならない。朝鮮民族それ自体が今日まで正常な民族的姿勢をとつていることができなかつたのとおなじように、朝鮮近代文學はただしい自己の性格をおし出し、確立しえていないというのが本當である。文學ちもちろんあの空間の世紀からのがれることはできなかつたのだ。朝鮮のすべてがそうであるごとく朝鮮の文學も今後にある。

今日はじめて現実の可能性にむかつて民族文學運動がはればれしく展開されるまでの朝鮮文學は、押えつけられ、痛みつけられて、その量においても内容においても世界の文學のなかで微弱かぎりないものであつたことはいうまでもない。朝鮮文學は近代に目ざめるときにその鼻をたたかれて、三・一運動をまつまでの暗黒の十年間をおくり、この独立運動によつて獲ちえた新しい文學もただちに熱狂的なプロレタリア文學運動に見舞われて民族独立と階級闘争という二重の痛苦をべつべつにになわされ、それはまたすぐに満洲事変というきょう悪な時代に突入することによつてふたたび長い暗黒の世界におし込められてしまつたのだつた。

このような條件の下で本質的な朝鮮民族文學が自己を主張してうまれ、そして発展するはずがなかつたのである。

しかしながらそれでも朝鮮民族が今日まで生きえてきた以上、朝鮮近代文學がその性格をも見出すことができないほど芽も茎もなかつたわけではない。まがりくねりつつではあつたが、文學もまたしつつくはげしい抑壓とたたかいながらわずかでもその民族的自己はたもつてきた。抑壓はいかにしつつくはげしくとも朝鮮民族でのものの性質と性格はまつ殺できなかつたからである。

それでは「大陸的な闘太さ、日本の近代小説からは異質的な独自な對象把握の仕方、十九世紀ロシア文學に遥かに通い合うところがあるかに思われるリアリスティツクな人物彫り上げ——」（小田切秀雄氏）などといわれる朝鮮文學とはどんな性格をそなえたものであろうか。朝鮮文學が十九世紀ロシア文學に通い合つているということはよくきくことで、伊藤整氏もいつか朝日新聞で論じていたのをおぼえているが、朝鮮文學は日本文學とは異質的なばかりでなく、あきらかに相對立するといつた方がわかりいゝとおもう。便宜的に日本文學と比較して考えてみる。

日本文學はちかごろようやく

決定的な反省のときにきたといつて人間いかに生くべきか」という問題性の近代的な欠除がその最大の決定的な欠陥だといわれ、それが世界文學のリストから忘られている主因であるといわれている。このことを具体的にいうと日本文學は現実社會から遊離しているということであり、その対象であるはずのどろどろのなまなましい人間生活からは逃避しているからだという。短歌、俳句がその民族詩であり、身辺雑記的な私小説がその最高の文學であることは私も知つているが、朝鮮文學は一部きけい的なものを除いてはこれとはほとんど反対をゆく。それはまずその根本を支配する民族の性格個性がちがうからである。

『国際タイムス』一九四七年四月一七日

朝鮮文學の性格（中）

—實質的な内容主義—

金　達　壽

朝鮮・日本、この両民族の性格はまた私にとつて興味ぶかいものであるが、ここではそれをのべてみるスペースをあたへられておらぬ。一言でいうと両民族の性格的な相違は、一は島國的であるのにたいして一は大陸的であることの相違である。日本人はこの島國的でアジア大陸の、あるいはヨーロツパの影響をとり入れつつ独特な第三的傳統と人間個性をつくりあげたのだつた。小ぎれいという言葉はぢゆんすいな日本人の言葉であり、日本人は小ぎれいな人々である。世界文學の強い影響下にそだちながらも日本文學がいかにも日本人の文學であるのは、この根本的な傳統的性格によつてつねにみがかれるからである。日本人は何ごともみがかなくては承知しない。これはもちろん美点であり、欠点であることはいうまでもない。

これにたいして朝鮮人は素朴であり、むき出しである。日本人が形式をとるとすれば、朝鮮人は実質をとる。これを文學上の言葉でいえば日本文學は技巧主義であることにたいして、朝鮮文學は内容主義である。たとえばわれわれの人間生活はすべていりみだれて複雑なものであるが。これを観察し表現する態度において日本文學は自分の性にあわせて單純な方法によつてみちびかれる特性をもち、朝鮮文學はぢかにずかずかと複雑なままを肉体的につかみとる特性をもつている。このことは具体的な作品によつてしめされている日本のインテリ作家がかりに勞働者の街に取材をむけて、勞働者の生活を描くとするするとその作品はいかにも「出掛けていつてみて書いている」というゼスチュアをおおいかくすことができない。これにたいして朝鮮のおなじインテリ作家がおなじ取材を描くばあい、その作品のよしあしはともかくとしてそれは描かれた對象と密着している点で非常な相違が見うけられる日本の文學上の言葉で「巧い」という言葉がある。巧い、ということは技巧的に巧いというのみではないのである。おもしろい、という言葉とも通じ合つて「いい」という意味をも含んでいる。しかしそれはやはり技巧主義に重心をおいたものであることには変りなく、これが日本文學の内容を端的に説明している。そしてさらにすすんでは「小説上手」などという下町的な言葉がある。これなどは朝鮮人である私などには、生理的にぞつとするものをおぼえる。

朝鮮文學はこれらの言葉の合譜とは関係をむすばない。朝鮮文學においてはこれらの言葉の合譜は綜合ではなく、あくまで部分である。

それだからといつて朝鮮文學が先天的に日本文學よりただちにすぐれているという意味ではない。この相違は民族の個性が相違しているからである。その意味においては日本文學は志賀直哉、故徳田秋声氏等を頂点としてぎりぎりなまでに最高に到達している。しかしそれは日本民族の個性の場においてである。日本の新しい時代がすでにこれを自覚しているにもかかわらず上林暁等の小説にまだれんれんとしているのはこの根強い個性のためである。死んだ織田作之助氏がかれんにも試みた可能性の文學論は、この個性的不可能からの叫びであつたのだ

日本のすべてが反省のときにきていることもさることながら、機敏でもある日本民族はこの個性の行きづまりを打開して前進するだろう。前進しなくてはならない。そのための虚脱状態的混乱のなかから、早くもしめされはじめてもいる。自我の確立、生活の変革などという声がこれだ。

朝鮮文學はその民族的個性から著しい特質を有しながらも、実際の上においてはまだ未知数である。この意味でまた日本文學と同様、おおくは今後にまたなければならないが、その西歐とくにロシア文學的な特質は朝鮮人文學者が外國語、つまりここでは日本語で書きおろす「朝鮮文學」にも強くうち出されている。

［『国際タイムス』一九四七年四月一八日］

朝鮮文學の性格（下）

特質を失わぬ振幅の廣さ

金達壽

言語の藝術である文學が外國語で書きおろされてその民族の文學であるといわれるか、どうか疑問がなければならないが、それは民族の藝術であるという意味で日本語でも朝鮮人が書きおろす文學作品を朝鮮文學だとすれば、日本文壇に現在まで知られた範囲では張赫宙、金史良等の作品をまずとらなければならない。日本語によつて文學作品を書くということは日本の紙で作曲をし、日本のえのぐで絵をかくこととはちがいすこしでも日本の言語形態、すなわちその文學の影響をうけないということはむづかしいことであろう。これは日本語とかぎらず英語、ロシア語でもおなじことである。それにもかかわらずこれらの作品にもその性格的な特質はあきらかににじみ出ている。それ自身がまた朝鮮文學の性格と特質たといわなけ

ればならない。

金史良の「天馬」―「土城廊」に等にみるあの莫大な身ぶり、方法の思い切つた飛躍などは日本文學だけに馴れた眼でみれば、常識外れというよりもむしろ辟易するものがあるかも知れない。堂々としたむき出しのまゝに七轉八倒するごとく對象を追い立て、まくり出すあの風格と表現は單なる手法ではないのである。

張赫宙は「餓飢道」權という男其他ですばらしい出発をしておきながら、忠実に「加藤清正」までを書いて脱落していつたのであるが彼のその作品でさえもこの特質はあきらかである。彼はちかごろ朝鮮人の一人も登場しない作品をかいている(この動機と意味については別のところで論じるきかいがある)がその近作「一人の醜さと惡さ」―藝林閒歩二月号―「内弟子の告白」―時代三月号―をみてもわかる。張赫宙はここでは寧ろ朝鮮人的性格はぬぎすてようとしているにもかゝわらず、書かれた作品のあの饒舌は日本の説話体とはまたちがうものである。発見や練られたアヤを組みあわせることによつて淡々と描こうとするよりもそれ以前の饒舌的な方法によつて對象にせまつて描き出そうとするあの方法は、ほかならぬ朝鮮人のものなのである。その素材は前著に屬してばかばかしいものであるにもかゝわらず、一種独特な風な意味ありげなものになつてみえるのはこのためである。

この性格的な特質は解放後あらたにあらわれた作家や詩人にもあきらかである。手堅い穩當な文章力をもち、まだその本當のものはもち出していないが李殷直の「脱皮」―民主朝鮮十二月号―にみえるあのあそび・ともみえる空とぼけたような手法は日本文學ではとらぬものである。日本のもつとも傳統的な文學である短歌によつてその文學をみがいたという尹紫遠の詩「大同江」―同上二月号―におけるしつかりしたスケールのとりかたと、その逞ましいうたい上げ―朝鮮文學はあらゆるばあいにその強い性格をしめさないではいないのである。

岩上順一氏は「林語堂がアメリカ語を駆使してあのような文學活動をなし得たことは、日本の知識人にとつてはいままで驚異であつた。」として、朝鮮人がいかなる環境にあつたにせよ日本語で文學作品を書き得るということはおどろきであるといつていたが、しかもそこにはなおその性格と特質をも失わないのは朝鮮文學が外國語によつても成立し得るという朝鮮文學の振幅の廣さをしめすものである。われわれ朝鮮は本國人を追われ、しめ出されていた結果としていまもいたるところにおいて「朝鮮文學」が書かれている。わが民族語ではもちろんのことロシア語で、英語であるいはフランス語で。このことは、これらの文學に表現されるその民族がやがて自己を主張するとき一段の注意を喚起するだろう。

〔『国際タイムス』一九四七年四月一九日〕

噫・張赫宙

金達壽

　張赫宙さん、前から僕は一度あなたへお手紙をかかうと思つてゐました。一度お會ひしていろ／＼いつてみたいとも、思つてゐました。

　この題をみてあなたはたゞちに惡意を感じることと思ひます。もちろんこれは、われわれの解放のときにあなたが東京新聞へ書いた「噫・朝鮮」といふ文章の題をもぢつたものです。それを僕は平林たい子氏とおなじやうに讀むのがおそろしくて、避けたものですな、ひとにきくと解放される朝鮮を嘆いたあなたの名文であつたさうですね。

「　何がかいてあつたのか。今だに誰にもきいてみないが題からそのとき直感したことは、同胞たる朝鮮人に對して、ますます自分を孤立させるやうな恐しい內容であるらしく思へたのだつた。」と平林たい子氏はそのときの氣持をかう立派にいつてゐますが同胞である僕は「いまになつてもこの人は……」といふ憤りをもおさへることができませんでした。そしていま僕はあなたのことをかくこの題が非常に氣にいつてゐます。惡意ではない。むしろ好意であることがあなたには分ることと思ひます。

　過去において美しいことや、眞實といつたものを信じなくさせられたために生じるわれわれの非協同性それからの分裂抗爭をわれわれの何よりもの失陥であると考へてゐる僕は、殊にこの日本においてわれわれがいがみ合つたり、傷つけ合つたりすることをもつとも忌しいことだと思つてゐます。しかし同時に、そのわれわれがあなただけには、一言いはずにはゐられない。

　僕は（僕たちといつた方が適當かも知れません）あなたの作品をほとんど讀んでゐません。おなじ朝鮮人である僕は平野謙氏のいふ「成熟した文藝的肉眼」でなくとも、あなたの步いてきたなやましい行路をよく知つてゐるつもりです。戰爭中に文學報國會などで特に日本の御用文學者たちに卑屈な媚をうることに一生懸命になつていたことも、まあいゝ、分るとしませう。たまに歸つてゆく故國の京城などで、あなたが朝鮮人の宿を嫌つて日本人經營の旅館に泊ることを金史良はある感情をもつて（この感情はわれわれでなければ當時通じなかつたものです。金史良のやうに鐘路邊などの汚い宿に泊るよりも御宮―この御宮！―下の小ぎれいな笑福旅館の方が誰にもいゝにきまつてます）いつでゐたがこれもいい。例の踊り志願兵を踊り出すために東奔西走させられ（したとまではいひません）てゐたが、これも考へられる。いま同胞たちからあなたは民族叛逆者に扱はれてゐますが、これも考へる点があろう。まつたくあの時代を生きてくるといふことは、容易なことではありませんでしたから。われわれは辛酸をつくし、術策をも弄したものです。そこで文學者はいよいよ自分の作品を大切にし、守り、狂氣の周圍で自分の第一義のものであるこの作品にはすこしでも何とかして自分を潜め

☆金達壽氏より……張赫宙氏へ

公開状

☆キクチ・ショーイチ氏より…除村吉太郎氏へ

ておかうと努めるやうになりました。それは行間に、逆說的に、または象徵的なまでになり、遂にこれらの人々は筆を折つたものです。あるひは監獄へも押しこめられました。文學者の本當の自己表白は作品であるといふことはいまも變らないと思ひます この時期にあなたは特別な作品を發表しました。僕はいまもありありと憶えてゐます。それは「文藝」―改造社發行當時の―新年號でした。カツトのかはりに高見順氏などとともにあなたの微笑んだ寫眞も出てゐます。僕はあなたの寫眞をはじめてみました。なかなか美男子でありました。□□□（不明）作品は「加藤清正」―何といふことです。われわれの悲劇も極まれりでしたそれまでのあなたはわれわれの希望でした「餓鬼道」「追はれる人々」等の作者であるあなたは僕たち民族の日本における唯一的の勇敢な抗議者であり、代辯者でありその才能でさへありました。「加藤清正」―僕はそれでも？と思ひ讀みすゝめてみました。しかし三頁をみるのにやうやくだつたのです追はれた人々の子たちが日本の小學校や中學校では神功皇后の三韓征伐の虛構や、豊臣秀吉の朝鮮征伐といふ言葉にどんなに傷つけられ、英雄加藤清正にどんなに惱まされたことでせう！このことは誰よりもあなたが一番よく知つてゐたはずです。

しかし、これも過去のこととして忘れることができるとしませうみんな忘れるとしませう。

問題は解放後のあなたです。現

在のあなたです。僕はあの「加藤清正」以來あなたの作品は一篇も讀んでをりませんでしたが解放はまたわれわれに寛容と落着きをあたへるものと思はれます。あなたは解放後とくにまたよく書いてゐます。僕はさいしよ「創建」に連載をはじめた「民族」を讀みましたそして近作の「人の善さと惡さと」「内弟子の告白」「とこしえに」を讀み下しました。これらの作品を讀みはじめる僕は、實はひそかな期待をもつてをりましたあなたにもやはりあなた「手管」もあつたであらうし「施策」もあつたかも知れない、と。だが僕はやはりわれわれ同胞のあなたに對する見解を認めないではゐられません。なやましいことです。「噫。張赫宙」の感を深くしないではゐられません。「民族」は長いものの第一回しか讀まないのでともかく、最近作である以下の作品、あれは何ですか。なるほど達者です巧い。日本語も上手です。日本人文學者よりもさきに逸早く現代かなづかいをつかつて、「とこしえに」の如きは先きつ走りして平かなだけで試みたりするところ、それもなるほど賢明です。その姿勢だけでも戰爭中にあなたが重ねて強調してゐたことを重ねてよく分ります。

しかし、張赫宙さん、何もあれは朝鮮人の張赫宙が書かなくたつて書く人は日本にいくらでもゐます。むしろそんな小手先の藝と小達者さは日本文學の欠陷でさへあるといはれるほど、たくさんゐます。これからの日本の讀者はそんな、小手先藝にだまされなくなるであらうこともちろんですが、あなたに對する錯覺にも目ざめてくるでせう。といつて何も僕はあなたを朝鮮人に引戻さうとは毛頭考へてをりません。（一九四七、三）（作家「民主朝鮮」編輯長）

［『文化ウィクリー』一九四七年六月一六日］

あゝ呂運亨先生

＝文化人としての横顔＝

金　達　壽

一九四七年七月十九日は解放以後のわが朝鮮民族にとつて最初のもつとも不幸な日であつた。

夢陽、呂運亨先生がきよう弾に倒れた。

しかもその解放のために生涯を打ち賭したその同胞の手によつて

われわれは階級的というよりも民族全体の、朝鮮そのものが一単位的に長年にわたつて敵をもつてきた習性によつて、同民族間における敵を意識することに鈍感であるが、いまやわれわれは大多数ということと、その敵をはつきりと自覚しなければならぬ。もちろんわが民族の解放と独立のための偉大なこの存在を倒したきよう漢はわれわれに無限の焦慮を強いるにしか足らぬ一介の無知な青年か壮年であろう。しかし、この男の無知を使てうし、これを敢行せしめたものに対しては、われわれはたゞその「無知」に焦慮ばかりするわけにはゆかぬ。

×　　×

寝床のなかから新聞をもつてガバとはね起き、子供のように眼をこすつたが、それはどうしようもない報道である。東大門の附近を思い起しては焦慮に駆られるばかりである。涙がはらはらとこぼれる。不幸な朝鮮よ！

呂運亨先生は立派な文化人でもあつた。英語、フランス語、中國語、ロシヤ語等の語学に天才的であつたばかりでなく、その天稟的に明るい性格に備つた欧米的教養の深さは東洋の政治家としては稀なものであつた。そして社會主義者であり、平民主義者であつた先生は、その生涯を通じて投獄、亡命と繰返しつゝも決して日帝に下ることのなかつた闘士でありながら、常に闊達で明るく平民的であつた。その身辺には常に知性的な青年、学生が集つていたばかりでなく、あの狂熱的な戦争の最中に特に先生の身辺を護衛して離れなかつた四、五人の日本人の崇拝者があつたことでも先生の人格を窺い知ることができるだろう。講和ができて許されゝばすぐに先生の下へ駈けつけていきたいと、待つている日本人が（この人は朝鮮で先検事をしていた）あることを私は知つている。

先生は登山　競技等のスポーツマンとしてはすでに有名で、これも闘争的政治家としてはその潤達な一面を語るものであるが、私にとつてもつとも愛惜の念に駆られずにいられないことは、先生の文学に対する理解と、文学者に対する謙虚な尊敬である。

先生は一九四六年二月八、九の両日ソウルキリスト教青年會館で開かれた朝鮮文學者大會に風邪の身体を押して出席された。全文學者は歓声と拍手をもつて迎え西洋では知らぬがかつて東洋では文学者が政治家を歓声と拍手で迎えたことはなかつたし「呂運亨先生」という敬称をもつて司会者が先生を祝辞の壇上に紹介すると、先生は「私はみなさんの先生となる何等の資格もなく、私こそみなさんを心から先生と尊ぶ。また尊敬している。こゝへ來たのも祝辞をしに來たのではなく、諸先生から學ぶために來たのである」という意味のことを前提して白樂天魯迅から西洋の諸作家やその作品を豊富に引例しながら。進歩的民族文學論を展開し、おくれた朝鮮の革命的成立とその文学的成立を微細に論じて、「私も必ず何時か小說を書いて諸先生の前に出しますことを約束します」と結んだのだつた。

× ×

六十二歳とはいえ、先生は青年の肉体的風貌の持主であつたばかりでなく、闘争とスポーツに鍛えられたその精神は若々しく、実にあらゆる意味で、これからなのであつた。

× ×

しかし、その精神は朝鮮と共に決して滅びはしないだろう。

（一九四七年七月二十日、先生のきよう報を前にして）

〔『国際タイムス』一九四七年七月□（不明）日〕

─解放後の─
朝鮮文學の發想

金　達　壽

─われらは告げなければならぬ。詩人とはこの新しい共和國をまもる、もつとも熱烈なる市民の一人であることを。

これは一九四六年二月ソウル（京城）で開かれた第一回朝鮮全國文學者大會における金起林の報告「わが朝鮮詩の方向」のことばである。

解放後の朝鮮文學はなるほどその廣汎な可能性において、その自由な展望において幸福にあたいした。しかしながらそれらの可能性や展望に比例して、その前に立ちはだかつている當面の諸問題もまた廣汎であり深刻であつた。そこから直接に詩や小説が發生すべき言語の基盤は長年の周到な野バンによつて破壞され、その擔當者たちは四散させられていた。日本帝國主義はそのもつとも多くの野バンをこの朝鮮においてこころみ、その呪われた足跡をもつとも多くこの朝鮮に殘した。

かくてはじめてその發展と自由を保障された朝鮮文學が、まず當面の課題としてとりあげたものがこれら日帝殘滓の掃蕩であることは當然であつた。それはまた多く自己内部にわたる批判もあるであろう。それらを含めてわれわれはまずこの殘滓を一掃しなければならぬ。これの掃蕩のための闘争を經ることなしには新たに保障された自由も眞の自由とはならぬ。

苛責のないこの殘滓への闘争はまた必然に新たなわが朝鮮國家の建設への闘争につながる。それは單に政治と文學の問題として取りかたづけるわけにはゆかぬ。政治と文學、これはついに兩立し相あらそうものではあるかも知れぬ。しかしながらわれわれは長いとざされた過去の記憶の檻を通つてゆくことはできない。われわれは痛烈に思い知らされた。

國家のなかつたところに文學もなく、民族が、言語が抹殺されようとするところに詩も小説も生れはしなかつた。このことはまたことばをかえていえば、わが國家の建設されないところにわが民族の文學も建設されないし、破壞された言語を建てなおさないところから、うるおいに充ちた詩も小説も生れてきはしない。それならいかなる國家が建設されるべきであり、いかなる國家が建設されてこそわが民族文學の廣汎な發展と自由を保障するだろうか。

それは歴史に逆行する反動國家であるはずはなく、進歩的民主主義國家であるということはいうまでもない。そしてこのわが文學の發展と自由を保障する國家は現實にどこかの誰かが建設してくれるものではない。それを建設するものは朝鮮人自身わが朝鮮の勞働者、農民を主體とする朝鮮人自身である。そしてまたこのわが文學の發展と自由をもつとも欲するものは誰か？それは文學者、われわれである。

ならばわれわれはまたこれらの勞働者、農民の隊列に加つて、このためにもつとも積極的であり果敢でなければならぬ。何よりもわれわれにとつて先行するものはわが民主主義民族國家の樹立でなければならない。

一九四六年二月はじめて開かれた朝鮮全國文學者大會においてこれをわれらが告げてより、わが朝鮮民族文學運動の二年は、この基本課題のためにさゝげられ、これの強烈な實踐であつた。だからいまもなお、わが朝鮮の文學者たちはカンゴクとしたしい。

しかしなおわれらは告げなくてはならぬ。わが朝鮮の新しい民族文學がこのたゆまぬ強烈な鬪爭のなかから生れ、そして成長することを。――（一二、一五）

〔『東京民報』一九四七年一二月二九日〕

朝鮮のジャーナリズム

キム・タルス

日本もさることながら朝鮮のキキンはなお深刻である。日本の場合はそれがほとんどヤミに流れているために割当ての配給切符が空切符となり、この切符の権威を信じている出版は手をあげることになってさかんにキキンが叫ばれているが、事実は先日の新聞にでていたように余り名も知られない出版社が一万数千連の紙を隠匿していて一躍有名になったり、有名出版社もまた来月からは発行の雑誌が出せなくなるなどという赤信号を匿名で新聞に広告しておきながら、数千連を持っていたりしているし、なくてもよさそうな特徴のない群小のものをも含んで新聞は毎日まちがいなく発行され、雑誌も同様にエロ、グロ、低級な娯楽あわせてケンゼンに発行されている。

朝鮮の場合はとてもこのように賑かなわけにはゆかない。紙の絶対量が不足しているからである。新聞は毎日タブロイドであるし、その紙質もひどいものだ。前から朝鮮には紙の大生産工場がなく、ほとんど日本の生産工場に依存していた。若干の施設はあってもそれはパルプの出る北鮮にあって、北鮮は三十八度線によって区切られている。だから三十八度線のてつ廃と臨時政府の樹立はこの紙のためにも必要なのだ。

しかしながらあの八月十五日以後新聞、雑誌は溢れるように発行された。弾圧によって廃刊となっていた「東亜日報」「朝鮮日報」の二大新聞の復刊をはじめ、もと総督府機関紙「京城日報」の施設による「人民報」「ソウル新聞」「自由新聞」等々ソウル市だけでも二十を超える新聞が出ているし、各地方都市にも必ず二、三が出ている雑誌もまた凄まじくわれわれ朝鮮人が「独立万歳」を叫ぶたびに一ずつできるように発行された。三百頁を超える「大潮」をはじめ「協同」「新天地」「人民」「民心」「新朝鮮」「家庭」「春秋」「女性公論」等々の多くの綜合雑誌家同盟、それに二百余頁の印刷紙で発行される朝鮮文学機関紙「文學」を先頭に「新文學」「芸術部落」「文化創造」「白脈」等々の文學雑誌、その他科学、美術などの専門誌を加えるならばまことに数限りなく新興國家らしい殷賑と偉観を呈しているさきに私は日本のように賑かなわけにゆかないといったのは、この世界的紙不足の折から民衆の弱点をあふって營利を専一とするエログロ、低級な娯楽雑誌などは朝鮮では幅をきかしていないという意味である。それらのものが幅をきかすには余りに紙が不足しているし、解放された朝鮮人は余りに賢明であるのだそれはジャーナリズムの内容それ自身が如実にしめしている。

解放直後にぞく生した各新聞や雑誌は朝鮮人一般の解放にたいする歓喜が上ずったものがあったように、かなり浮き立ったものがあって独立の歓びや、観念的な國家形態の論議でうめつくされていたすべての歓喜と幸福はこの國にだけ訪れたかのような観があった。

これはあのモスクワ三相會議までつづき、この三相會議の現実的な決定によつてはじめて夢からさめたようなショックをうけ、それは最大な決定事項である信託統治反対のデモに集注的となつてあらわれた。そして解放後の朝鮮のジャーナリムケがもつともはなばなしさを示したのはこのときである

　しかしながらこれを契機として朝鮮のジャーナリズムは外剛的から内剛的となり、米ソ共同委員會の分裂、世界情勢の現実的な変化等から内剛は内省的となつてきた

　一流新聞の社説、一流綜合雑誌の巻頭論文に自己批判的なものが目立つてきた。これは更に進んで分析的となり、朝鮮はなぜ日帝にやすやすと侵略されなければならなかつたか、などの問題を學者などを動員して科學的に分析し、解明し、近代史を徹底的に分解しては弁証法を試みるなど、痛烈な自己批判に充ちている。

　それから朝鮮のジャーナリズムの面目を発揮する特徴としてはいずれも進歩の名にはじず反動的なものが一つも見當らないことであつたが、ちかごろは雑居するかたちでこれがぼつぼつと見えてきたこれは南鮮に材をとつた文章である。

〔『国際タイムス』一九四七年□(不明)月□(不明)日〕

日本文學의現狀（上）

新日本文學會의大會를보고

金達壽

日本에 있어서 모─든 民主的 文學者를 結集하야 民主主義文學建設의 旗발을 내걸고 日本民主主義革命의 一翼으로서 文學의 革命을 위하야 싸우고 있는「新日本文學會」는 지난 十一月一 二 三日을 通하야 東京神田敎育會館에서 第三回全國大會를 開催하였다 이 大會에는 進步的 國際文學파의 提携의 意味로서 會員의 一員이 되어있는 우리도 參加하야 大會準備委員會의 要請으로서 一朝鮮文學의 現狀에對하야 ─報告를 하고 最後까지 그 大會席上에서 새로운 日本民主主義文學의 陣痛을 보고 그 雰圍氣의 속에 있게 되였다

이 大會의 趣旨를 一言으로서 말하자면 새로운 日本을 建設하고 새로운 日本의 民主主義文學을 樹立할나고 하는 그 文學者들의 誠心과 熱情에 感動아니 할수 없엇든 것이 었시다 여기에 모인 中野重治 宮本百合子 德永直 岩上順一 小田切秀雄 窪田鶴次郎 藤地直 佐多稻子等을 비롯함[한] 모─든 文学者들은 過失에 있어서 日本帝國主義戰爭을 反對하고 朝鮮의 獨立運動을 支持하야 우리의 先輩들과 直接 間接으로 같이 싸워온 民主的 文學者들이다 特히 過去 푸로레타리아 文學歷史上에 燦然히 빛나는 中野重治의 有名한 詩「雨の降る品川驛」는 우리의 先輩들이 强烈한 日本帝國主義손에 쫓겨가는 피눈물나는 光景을 붙는 것이다 日本의 帝國主義가 敗退한後에 있어서 새로운 日本의 文學을 擔當하는者는 이러한 民主的 文學者들일것은 勿論이나마 그러나 日本文學의 現狀을 볼때 그 前途는 아즉 希望과 暗澹의 손에 있다

이것은「民主主義文學와 現狀파(그方向)」中野重治)을 始作한 中央委員會의 報告 特히 「文化反動과 그에 對한鬪爭」(小田切秀雄)「文學大衆의 諸問題」(岩上順一)等의 報告에 도明確히 指摘되었다 지금 日本에 있는 文學的 反動의 形態는 敗戰을 契期로 그 無知로서 落心하고 虛脫한 民衆의 弱點을 利用하야 거기에 基盤을 둔 데가다니즘과 觀照한 에로티즘의 橫行이라고 한라 이것은 最近 復刊된 雜誌「文學界」를 中心으로 하고있는 者들이고 또 이것을 理論的으로 支持하고 激勵하게 되는것이 雜誌「近代文學」을 中心으로하야 모여있는 評論家들의 行動이라고 한다

이者들은 어떠한 理論을 展開하고 있느냐 하면 小市民인테리겐치出身의 作家는 암만하드라도 民衆의 손에 드러갈수가 없다 그럼으로 小市民은 結局 小市民이고 또 小市民으로서 조금도 떠붐지않는 것이다라고 하는 宿命論을 一貫새로운 紛飾下에 固執하고 있고 또 이것을 뒤집어 小市民인테리겐차는 그만 그 自身이 民衆인다 民衆이 하로 있는것이 아니라 내 自身이 民衆이라 하여서 인터리겐차를 民衆과 分離시킬라고 하는 反革的的效果를 苦待하고 있다고 한다(「文學大衆化의 諸問題」(岩上順一)

（續）

〔『朝鮮新報』一九四七年一一月三〇日〕

日本文學의現狀（下）

新日本文學會의大會를보고

金達壽

이러한 한편에 있어저 이러한 反動的 文學行動을 排擊하고「民衆의 理解를 받어 사랑을 받는同時에 그 意思와 感情에 結付시키면 그의 文學이 民衆의 손에 숨어있는 才能을 發達시킬「(레ー닝)文學을 理想으로 하고 있는 進步的民主主義文學陣營에 있어서는 어떠냐 하면 그 作家 評論家들이 過去 푸로레타리아文學이 破壞當한 以後는 그 團結的 行動도 亦是 破壞를 當하고 長久한 期間을 通하야 戰爭에 抵抗하면서 各々 個々에 떠러저 있었음으로 리아리즘을 正當하 發達시키지 못하고 民衆과의 結付가 弱發되어 그 距離는 漸々 增大되어 왔다고 한다

(同上 岩上順一)

그러나 이것은 勿論 自己批判 一層 큰 獲得을 위한 嚴重한 自己批判의 말인것을 우리는 充分히 理解하여야 된다 이러한 自己批判과 努力면에서 아즉까지 決定的 勝利를 獲得하지는 못하였으나 그 收獲도 적지는 않다 재로운 民主主義文學을 推進하는 理論的發展은 勿論 하고 直接 그作品에 있어서도「播州平野」「風知草」「二つの庭」等의 宮本百合子「妻よねむれ」「夜明けの風」等의 德永直를비롯하야「こういう女」（平林たい子）「暗い繪」（野間宏）「私の東京地圖」（佐多稻子）「町工場」（小澤淸）等々은 모다 이 民主主義文學의 所産이다 特히「播州平野」等의 作家 宮本百合子는 지금 日本의 文壇을 風靡하고 있다고 볼수가 있고 第三回大會를 契機로 하야 一層의 强固한 團結과 戰鬪態勢를 整備한 新日本文學의 積極的攻勢와 같이 이러한 實踐的인 收獲도 增大할것은 勿論이고 그 前途는 洋々하다고 볼수가 있다

그리하야 最後에 一言하면 이 新日本文學會의 모ー든點을 보고 우리가 꼭 느끼지 아니할 수있는 것은 우리와 祖國에서 싸우고 있는우리「朝鮮文學家同盟」의 諸活動이다 어우리「朝鮮文學家同盟」어 對하야서는 또 別를 機會가 있으리라고 생각하나 그反面 우리가여기에 있어서 日本의 이러한 새로운 民主的 文學運動을 支持하고 應援하는것도 우리의 새로운 文學運動에 對하야 하나은 利益이 되리라고 생각한다（一九四七·一一·四）

［『朝鮮新報』一九四七年一二月二日］

自己紹介

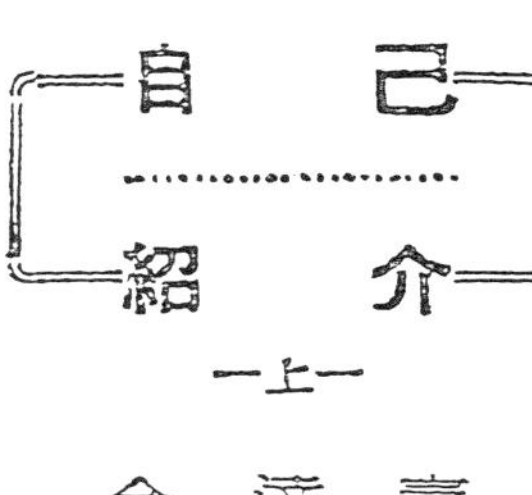

―上―

金達壽

解放後多くなったあたらしい會合に出るたびに、私は物足らなく思うことが一つあった。それははなしのはじめに行われる、そして行われなければならない自己紹介である。

「わたしは何というものです」「ぼくは誰です」と巡ぐりにいうあれである。

もちろんこれは一つの形式であって、何も物足らなく思うことはないであろう、といえばそれでまである。しかしこれは形式だけでいい場合と、そうでない場合とがある。

たとえば新日本文學會の第二回大會がおわって第一回目の中央委員會か、常任委員會のときであったと思うが、司會をする岩上さんが「私、岩上です――」といって巡ぐりに自己紹介をすることになり「窪川です」「徳永です」という工合に一巡り一ペンの形式ですすんだ。しかし、この場合はこれで十分である。それはその人々がいずれも著名な人々であるということばかりではない。この會合はすでに大會をへた委員會であり、そこに集った人々は互に見知らぬものがあったにしても、その大會でえらばれた委員たちであってみれば、もうその人々にたいしては十分にカイシャクがすんでいるはずだからである。

だがこの場合とは別に、これから何かの會をつくらなければならない、つくろうというので、いままでは全ぜん相知らないものたちが集って、まず懇談會のようなものが持たれる。そんな場合にはこれでは物足らないばかりではなく一種の焦燥とともに困ることがあるのである。

藝ろうのこと――

日本にいるわれわれ朝鮮人の組織は在日本朝鮮人連盟の下に、女性（女同）青年（民青）教育者（教同）商工人（商工組連）までにわたって ほとんどその 組織を完了しているが、まだ、いわゆる文化人の組織だけが未成のままになっていたのである。それでわれわれ文學關係のものや、音樂、演劇、美術その他のものが大同團結して綜合的な團體をつくろうということになり、朝連文教部のあっせんで第一回の懇談會が持たれた。しかしこの懇談會でも例によってはじめて行われたみんなの自己紹介は、わずかに自分が文學や、音樂やのどちらかにぞくするかをにおわした程度で紋切り型のそれでおわってしまった。

むろん金永吉（永田絃次郎）その他その名をきいただけで「あゝあの人か」と、それはそれでわかるが、しかしこういう民主的な團體は、ただその知られているという名前だけのものたちによってつくられる危険を冒してはならぬ。ことに、われわれ朝鮮人の場合は現在まで世の中の表面に出てくることや、互に相會う機會を阻まれていた者達にとつては、今日まで表面的にはむしろ知られなかつたもの、こういう機會でなければ互に相會うことのなかつたもののなかに本當のものがある。われわれはこの本當のものをなるべく前へ押し立て、押し出すようにしなくてはならぬ。その場的なおしやべりや、それが巧いだけのものたちにいつの間にか押されて、誤つて前を歩かれてはならぬのである。そしてこういう場合、こういう誤りをわれわれは犯し易いのである

それから、第二回目の懇談會であつたが、この日は前回には出なかつた人々もたくさん參加したので、もう一度みんなが巡ぐりに自己紹介をすることになり、このときはさいわいかどうか、私が司會をつとめることになつた。そこで私は智惠をしぼつたつもりで、みんなに、各自その經歷をかいつまんで話してもらうことにした。もちろんその經歷の云々によつて、將來の前に歩いてもらうものをえらぼうとするとはこれも危険なことであるが、それでもその經歷だけを知ることでも、互の印象が強まり、或いは親しみもわくだろうと考えたのである。

「さあ、それではその右の右の方からはじめて下さい。お願いします」それは畫家であつた。（つづく）（在日本朝鮮文化會）

『東京民報』一九四八年二月一八日

自己紹介

—下—

金達壽

彼は最初のあの氣やすさでのばしかけの頭に手をやつて、上衣のボタンのあたりをいじくりながら立ち上つた。

「僕は崔（假名、以下同じ）某といいます。生れは忠清南道の山奥でした。郷里で普通學校を出まして或る日本人商店の小僧になりましたが、そこの若い息子が繪かきの勉強をしておりましたがこれが大變に意地のわるい奴でして、これに虐められておりますうちにいつか繪かきになろうと決心し、一九三四年この東京へ渡りました。それからまた或る商店の小僧に入りまして、上野で油繪を勉強しましたが、時代のせいばかりでなく、いまだに才能がないのでこれという仕事もしないでいます」

「金某です。私は一九三八年春日本へきました。やつてきたことはいろいろです。それをちよつとここに列擧してみますと、最初に新聞配達、それから牛乳、沖仲仕、映畫館のビラ貼り、保險の外交、ええ、いや、こんなことを列擧したところで仕方ありませんな。この邊でやめます。學校は早稻田で政治科をならいましたが、本當は新協で下働きをやつて芝居ばかりみていた結果になりました。私は

演劇です。演劇とわが朝鮮の獨立のためにあくまでたゝかうつもりです。どうぞよろしく」

くすつと、どこかで笑い聲がおこつた。しかし、みんなはそれにつれて笑わなかつた。場はしんとしている。次に立ち上つた男は音樂をやる男で、ちかごろ愛國歌のいゝ作曲をした。

「慶尚道で生れました。李某と呼びます。よろしくお願いしますわたくしは一九一八年に生れて一九三八年にこちらへやつて來ました。最初にきたところは大阪でありましたが、それからあちこち日本全國ならはたいていのところへはいつてみました。むろん留置場というところへもいつてみましたそのうちで一番やりましたのは土方です。そして新聞配達は擴張がうまいからと主人にほめられました……」

ここでこの音樂家のはなしは余り長くなりそうなので、司會者の私はそこで中絶してもらうことにした。

しかし後から立ち上つた美術家兼演劇家も、それから本國ではすでにみとめられている詩人も、それからその後もいずれも私が豫定した時間よりは長く、そして、きまつてみんな新聞配達とか、屑屋とか、人參賣りとかの經歴の持主であつた。

そこで私のとなりまできて、Rが立ち上つた。

「これはまるで苦學生の雜談會のようになつてしまつたですが、いや苦學生というよりも日本帝國主義が殘したものの縮圖、縮圖をみるようでありますが……」Rは眼をしばたゝいた。そして彼はその「意義」について一席例によつて唾をとばしながら熱辯をふるいたい樣子だつたので、時間がないからと私は眼くばせをした。「僕はRといいます。一九一八年全羅道で生れまして、この日本へきたのは一九三四年でした。それから……」

Bはいい淀んだ。そのあとはいわなくても私は彼の經歴は知つているのである。彼はN大の文科の出身であるが、その「苦學生」としての經歴はそのなかの誰にもましてヒサンであつた。彼は屠殺場で働いた經驗もあるのである。

ところで、Bがおわつて司會者の私の番となつた。もう時間もないし、それにまつたく「苦學生の雜談會」になつてしまい、みんなはしんとして、その事實にとらえられてそれぞれの感慨にふけつている樣子なので、私は一番その雰圍氣をコワしてしまわなくてはならないと考え次のような調子でいつた。

「キム・タルスです。慶南で生れて十二歳でこちらへきました。それで僕はみなさんのように新聞配達とか牛乳配達とかそんなイヤしいことはやつたことはありません。また人參賣り、仲仕、保險外交なども やつたことは ありません。但しその他は全部です。それからそのなかに印刷工場の見習、風呂屋のカマ焚きその他が拔けているようです」（一・二三）

（在日本朝鮮文學會）

［『東京民報』一九四八年二月一九日］

闘争より生成

朝鮮近代文學の發展と方向（上）

金　達　壽

朝鮮の近代文学ー新文学ーがその芽を吹いたのは、日本における白樺派の擡頭とその影響によつてであるというのが日本の文学史家ないしその他による普通の観念である。その影響によつたかどうかは別として、たしかに朝鮮の近代文学がはじまつたのは日本の白樺派の擡頭とその時期を同じくするこの時期の相應については異論はない。それはなぜであるか。

日本における白樺派のはじまりといえば、これはすでに硯友社時代をへて更に自然主義の時代をおくつた後の、更に新たな日本文学の開花を意味することとは誰もが知つている事実である。この間におけるわが朝鮮の近代はどうしたのだろうかどうかされていたのだろうかそれとも大陸半島の住民であるわが朝鮮人は進歩も知らない。革命も知らない無能な民族であつたのであろうか。そんな筈はない、それは今日の状勢をみれば直ちに否定されなければならない。

それではどうかされていたのだ。ここで、われわれはいまから二十九年前に起つた三・一運動の意義を胸熱く想起するのである。

わが朝鮮においても李朝末の開化の気運に促されて市民革命の條件が醸成され、そして近代文学、いわゆる新文学がその芽をもち出し李海朝、李人植らの先駆たちによつてこれは熱つぽく試みられたことはわが文学史の示すとおりである。しかしながらそれははじめからわずかなまつたくの萌芽において踏みつぶされ、くずれなければならない運命にあつた。すなわちその地理的、歴史的條件から容易に市民革命を遂行し得ず、朝鮮がながいその前夜をおくつていたことに反して、これより一歩先んじて近代資本主義革命の夜明けをむかえた日本は、急速に駆け足でぼう張し、清に挑み、露に挑んでついに朝鮮はうやむやのうちにその武力下に制圧されて合併という悲運に逢着したのである。

こうして朝鮮はまつたく日本資本主義発達の手がかりの直接な足場となり、手段となり、奴レイと化してしまつた。だがまた或る人はいうかも知れない奴レイには奴レイの詠歎があり、何かの形で文学的な欲求はその芽を吹いたであろうに、と。しかしながら駆け足でぼう張してそれ自身近代とはまだよほど距離のあつた日本帝國主義の支配はこの「奴レイの詠歎」をさえも許さなかつたのである。初代総督寺内毅によるその野バンであつたことで有名ないわゆる武断政治は、はじめから朝鮮固有のものの発展を禁圧したばかりか、その従来のものまで徹底的に破壊し去つた。これが十年つづき、ここにおいてわが朝鮮の文化、文学はその完全さにおいてまつたく完全に踏みつぶされ、破壊され、近代とはまったく遮断されてしまつたのである。
一九一九年三月一日を期して起つた挙族的な闘い、すなわち三・一運動はこの野バンに抗して闘われたわが民族解放運動史上さいしよの、そして最大の闘争であつた。だがこれは、周知のように数万の虐殺と、六十万に上る投獄とを出して敗れたわが民族解放運動史上の悲惨な歴史でもある。

〔『国際タイムス』一九四八年三月一日〕

不敗のたたかい

朝鮮近代文學の發展と方向（下）

金達壽

しかしこの闘いによって日本帝國主義はわが朝鮮人民を見直し、その「完全奴レイ化」の不可能をさとつたのであつた。そこで彼等はその政策の轉換を余儀なくされわずかではあつたが、その闘争が欲求した自由を許さないわけにはゆかなくなつた。これはまた從來の上に懐柔という一つの卑劣をつけ加える結果となり、その限りでは近代的な支配を確立するのであるが、しかし、わが朝鮮の近代文学はこのわずかなすき間を縫つてはじめてその発展を予想された芽を吹き出し、ちぐざぐではあるがその近代的体系をもつことができたのである。この時期がつまり日本における白樺派の台頭発展に相應したのであろう。そしてこれはまったく三・一運動の闘争によつて獲ち得たものであつた。もしこの三・一運動がおくれたとすれば日本における「新思潮」に相應したかも知れないし、あるいは「新感覚派」に相應したかも知れないのだ。

これで明らかなように、朝鮮の近代文学が日本白樺派の影響によつてその芽を吹いたとするのはまったくの誤りである。もし朝鮮の文学が日本文学の影響によつて促され、育つたとすれば—それはその運命を顧みてまた當然なことのようであるが、—しかしそれは常に日本を通じてなされる欧米の影響であつたであろう。それは日本自身より以上に。そして朝鮮文学が日本文学の影響をわずかでもうけたとすれば、後に共同の闘争としてたたかわれたプロレタリア文学においてであつたろう。しかしこれはこゝでは重要なことではないのである。

わが朝鮮の近代文学はその当初からして闘争のなかから生れたのである。すなわち詩人林和のいうように「三・一運動が朝鮮新文学の出発点であり、その起源であつた」のだ。その発生以後においてはどこの國の文学の影響によつて発展し、たつたかは知らぬ。だがわが朝鮮文学は今日までゆたかに発展し、たつた経験をもたぬのである。これは残念以上であり、また恥ずかしいことであろう。

三・一運動によつて獲得したわずかな自由によつて芽吹いた朝鮮近代文学は、ちぐざぐではあつたが、そして貧弱ではあつたが、かろうじてその近代的体系はもつことができた。しかしそれはまたあくまでもぢぐざぐであり、貧弱以上のものではなかつたのである。間もなくプロレタリア文学に突き入つた朝鮮近代文学は日本のこの文学運動の運命とともに、またあの満洲事変という日本帝國主義のあらたなる侵略行動の開始によつて断崖から突き落され更にまた暗いちつ息の時代に入らなければならなかつた。

かくて、三・一がわが朝鮮近代文学の発生の紀元とすれば、二十六年後の一九四六年八月十五日の八・一五はこの朝鮮文学にとつて回生の紀元であつた。しかしながらこれは自らの闘争によつて獲ち得ることができなかつたことで、それはただ単に契期的な回生の紀元としかならなかつた。このことはその後の状勢が何よりもよく語つていることであるが、わが朝鮮文學はなおも自らの発展を確実に獲ち得るためには熾烈な闘争を経なければならなかつたのである。

それであるから一九四六年二月はじめて開かれた第一回朝鮮全國文學者大会において示された全文学者の決議はこのことを明確に規定し、今日までその実践にあけくれているのである。

そのためにいまやこの闘争の主体である朝鮮文学家同盟は人民の先頭に立つて四散の状態におちいり、苛酷なそこからさらにゆるぎない闘いを継続しているのであるそしてその闘いは三・一運動におけるところのような多分に氣分的な無組織的なそれではなく、また多分に非科学的であつたそれでもなく、いまは三・一運動の場合のごとくは絶対に敗れることのないそれは何よりも歴史の必然とその指向に支えられていることで不敗の闘いなのである。

そして八・一五の回生を契期とするわが朝鮮文學はこの闘いのなかから生れてはじめて全的に成長する。三・一の闘いのなかから発生して発展したわが朝鮮近代文学がここにおいて、この闘いにおいて、いまこそぢぐざぐではない、豊富なその体系をととのえるであろう。これは単なる紙上の空論ではない。われわれはすでに朝鮮文学家同盟の機関紙「文学」における池河連の「道程」や金永錫の「暴風」そして李箕永の「故郷」の完成や、またその二千枚の新しい長篇「開墾」や解放後でてきた朴賛謨その他数多くの新人の諸作品を目撃して瞠している。これらの文学はいずれもこの貴重な闘いのなかから生れて、朝鮮人民の魂をふるわせている。そればかりではない李箕永の「故郷」（八百枚前後二巻の長篇）は早くも社会主義リアリズムの祖國ソヴエトに翻訳されて先進ソヴエト人民の魂をもゆすぶつていることも注目されていいだろう。

つまり、重ねていえばわが朝鮮近代文学はこのように、どこかの先進の影響に促されて発生し発展したものではなく、それは自らに負荷された運命にしたがつて、これを打破し、打開するための闘いによつて獲ち得られたのである。したがつてまたその必然的な発展と方向は常にこの闘いに結びついてきたのだつた。これは不幸な運命であつたであろう。だがこの運命はついにわが朝鮮民族をきたえ、その文学を練ることとなつた。われわれはわが文学のためによろこんでこの闘争に参加するであろう。

［『国際タイムス』一九四八年三月□（不明）日］

「勤労者文學」について

金 達 壽

朝鮮語で勉強ということを漢字では工夫（コングブ）とかく。私も文学を工夫している一人として、文藝時評といつたものになるかどうかは知れないが、感じたことをかいてみる。

「勤労者文学」が創刊された同じ月刊の「文学時標」その他とあわせてこれでわれらの陣営（われらの陣営である）も相当ゆたかになつた。しかしながら、このゆたかさもこれを盛り立て、これの主體であるところの日本の勤労人民の文学的、あるいは文学的勤労人民の工夫が眞面目にこれに伴わないことには本当にゆたかであるとはいえないことはいうまでもない。

「勤労者文学」の創刊号を手にとつてみると、その意味でここには勤労者たちはその文学をどのように工夫すべきであるかということと、またどのように工夫しているかということとが判然と二つ手をとり合つているとがまず分る。この意味でまたこの雑誌の出現は画期的なものだ。

まず岩上さんの文藝時評「民衆の友とは何か」をみると第一に氣ずくことは、岩上さん自身がすでに「民衆の友」として、民衆にひたと密着してこれを書いていることに氣がつく。そうしてこれは太宰治氏の「斜陽」をきわめてやさしく解明し、野間宏氏の作品はどういうものであるかを示し、さいごに西村勝巳氏の「コイのぼり」を批判した。これであのあやしげな「斜陽」という作品がはつきりし、野間という作家がどういう作家であり、さいごに「コイのぼり」のような作品でもどうしたらもつといい作品になるかということが、だいたいつかめると思う。（と思う）だが私たちはこれを読んでいままでよく分らなかつたこともはつきりしたにも拘らず、なぜかちよつと顔をなでられたような氣がする。はなはだしくは、こうでなくてももつと何かがあるのではないか、という疑問を抱くかも知れない。これは考えようによつてはなかなか深刻な問題なのだが、簡單にいうとこれはたれにも分るように易しく書かれたということが原因である。原因はそれだけだ。

私たちはふだん餘りにもむ

ずかしいもの、いやむずかしく書かれているものを読みすぎている。ひねつた、くねくねとした、さもそれが文学的であるというようなものを読みすぎていることが、その原因の原因である。よく分らなくてもひねつた、何かむつかしい文学的術語が宮本さんの言葉をまねると「どつさり」あるものを、高い文学的なものだというさく覚から私たちは抜け出さなければならない。

その意味でまた壺井さんの「東京都職サークル」の訪問記は、私もまた「大いに考えてみなければならぬ問題があると思つた。」あたらしい文学的な勤労者がまだ「文壇」というものに対してゴシップ風な魅力から解放されていないのではないかと思うのである。「文壇」的にサワがれているからこれはいいものではなかろうかとカンガエたり、物知らぬ少女が映画俳優にあこがれるような考えをもし持つているとしたらこれは精算されなくてはならない。そうでなくては真にいい文学はきずかれない。

「生活ノート」は面白いものの一つであるが、これは小説を書くつもりではなく書いてくれたらいいと思う、出る人物の名前も本名のままの方がいいのではないかと思う。「荒い足音」はよかつた。つずいているものであるが、互に書くものとして技術的なことでちよつと書いてみようと思つたが枚数がつきた。(四・一七)

〔『文学新聞』一四号　一九四八年五月一日〕

南鮮에있는 동생에게 보내는答狀

金 達 壽

東鎭이

네가보내준片紙、무사히玄海灘을건너 잘바다보왔다 요지음 나로서는 참으로 반갑기짝이없는 일의하나이였였다

그러나『東勳이는死亡』을하였다하너 참말인가? 지금세있어서 將來多望한東勳이가 있지해서죽였는지 病으로死亡하였는가 死亡을當하였는가 事件많은우리朝鮮! 더욱히 南鮮의今日의狀態를 생각할때 여러가지의場面을 想像않할수없다

그리고 또 네가말하는『앞으로 나갈냐하너 나갈수없고 뒤로 갈래야갈수없고 그자리에 서있을냐하니 苦悶이많어 서있을수도없는』는것은 나로서 잘알겠다

今日의 우리朝鮮의意識있는 靑年이면 더구나南鮮의今日現實속에있는靑年이면 많은 靑年들이 그러한苦悶속에있다하는것을 事實일것이다

그러나 우리는眞正이 그러므로確信하는眞理와 希望에 대하여 落心할必要는絶對로 없다 그苦悶을克服하여서 前進해야만될것이다 그리고 또 우리의前途에는 그러한 苦悶이있고 이것을克服해나가야만 우리는 참다운朝鮮사람이될것이라고 나는 생각한다

웨 그렇냐하면 우리는 작고크고한차는 있지마는 대략모—도가 다 어두었든過去의傷痕을 지고있는사텀이요 그러므로 우리는 그民族的主體性을破壞당한悲劇의 主人公들이다 네나 또 내나마창가지로 우리는 이自己의悲劇과 그性質을把握하고 이러한自己에게대하여 勇敢히싸움을 시작해야될것이다 自己에대한싸움 그것긍 어떻게하여서 시작되는가? 이것은 즉 그것이다 그苦悶이다 우리는 그러한 苦悶속에 다 自己를 잡어넣서 그自己에게行動을命令하여야한다

지금의南鮮의現實、그現實안에서發生되는 그苦悶이라는 것은 우리에대한貴重한藥이요! 이藥은 그貴重의度에 比例하여 또危險한藥임으로 이藥때문에 죽어(墮落)가는 사람도있고 또一層더 굳세게되는사람도 있을것이다 東鎭이 보아라! 너와 길은우리兄弟들인 朝鮮의多數의靑年들은 그苦悶을突破하여 지금은 그러한苦悶을 생각해볼름도없이 하루하루로 惡化해오는現實안에서 猛烈히 싸우고있지않은가 오날에있어서 우리들에게 要請되는 모—든것은 이러한行動이고 이行動에서만이 우리가지고있는 傷痕이快유할수가있고 또喪失하였든우리民族의主體性이 回復될것이다 그리고 또 말하자면 이行動에있어서만이 아렴다운 우리의將來가 나타날것이고 그 새로운創造가있을

것이다
苦悶도 좋다 그러나 그苦悶만觀念的으로 하고있다면 앞에나갈길을 찾지못하게되여 여러兄弟동무의 뒤에서 敗殘者가않되도록 하여줌을 切實히要望한다
이것은警告가 않이라 우리가 지금普通으로 생각하는 普通의생각이다
그러므로 나는 다시 또 말한다 내가 나에게呼訴하는苦悶에 대하여 나는 다음과같이 말할수박엔없다
우리는今日에있어서 모ㅣ든 苦悶, 그러한苦悶을 하로밥비 客觀的으로要請되는行動에서 그것을淸算하고 克服해나가야된다 그를淸算하고 克服하는 싸움에있어서 우리는 비로소民族的主體性을 回復하고 同時에 굳세인自己主體를確立하여서 完全히 朝鮮의새로운『사람』의 하나가되리라고 생각한다 (四八・六・二五『主體性의對하여의노ㅣ트』)

〔『解放新聞』一九四八年七月一〇日〕

朝鮮へは行かぬ
一保安隊員の告白

私はさいきん「婦人公論」三月号に「『朝鮮人』といわれながら」（ちなみにこの題は私がつけたものではなく、同編集部がつけかえたものである）という一文をかいた。

読者から二通の手紙をもらつた。一通はある朝鮮の娘からであり、一通は一保安隊員からであつた。私はそれぞれに感動したが特に「一保安隊員」からのものはこれを廣く紹介する必要を感じたので、ここに掲載することにした。（金達壽）

拝啓　先生に始めて手紙を書きます不躾を御許し下さい。

私はいわゆるお玉じやく子的な存在にある「保安隊」の一隊員であります。

先日、私は婦人公論（三月号）にある先生の「朝鮮人といわれながら」を、二回も三回もくりかえして読みました。私は先生の文を読むのは、これが始めてではなく、この論文中にある恋愛のくだりを書いた作品も前に読んだ事を憶へておりますが……。

私は「朝鮮人といわれながら」を読む中に私の少年時代を回想しました。地理的に朝鮮人の比較的に多かつた私の学校（北九州）での私は全く先生の文中の、小生意氣な親の威をきた「朝鮮人」と叫んだ多くの少年達の仲の一人でした しかしこれは大人の社会の影響を素直に受入れる少年時代の事として罪はないとしても私はこの二、三年前までも少年時代の氣持、あの朝鮮人に対する人間侮視感という許されない事があつたという事は全く罪深い、恥かしい事です（私は朝鮮動亂によりいろいろな事から朝鮮人の眞價や民族というものを知りました）しかしまだまだ、私の友人や知るかぎりの日本人の中のなお多数の者が、いまもつてこの「チョウセン人」と叫ぶのを知つております。この陰聲（面と向つていう馬鹿はさすがにおりません）を聞くと全く悲しい氣持におそわれます。自分達や我々の頭にとまつている蝿も追いきれないでと考へますと一層に……

私事めいてきますが日本全体が矛盾しています今日、私は保安隊に入つている自己に対する矛盾をそう苦るしんではおりません。失業者の洪水が再軍備を促進するなかの一人だからです。

しかし私は大親分が朝鮮一家に、なぐり込みに行けといつても絶対に竹槍をすてて殺人請負業を廃める多数の仲間の一人でもあります 竹槍は表でなくて裏にこそむけるべきではないかと思つております
亂筆の上とりとめのない事を長々と書き失礼致しました。又現職上私が住所、氏名を明記するまでの度胸がない事を先生は笑はないで

下さい。唯、先生が保安隊員のなかでも多数の者が、祖国を愛し、民族を愛し、まして朝鮮などには絶対に行かない事を知つてくれれば幸いです。

末筆ながら先生の御健康と益々の発展を祈ります。

一保安隊員

〔『月刊文学報』一九五三年四月〕

二　『朝鮮新報』紙上での金達寿—魚塘論争［朝鮮語］

日本語로쓰이는「朝鮮文學」(上)

─그意義에대하야─

金達壽

나는現在日本에 남아있어서日本語로서創作을하고있는 朝鮮人이日本語로서創作을 하고있는데 對하야서는 거기對한意見이있어야될것이다 물른 낭에드믄意見이 있는것이다。

日前에伊藤律氏(日本의文藝評論家)는 新聞의文藝時評에서「民主朝鮮」現在는改題하야서「文化朝鮮」에連載되었든나의「後裔에街」를批評하면서「──그레서나는 또 日本文으로서創作되어發表되는金達壽氏들의 일에 지금世上에서는一種의親密感 말하자면우리가中國語로서詩를짓고 또 英語로서 作品을쓰는것같은 國際的親密感을가진다」그하야

그리하고數日後에 어떤新聞의座談會에서 氏하고同席하기되었든데 그席上에서도이러한意味의말을하였다

「당신들은將來에도日本語로서小說을쓰고갈야고합니가 日本에있는당신들이日本語로서 文學을하고있다하는것은 今後에오는朝鮮文學에도큰可能性을보이는것이고 또 우리의日本文學에도 어떠한可能性을附與할것이라고生覺하는데……」

조곰自畵自讚的같이마는 그레서 나는自己가日本語로서 創作을하고있는데對하야그렇게대답을하였다。

「率直히말하자면 내가現在日本語로서小說을쓰고있는것은 내가現在日本에있다하는現實도하나의理由지마는 그것보다도 내가今日까지日本語로마創作을공부하야오기때문에 지금急速히奇怪하지마는우리 朝鮮語로서는 잘못쓰기때문이입니다 그리고 積極的으로서는이러한抱負가있읍니다 이것은解放前부터가지고있든것입니다마는 나는무엇보다도우리朝鮮을 바르게外國人들에게急速히알니고싶읍니다 이것은特히日本人에對하야서切實합니다。우리朝鮮人들이 어떠하게 사러왔는가 그리고如何히사러갈여고하고있는가를特히日本人에게알리고싶읍니다 그럼으로論述을하고 講演會를開催하야서말하는것도좋지마는 人間的感動을가지고告하는 그文學을提出하는것이 第一效果的이라고生覺하고있읍니다。

그리하야 이래提出되는朝鮮文學에對하야 많은論議가있었으나 나는여기에서 처음으로 自己가日本語로서 創作을하고있는立場을 表示하였다 이過渡的인 우리의 遂行가任務된將來에서는 나도우리아름다운朝鮮語도많이는것도물론이고 그러면나도朝鮮語의朝鮮作家의一人으로서努力할것

온 말할必要가없는것이다 그레서 나는지금까지現在의 일 (즉 日本語의創作活動) 에對하야서는 공的으로는沈默하고있었든것이다。

내가若干의同무들과 日本語의雜誌를發刊하고 日本語로서이러한의始作을하야보니 解放에아름다웁게興奮한 어떤同胞는非難을하야蔑視하는분도있고 또 우리의抱負를理解하야讚辭를주는사람도있었다。

물론 過去에있어서强制하고 그것을强制함으로서 우리의아름다운國語를지밟든日本語같은것은 그 八月十五日以後부터는 우리는 그것을一掃하여야될것이다 그런대도不拘하고 또 그말을使用하야 民族의詩 小說을쓴다는것은 非難을받어야만할것이다。

그러나 나는生覺한다 過去에있어서 日本人이强制하였든 그말로서 그들이 그「强制」의不逞과 그實態를안다하는것은어떠할가? 그들은아즉도옛날의無謀한土臺에서 있든꿈을完全히잊지않고있다 그럼으로 그들은自發的으로앞에나서 朝鮮語를習得하야 朝鮮의歷史 朝鮮의文化를알랴고는하지않는것이다 美國或은소聯은 알랴고애를쓰고있지마는 朝鮮이다 中國等은 今日까지 그들에適當히解釋하고있는以上 더는 알랴고하지는안한다 그러나 우리는그들에게서뿐아니라 世界的으로도 높이獨立을하기위하야 우리의기뿌고자랑스러운歷史와文化를 그들에게반듯하게認識시킬必要가있다 이것은獨立途上에있는우리의하나큰任務일것이고 日本人에對한 이任務의遂行은現在日本에있는우리朝鮮人으로서의큰義務일것이다。

〔一九四七年七月二日〕

日本語로쓰이는「朝鮮文學」(下)

—그 作家들에대하야—

金達壽

不幸한우리歷史에있어서 强制당하야온우리의日本語는 여기에서 그正當한役割을찻게되는것이지만은 그러나文學에있어서는自然的으로 여기에文學的問題가生起게된다

文學은 그自身 큰說得力을가지고있는것이지만은 그說得力이라는任務를意識的으로 지고서쓰는文學은 잘못하면宣傳小說이될것이고 잘대야傾向文學에떠러질危險性이있다 文學이나 藝術은 어대까지도 文學이고 藝術에만 그 가지고있는說得力도强하고클것이다 이것은몰론우리들이 文學者라면누구나다承知이알고있는것이다

그리하야서우리는「新日本文學會」等에모여있는日本의進步的評論家 作家들과같이 文學에 있어서 새로운國際的提携를進行시키면서雜誌「文化朝鮮」을中心으로 여기 一年을經過하였다 그동한 우리는어느程度의作品을日本文壇에미러냈다 여기에對하야日本 批評家들 作家들의批評은區々하다 그러나 우리는어대까지 그所期의目的을達成하는途中이랴고生覺하고있다

日本의所謂 進步的이라는評論作家 讀者들도 우리가生覺하고있는것과같이 그들도全然 朝鮮에對하야서는봉사와같고 그文學도우리의作品에서 처음으로아렷

다고하면서 그文學作品이日本語로쓰이고있는대도不拘하고、朝鮮文學은日本文學과根本的으로 그性格을달리하고있다고 새삼스러웁게말하고있다 에기에우리가일은始作한理由가 있음으로 그다시놀랄것도없지마는 이것을보드라도 이일 의重大한것을우려는切實히生覺에對하여 느끼지않을수가없다

그러한意味에서 이일의選手즉 말하자면日本語로서作品을쓰고있는 在日本朝鮮文學者同무들의 일 을도라보고 그文學者들에對하야 君子의批評을加히야보

▲李殷直 은즉君는그文學的經歷은오래다 君는지금東京朝鮮人中學校의敎師 음盛이라는勢務에從事하면서도 旺盛하게써널리고있다 이一年間、通에서「殘骸」「說史」「사랑있다면」등의小說을發表하고「文化朝鮮」에金台俊의「朝鮮小說史」를飜譯連載하면서 散篇의論文를썼다 身體도그다지健康하게안보이는데붓 대가스고 速한데있어서는 在日本文學者中에 서第一일것이다 그文學作品을 보면 君一偶發的成果를느끼고 理論的自己把握이무지라는것이하나遺憾이다

▲金元基 원기君은「누님의結婚」「奉求의魂」「동생의出奔」「孫첨지의天罰」等을썼다 君은아즉도文學的으로完全히피여나지못하고 그래서 또 이피여나지못한것을自己가 神經的으로 너무도意識하고있다 그래서 君은一作을쓰면 그一作에對하야反響을가만히보고있는모양이다 이너므愼重하 君의 性格이 그文學的開花를阻止하고있다 大衆的으로나갈것이 이 作家에는必要하다

▲張斗植 두식君 또 원괴君과같이아즉自己의技能를充分히發揮하지못하였다 觀察眼이確實하다 그나君은小說의構成技術하고그 말을 더「마스타ー」할必要가있다 이것을完成하면君은 더注目할수있는作品을써낼것이다「君는「仲媒」「退行」「祖父」渡航證明書」等을썼다

▲尹紫遠 자원君은 文學 特이小說이 어렵고 크고 멀다야에對하야 곰조더 苦痛을받어는것이다 君은詩「大同江」等을쓰고 小說「三十八度線」을썼다

▲許南麒 남기君은詩人이고畫家이고 映畫作家이고 또 小說도쓴다 참으로多才한同무이다그러나 나는 이무엇이든가大路한다하는多才를너무信用치않은다

▲康玹哲 현철君 詩人이다「階段」「怒濤」를쓰고 小說노쓴다하는데 이것은안즉未知數다

(一九四七、六、四)

◎이 一文을우리祖國의先驅들에게바란다

[掲載日不明]

文化

金達壽氏의日本말로쓰는 朝鮮文學에對하야

魚塘

(一)

金達壽氏가말하는日本말로쓰는朝鮮文學의特殊性에對하야 過般某國語機關紙에付託을받고 文藝時感이란題下에 그是非를써보냈으나 달포나되어도 아즉發刊되지않은모양이다 여기에 되푸리를하고싶지는않으나 本紙八月二十二日付에 再次我田引水的이요 自講自讚的인金達壽氏의「日本語로쓰이는朝鮮文學」을읽으메 섯두른온못이나마 다시않을수없는衝動을갖게된다

筆者는前記「文藝時感」中同問題를草함에있어서 本紙七月二日付「日本語로쓰이는朝鮮文學——그意義에對하야」를契機로하야 이問題의認識錯誤에對한 全面的反駁을 「新時代の文學を語る」 六月五、六、七日國際タイムス) 「文藝時感本段通」—七月九日同紙) 「民主朝鮮」創刊號를 如上에놓고 所謂朝鮮文學者會의諸氏들이 政治的으로봐서는안됫으나 何如튼쓰고싶어쓴다는 李殷直氏의 旣往배는倭말에대한愛着을 버릴수없다는自家撞着을 指摘하고 過去日帝에歪曲된朝鮮文化를 正當히認識시키기爲하야 쓴다하면서 그出發이亦是 明呪를받으며 倭말로만小說을工夫하였기때문에 朝鮮말로못創作이쓸수없다는理由를 倭말로쓰는우리들의作品은確實히 朝鮮文學의特殊性을띠는것이라고 合理化하려는金達壽氏의詭辯을 例證하여指摘하고 畢竟 朝鮮文學의畸型的存在라함을 論及하였다

그러면 왜 倭말로쓰는朝鮮文學이 成立할수없으며 朝鮮文學의畸型兒가될가? 이에對하야 朝鮮文學의傳統을一瞥하고 그歷史的段階를 究的치않을수없게된다

朝鮮文學이 西歐的인市民文學의形態를갖후고 오늘의朝鮮民族文學을 樹立하기까지는 六堂의詩와 春園의小說以來로 近四十年에가까운歷史를가지고있다

이新文學이萌芽하기前에는 純漢文으로記錄되든高句麗때의 五言絶句의最初의詩를지었다는 乙支文德으로부터 新羅時代의 鄕歌와 金滄江 黃梅泉等에이르는漢文學史 新羅鄕歌以後의 麗歌謠와吏讀文學 世宗大王의訓民正音以後의 時調 諺文小說歌詞唱曲에이르는朝鮮語文學史의 三時期를거처서 비로서 近代的精神과形式을具備하고 西歐的인朝鮮의現代文學史의 領域에드러스게된것이니 새[illegible]新文學史에서 볼수없을만큼 短時日間에 西歐文學史의몇百年에匹敵할 長足의發展을보게된것이다

新文學과漢文學의領域은 漢文으로써오든時代로부터朝鮮語로써

오는時調 歌詞 小說(예기책) 等의 稗文學이 現代朝鮮文學을 胚胎한 重要한分子임에는 틀림없으나 西歐的文學이란即 現實에 立脚한思想으로서 藝術的인內容과形式을갖훈 言文一致의 朝鮮말로쓴 文學을말함이다 이에對하야 春園은新文學創造期에있어 一、「言文一致의 嚴正한意味에서 言文一致의文學이되야할것」二、「할일없이 消日로 詩小說을쓸것이아니라啓蒙하고 神聖한事業으로할것」三、「傳統的教訓的이아니라 純粹自律的인 藝術性을가저야할것」四、「古代文學의理想的인데比하야現實性을띠운것」五、「新思想의萌芽」等의五則을로規定하였다 以上과같은觀點에서六堂崔南善 春園李光洙以後의 文學潮流를 新文學이라고한다

就中言文一致에關聯되는 朝鮮語와朝鮮文學에對해서는 何處가 文學讀本에서말한것은 그만두고 알기쉬웁게具體的으로提示한것은

「春園이 城大文學部에서〃[illegible] 要訣〃 〃九雲夢〃을 〃허ㅣ스트〃로使用한다는事家을非難하면서 「그大學에朝鮮文學이있다면 거기에서가르칠것은 決코 [illegible] 要訣도아니요 九雲夢도아닐것이다 거기서가르칠것은 新羅鄕歌 時調 春香傳 現代朝鮮作家의것이어야 할것이다 [illegible]一〃吾〃의 〃호머〃平調이 英文學의教科書가되는모양으로 支那文學其他外國文學에서朝鮮文으로 써잘[illegible]된것이면 그것은朝鮮文學의教科書로 써도좋다」하고「朝鮮文學이무엇이오?」「朝鮮文으로쓴文學이다 하고[illegible]하였다」—(朝鮮의新文學史)

[一九四七年九月八日]

文化

金達壽氏의日本말로쓰는 朝鮮文學에對하야

魚塘

(二)

그러나不幸이도 日帝의中國大陸侵略戰이露骨化하여 戰火가太平洋에까지波及되자 朝鮮文化抹殺政策이 强行되고 奸狡한놈들에게 欺瞞當하였다기보다 帝國主義者의侵略戰爭이 最後의勝利를獲得하야 自治領否을꿈군 輩이 朝鮮民族의 사라나갈길이라

日族민民族主義의 踏合者들이 씨러저가는朝鮮말(文化)에 維持策을放捨하고 「암ㅣ모니아」를부리듯 默殺하고 侵로서 皇民化運動에 積極的參加함으로서 太平洋戰爭을勝利에이크러나감만

고 怪奇妄則한論理로서 合理化하여 大衆과背反하였든것이다 이走狗의先頭에나슨者가이亦是前記우리朝鮮新文學史上의 鼻祖라고할수있는 春園李光洙 六堂崔南善이니 可憐히꾸며찬人間의悲劇을 누가擬制할수있었으며 朝鮮文學을爲해 어찌嘆하지않을노릇인가 이者들의前轍을밟은者中堅作家로서 朱耀翰 金龍濟 金素雲 李無影等이다

新文學의開拓과建設이 日帝侵略下에 生成해온關係로 日本文壇의影響밑에 藝術諸形式의 消化攝生된事實도 多大하지만 그들이 日本文化에同化隸屬하여 倭말로作品을써온期間은 强盜日帝의侵略戰이招來한 朝鮮文學의 一大暗黑面인同時 朝鮮文學의허수아비時代다

그럼으로八一五解放이란 朝鮮民族의解放인同時에 朝鮮文化의解放이며 朝鮮文學이日帝의羈絆밑에서 解脫된意義를갖은것이며 아는곧 우리글의完全解放이다

同時에當面 問題가 民主主義民族文化建設이라는 重大한使命을띠우고 具體的으로나갈것이 全國文學者大會에서決定된 民族文學建設路線이니 첫째 朝鮮文學로基本任務가 民族文學 樹立에있음을認定하고 日本帝國主義的文化支配의殘滓 封建的 遺物과積算이當面路線일 指摘 文學者 熾烈 鬪爭가운대서建設되는 祖國民主革命에 積極的으로參加하기를 要請하였다

이와같이 우리朝鮮文學의傳統과 朝鮮文學의나갈路線이 明白히드러난現段階에있어서 金氏自身이말한바와같이 八一五以後에 放棄하야할倭말을가지고 作品을쓰는것이 朝鮮文學의特殊的인存在 [不明] 同時에 祖國民主革命에積極的參加 即文化啓蒙運動에結付된 文學運動이며 日帝魔手에喜舍준 封建遺制의積弊와 日帝의殘滓을一掃해야할이때너무나認識錯誤라함을 말해두는바이다 더구나 傍若無人한노릇은 自己가經營하는 日本말로쓰는 〃民主朝鮮〃의執筆作家만이 在日本에있는 唯一한文學者라는듯이 祖國先輩들에게報한다는魂膽은 文學者로서의[illegible] 氏의良識을 疑心지않을수없는바이다 解放二年을마지하고도 아직것朝鮮文壇에紹介할아무것도없을뿐더러 文學을한다는이들의恥辱을느끼지않을수없는 逆境에있는것이다 구태여報告할任務가있다면 解放直後 〃모-든文化는 人民의손으로〃 쓰로강을내걸고나슨 〃人民文化〃의同人과밑執筆者 本紙々上에執筆된作家와 解放新聞에서活躍한作家 또는朝聯機關紙 白民其他等의執筆者를 逆評해야할것이다 金氏가쓴作家들에對해서는未安하지만 許南麒 李殷直以外作家는 朝鮮文學者란 아무런條件이없다고 確言해둔다

[一九四七年九月一〇日]

魚塘氏에答함

金達壽

日前에 내가本紙에서「日本語로쓰는 朝鮮文學」이라는題下로 現在日本에남아 日本語를갖이고 文學活動을하고있는若干文學者들의 그日本語로쓰는特殊的意義와 그作家들에對하야 簡單한批判을表示하였는데 그論旨에魚塘氏는大端히興奮한모양이다

魚氏는 나의이一文을보고「달포나되어도 아즉發刊이되지않었다」는 某團體機關紙에即時反駁을쓰고 그래도亦是 다시앉을수없는衝動을갖게되어 本紙八日十日兩日을通하야 氏는 그該博한文學的知識을吐露하고 우리朝鮮文學史를高句麗 新羅로서始作하야 明細히披露하면서 日帝의우리言語抹殺政策에言及하야 解放과우리民族文學樹立路線을說明하고 나의·「論辨」을徹底히批判하야 또 相當히啓蒙하려는모양이다 내가或是 日本語로쓰는文學이 우리朝鮮의眞正한文學이라고나한것같이——

우리朝鮮의所謂知識階級 特히半可知識人들에共通한 하나速하버서던지지않으면안될 稱讚할수없는性格이있다 무엇인가하면 他人의意見을 잘들어보지도않고自己의早急한判斷力을갖이고 그것이 最高의判斷力이라고自信하야 誤謬와誤解에充滿한意見을 떼밀어널냐고하는것이다 賢明하고該博한우리魚塘氏가 亦是이러한性格을갖이 고있다하면 이것 우큰일이않일가?

魚氏가·나의그一文에對하야 反駁을하고싶으면 그該博한知識을展覽식힐必要도없으면 내가經營하고있다하는「民主朝鮮」의執筆者만이 在日本朝鮮文學者가아니라한다면그것을具體的으로指摘하고 내가말하는 日本語로쓰는朝鮮文學이 畸型的朝鮮文學의하나이라한다면 畸型的文學이라고하면그만일것이다 「朝鮮文學의特殊性을띠는것이라고合理化하라는 金達壽氏의論辨을 例證하야指摘하고 畢竟 朝鮮文學의畸型的存在라함을 論及하였다」고하나 畢竟 必然도없이 畸型的存在라고하면된다 웨그러냐하면 나는 그一文에있어서 日本語로쓰는小說이나 詩가 우리朝鮮의眞正한文學이라고 말한것도아니고 魚氏가 가장科學的으로例證하고 指摘하여論及한結論 즉 그 畸型的存在이라하는前提下에서 그意義를말하야온거이다 (本紙七月二日 八月二十二日付參照)

日本語로쓰는朝鮮文學을 畸型的이라하는것은 魚氏와같이 우리朝鮮文學史를펴볼必要도없이 文學이라하누藝術이 言語의藝術이라는것을 안다면 누구나다納得하고있을것이다 畸型的이아니면 그意義에對하야말할必要가없다 畸型的이고 特殊的存在도아닌眞正한文學의意義 즉文學槪論은 魚塘先生님갈다면모르나 나는그것에對해서는到底히自信이없다

論議를할냐하면 내가그一文에서 말하는意義가必要한가 아닌가가問題의焦點이다 魚氏는 이焦點을떠나서 그中心을回避하야다만感情的으로「論辨」이라니「魂膽」이라니하고있다

그리고 내가經營하고있다하는「民主朝鮮」의執筆者만이 在日本朝鮮文學者가아니고 本紙上에執筆한作家와 解放新聞에서活躍한作家 朝聯機關紙 白民 其他의執筆者를잊었다고하는모양인데 本紙上에執筆者로서는 지금「송

기」의作家以外는「明日의歷史」를쓰고「失える魂」을「民主朝鮮」九月號에쓰 朴元俊氏 解放新聞에서는亦是 李殷直氏 許南麟氏가執筆한것을보고 朝聯機關紙白民 人民文化도全然안본것같이는않다 그러나 내가그一文에있어서言及한範圍는 魚塘氏가滿足할말로하면 日本語로쓰는 즉畸型的文學者만이다 그리고 또新聞이다 少々한雜誌에 하나둘雜文을썼다고 그것을그다文學者作家다고는할수없다

最後에一言하지만은 우리祖國에서 새로운民族文學樹立을爲하야 努力하고있는 朝鮮文學家同盟의金南天氏 洪九氏를爲始한우리先輩들은 魚塘氏보다는 조금視野가넓은모양으로 우리의畸型的인 이 일 의意義를크게느끼고 贊成하고 注目하고있다누 激勵의말도오고 其他에서도激勵의片紙가있었다

勿論 그一文에서도 充分이말한바와같이 우리의이러한畸型的文學活動은 大過渡期에있어서一時的이라고 볼수있지만은 나는또 이렇게말하고싶다

日本에있어서日本語로쓰나 쏘聯에있어서로서아語로쓰나 우리朝鮮人들이世界各地에서 그才能을充分이發揮하야 우리朝鮮人及그生活을充分하게表現한 傑作을써준다면 좋다고生覺한다 그리고 그것을나는願望한다 (一九四七・九・十五)

[一九四七年九月二〇日]

畸型文學의端緒

金達壽氏에再言함

魚塘

日本말로쓰는 朝鮮文學의特殊性의力說에對하야 나는本紙九月八、十兩日付로 朝鮮文學傳統의史的段階를말하고 그는畸型朝鮮文學의畸型的存在라함을 提議한바 보람이있어 感謝하게도 本紙七月二日 八月二十三日付에실린「日本말로쓰이는朝鮮文學」—그意義에대하야(上)」作家들에對하야(下)」는내가指摘한대로「畸型的存在이라하는前提下에서 그意義를말하여본것이다」首肯하였기때문에더다시云云할나위가없다

그러나金氏는泰然하게도 「日本말로쓰는文學이 우리朝鮮의眞正한文學이라고한것같이」라고 煩辭을피울뿐아니라 나의提議된論說에對하야 金氏自身의말맛다가「焦點을떠나서 그中心을回避하야 다만感情的」으로「魚塘先生의文學槪論」이니 어쩌니하고 인흥學說과端緒으로서 남의紙面을濫費하고 「朝鮮의所謂知識階級特히 半可知識人들의共通된性格이란 自己의早急한判斷力을가지고 誤謬와誤解를밀려고한다」前提하였으니 第二의詭辯이아니고무엇이랴 이事實은 金氏의將來를爲하여서도 좋지않을뿐더러 내自身보다도 一般讀者에게까지不快한感을주게된것이다

그러면나는 果然밋도끝도없는말을고내가지고 貴重한時間을虛費하여 反駁을쓴동신이였든가

나는이러한싱거운노릇을허지않으려고所謂그特殊性에對한論述에대하야 某機紙를처들게되고 國際타임쓰紙의 引用出典까지 밝혓는것이아닌가?

朝鮮文學者會의면몇사람들이解放後에도日本말로作品을쓰게된動機가 金氏가辯明하는「우리朝鮮을바르게 外國人들에게急速히알리고싶읍니다」가아니라

「呪はれた運命の下に修得されたとはいへ 日本語をこのやうに驅使して このやうな雜誌が一つ二つ存在することも われ／＼朝鮮人にとつて 又日本人にとつても是非必要であると信じてゐる」(民主朝鮮—創刊號編輯後記二段中間)라고말하였고또

「朝鮮人が日本語で書いても こういう風に書けるのだということを 一寸見せたいのです」(六月五日國際タイムス—新時代の文學を語る—四段中間—尹遠)

「金元基 張斗植いづれも長い戰爭の間 着々と今日に備へて勉強した人々である」(民主朝鮮—二號編輯後記)

이와같이 日本말에自信滿々하다는것과 客觀情勢의好轉과더부러 日本語에創作을固執이아니라며 詭辯이라고指摘하게된것은前記「新時代の文學を語る」에서李殷直氏……だから政治的な面から考へる時は 僕たちが日本語で書くど云ふ事は本當ぢやない譯です しかし實際問題として我々が朝鮮語よりも日本語がよく書ける これは仕樣がない事だと思ひます 作家が朝鮮人だから朝鮮語で書かなくちやいかぬ樣に政治的に拘束されて 何もなされずに終つたのでは 文學を考へる人間として 結局何か可笑しなものになつてしまうのぢやないか 一面においれに一生懸命自國語の勉強をしなければならない、又一面において日本語で書くと云ふ事は 政治的に言ければ餘りよくないけれども 私自身としては決して縣

い事ぢやないと思つております
伊藤 整氏 そこに朝鮮で文學をやつた人達と又違つたものが朝鮮文學としても立つて行く可能性がありますね （傍點—筆者）
金達壽氏 その可能性がわれくのよりどころです そこに安心立命もあるわけです（傍點—筆者）
또 同紙七月九日付李殷直氏文藝時評에서
「われわれ朝鮮本國の文學界はとつても 日本文學界にとつても かなり特色の存在といわねばならぬ」
참으로 「나는대가리가둘이요」 하듯이 怪奇한말을羅列해놓고 問題의本紙七月二日付「日本말로 쓰이는朝鮮文學」 그意義에對하야 여기서도金氏는「將來에서는우리아름다운朝鮮語도많이늘것도勿論이고 그러면나도朝鮮語의朝鮮作家의一人으로서努力云云」（最下段初行）傍點筆者 하였으니「朝鮮語의朝鮮作家」란무엇을가르킨것인가前記座談會의發言과連想해오면 自己는現在日本말로쓰는朝鮮作家라自負한거와 틀림없다는것을누구나다 發見할수있는것이다 그리고 前記伊藤氏는 日本말로쓰는朝鮮文學에대해서 더論議할點이있다고 「民主朝鮮」에發表한일이있었으니賢明한伊藤氏가前記座談會에서말한眞義가奈邊에있는가를斟酌할수있는것이다

× × ×

朝鮮文學家同盟의金南天氏 洪九氏가 激勵의말이있다면은 日本內에서朝鮮文學雜誌를낼수없는 客觀的情勢 具體的으로말하면 活字難 經營問題로서 現在朝鮮文學雜誌가殆無한事情下에있어서 「民主朝鮮」（文藝雜誌보다도文化綜合誌로서의價値를）이活躍하고있음을激勵한것이지 참아「日本말로쓰이는朝鮮文學」을激勵을한 말은아닐것이다 이事實을看板에내지는것도 우수운일이다

그리고 朝鮮사람이 日本에있어日本語를쓰나 外國에있어國語를쓰나 國籍을日本에옮기나 米國에옮거나 내게는何等의關涉할權限이없다 그는個人의自由이기 때문에

朝鮮文學者會의諸文士여ー（除一部）그만큼日本말이能通하고 自信이있다면 더욱新日本文學會의會員으로있다면 그러한좋은組織體에서 얼마든지活躍할수있는것이아니냐文學의길은人種의戰前이없이 열려있는것이다 戰前에도 靑木洪 金史良 張赫宙等의諸氏가 日本文壇에進出하지않았든가?

그러나 나는줄으로 諸氏의文學的才幹을우리民主主義民族文學路線우에 살려주기를心深付託하며刮目期待하고있다 九月廿六日

［一九四七年一〇月一〇日］

三　『朝鮮文藝』　朝鮮文藝社

1947年 9 月 20日 印刷納本
1947年10月 1 日 發　行

朝鮮文藝

創刊號

NO.1. 1947

朝鮮文藝　創刊號　目次

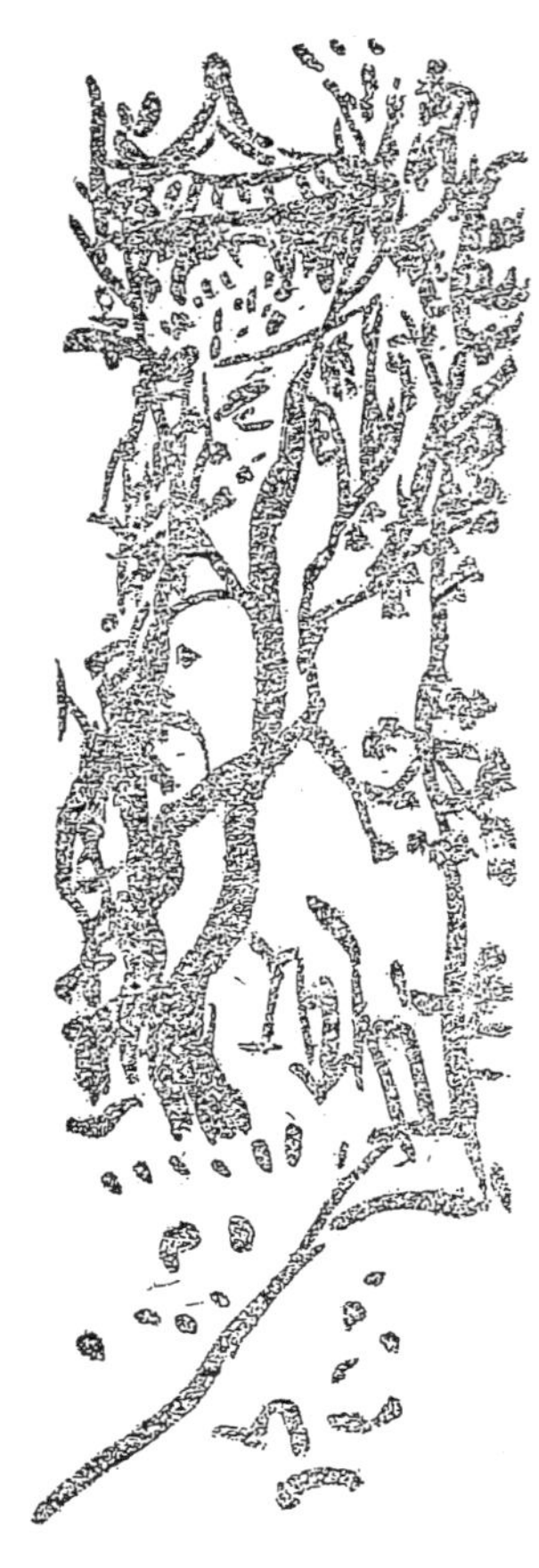

朝鮮民族文學の展開

李　石　柱

一

解放といふ、あの歴史的な感激が、すでに遠い夢物語の一つのやうになつた。

思へば、ながい抑壓された生活のなかに呻吟してゐた私たちであつたゝめに、たゞ現れる奇蹟のみを、待ちこがれてゐた私たちであつた。

奇蹟の現はれのやうに、私たちは感覺したのであつたが、それは歴史の必然がもたらせた當然の結果であつて、其處には何等偶然のひらめきといふものはあり得なかつた。

理性的でなく、感情的にしか生活できなかつたといふ民族のかなしい歴史が、私たちにあのはかない白日夢を描かせたのである。私たちにはすべてが解決されたと思つてゐた。しかもその實、私たちは何一つとして解決すべき心の用意をさへ持たなかつたのである。

解放とは何をさすものであらう？

夜半の靜寂のなかに、色あせた隙間だらけの壁に向ひ合つたとき、私は、自分の良心、自分といふものにさへ解放されてゐない良心の呟きを、きくのである。

○

日本の敗北が、たゞちに朝鮮の解放を意味するものと、人々は思ひつゞけてきた。

歴史といふものに、まるで盲目であるために、このやうな錯覺をおこして、人々は敢て疑はうとしないのである。

朝鮮の日本に對する屈服は、歴史の流れに無智であつた朝鮮の權力階級の力が、歴史の流れをしつかり把握してゐた日本の權力階級の力に、完全に壓倒されたといふことであつた。

もし日本の敗北が、朝鮮の民衆の總力を結集した反攻によつてもたらされたものとすれば、日本の敗北は、たゞちに朝鮮の民衆の勝利と解放の榮光を意味するものであつたらう。しかし、現實における日本の敗北は、日本自身のもつ組織の缺陷が、自壞作用を起したことに起因するのである。

この戰爭の展開と結末を、冷靜に回顧するとき、我々朝鮮人は、自身の日本に對する抗爭を過少評價する必要はないが、といつて、過大に評價すべき何物もないことを、殘念ながら、率直に認めざるを得ない。

無論、朝鮮の意志と感情は、あらゆる瞬間において、征服者との抗爭をやめはしなかつた。しかし、生活面における我々朝鮮人は、經濟的原理の方則のまゝに、强大な日本の資本主義に服從しつゞけてゐたのである。

だからといつて、朝鮮人が、日本の支配下にあるとき、民族として退嬰し、萎縮してゐたといふのではない。むしろ事實はまつたくその逆であつた。

○

歐米の資本主義文化が黑船によつて、猛烈な勢ひで東洋の港々に運びこまれはじめたのは、十九世紀のなかばからであつた。それから半世紀、その地理的環境が根本的に遮ふとはいへ、日本の進度と、朝鮮の進度とは、あまりにもかけはなれてゐた。その解釋は、今日までの史家が、あらゆる角度から批判し檢討しつゞけてきたことである。

そして、日本は朝鮮を併呑した。本來ならこれは朝鮮民族の完全なる崩壞を意味するものである。事實、日本の爲政者は、あらゆる機會を利用して、朝鮮の民族性を抹殺すべく最大の努力を傾けた。そして着々その効果はあがつていつた。

所謂、土地調査令をはじめとして、朝鮮總督政治の根本理念は、一貫して朝鮮民族性を踏みつぶすことに終始したのである。所謂、朝鮮語敎育廢止、日本式創氏制度の强制は、その極點であつた。

しかし、はたして、現實において朝鮮民族は民族として滅亡の途を歩んでゐたであらうか？ 日本の朝鮮民族統治策は一から百まで所期の成果を得たであらうか？

失敗の連續であつた！ と、眞劍であつた朝鮮總督府の官吏なら、誰しも自認するであらう。そのもつとも具體的な實例の一つが白衣抹殺運動であつた。日本の官吏は、朝鮮人の民族的象徴である白衣をなくすべく、ありとあらゆる手法をもつて彈壓した。白衣の着用者は、役場や學校に行くこともできず、汽車にのることも、市場に行くこともできなかつた。三十六年間の統治期間、一日として休むことなくつゞけられたその努力が、はたしてどのくらゐの成果を獲ち得たであらう！　三十六年間、朝鮮人は依然として白衣を着つゞけたのである。

もう一つの實例を、日本にきてゐる朝鮮人の生活にみることができる。武断統治の失敗から三・一運動の激烈な反抗に遭つた日本の爲政者は、徹底的な經濟的侵略によつて朝鮮人の生活を破壞せんとした。その手段はたしかに効果的であつた。數十萬に達する飢餓の民が、放浪の民として流轉したのである。しかもその結果がどうであつたか？渡航證明書といふ鐵壁のかためがあつたにもかゝはらず、この流民は大擧して日本の本土に上陸したのである。日本本土の全人口の二％近くまでを、この流民が占據するやうなことにならうとは、よもや日本の爲政者の誰が豫想し得たことであらう！

日本内における朝鮮人の受けた迫害は、これまたすさまじきものであつた。關東大震災における大虐殺をはじめとして、あらゆる職場が朝鮮人の前に門戸を閉ぢ、朝鮮人の居住を拒んだ。にも拘らず朝鮮人は日本に住みつき、それ相應の生計を營んだ。戰爭末期にいたつて、日本の國家全體が、如何にこの在留朝鮮人のはたらきに依存してゐたかは、所謂日本のその筋の人間なら骨の髓まで承知してゐることであらう！　朝鮮人がゐなかつたら日本はつぶれる！と、ある日本の大官が泣きわめいたことを、知つてゐる人間もゐるであらう。朝鮮人としては、あまり名譽なことでも、快いことでもないが、こゝにも朝鮮民族の底力が如實にしめされてゐるのである。

朝鮮民族は、日本の壓迫によつて、急速に成長した。この逆説が如何に眞實であり、その根底が何處にあるかは、朝鮮民族史を研究することによつて明らかになるであらう。朝鮮民族にとつて屈辱の三十六年間は、一面において、こよなき鍛錬の時間であつた。

しかし、これでもつて、朝鮮民族が完全な姿態で立ち上れると自惚れるわけにはいかない。我々は整理すべき多くのものを、あまりにも持ち過ぎてゐるのである。

○

歡喜と絶望の昂奮狀態からさめて、いま私たちは停滯してゐる。しかし、この時期こそ、われわれが眞に自己の途を踏み出すための準備の、時間である。

二

朝鮮民族文學もまた朝鮮民族生活の道程と同じものであつた。朝鮮にあたらしい資本主義の流入がおくれたと同樣、その產物である近代文學の流入もおくれた。

日本に併呑される直前、やうやく幾人かの留學生が、日本から歸つてきて、所謂新文學なる名のもとに、言文一致の新文體で、あたらしい考へ方をもりこんだ小說や詩を書きはじめた。しかし、その頃發刊された雜誌や書籍の數はきはめてすくなく、また讀者もごく限られたものであつた。
そこへ、日韓合併といふ、民族の滅亡を意味する變革がおこつたのである。あらゆる出版物が一齊に停止された。朝鮮文學は芽ものびぬうちに、つみとられたのである。

一九一〇年から一九年までの暗黑期において、わづかばかりの朝鮮の文學者は、作品を書くといふことより、民族の獨立と自由とを奪還するといふことに、より熱情的であつた。眞實を愛する文學者の生きる途として、當然のことではあつたが、朝鮮の新文學はこの間全く空白であつたのである。たゞわづかにのこる收穫は、封建的な家庭の枷とたゝかふ自覺した個人の姿を記錄した幾篇かの物語であつた。

三・一革命は、日本の慘酷きはまる武力討伐によつて、粉碎されたが、ほとばしる自由の叫びは、銃劍の力のみをもつては、抑へきれなかつた。武斷を文治におきかへるといふ讓歩を、日本の軍閥政府も敢てなさねばならなかつたのである。

「開闢」「朝鮮文壇」をはじめとして、十指にあまる文藝雜誌や綜合雜誌が發刊され、あらたに發刊された數種の新聞は、競つて小說を連載した。朝鮮新文學は一度につぼみをひらいたのである。

しかし、これは、朝鮮民族文學の正常な發展の姿ではなかつた。日本當局のたゆまざる政治的、經濟的彈壓によつて、出版物の大半は廢刊のやむなきにいたり、作家は筆をまげねば發表の機會をうしなつた。

かゝる環境にあればこそ、朝鮮の文化人が世界思潮の動向に敏感であつたのも當然といはねばならない。生活や自己の利慾のために筆をまげてまで發表をつゞけた作家をのぞいて、良心的な若い文學者が、こぞつて階級鬪爭の陣營にとびこんだ。それはまた、かゝる鬪爭手段が、民族解放のための、もつともよき行程だと信じたからである。

彈壓につぐ混亂、そして昏迷、そこにあらはれるものは虛無であつた。才能を抱いてゐながら、そのたゞしいはけ口を見出せないで、むなしい放浪をつゞけ、貧困と病苦のうちに短かき生涯を閉ぢていく人々を、民衆はたゞ溜息と諦らめの言葉のうちに見送るほかなかつた。むしろ民衆の大部分は、それを見送る餘裕さへなかつたのである。

かゝる環境のうちにあつて、めぐまれたわづかの人々が、藝術至上主義の楯に身をかくし、朝鮮文學の牙城を守らうとして、あらゆる努力をかたむけた。それらの人々のはたらきは相應の功績をのこした。

朝鮮語のもつ詩的要素を、世界的なたかい境地に、つかみ出したのも、これらの人々であり、朝鮮語そのものを、かつてみられない程に、文學的に表現し得たのも、これらの人々であつた。

しかし、基本的な啓蒙運動が抑壓され、朝鮮語敎育が禁止されるといふ客觀的情勢のために、これらの人々の文學的努力は、一般大衆の生活とは隔絶したものとなり、また力のないものとなつた。

日本の軍閥の强化が、日本より一切の文化的良心を奪ひさりはじめたとき、そのもつとも鋭い鉾先は、朝鮮文學の唯一のよりどころであるこの藝術至上主義の扉を容赦なく突きやぶつた。

最後にのこされた朝鮮語の文藝誌たる「文章」「人文評論」などが廢刊され、それと同時に、すべての朝鮮語雜誌や新聞が、世上からその姿を消す運命に陷つた。それにひきかへ、幾多の日本語雜誌、新聞等が、日本當局の積極的な援助と干渉によつて發刊された。

○

朝鮮文學は破滅の淵に逢着したといつても過言ではなかつた。事實、日本の文化的良心とさへいはれる文學者までが、朝鮮文學は單なる歷史上の學問的研究對象以外に存在しないであらうと、感傷的な同情をまじえて、いくらか面白いことのやうにいつた。

如何なる時代、如何なる國にも、權力におもねる人種の存在することを、歷史はきはめて冷靜に物語つてゐる。

すくなくない數の所謂朝鮮文學者が、なかば得々となつて日本語文學の創作に熱中した。そして、そのなかから、朝鮮語無用論までをとなへる人物が出てきた。彼等は、民族文化をみづから否定し、その叛逆行爲を通して、ひたすら權力者に媚を賣つたのである。

かういふとき、無力な朝鮮の良心的文學者は、筆を折つて、山間僻地に身を避け、たゞ生命の依持のために汲々としなければならなかつた。

前者が時局便乘的な戰爭協力者であるのに對して、後者は微溫的な戰爭傍觀者であつたのである。

表面的なものを辿つてみるとき、この時期は、朝鮮文學の中絕期といふほかない。しかし、この時期が、朝鮮民族全體からみたとき、一つの偉大な試錬の時期であつたやうに朝鮮文學にとつても、大きな試錬の時期であるといつてよい。まことの朝鮮文學者は沈默のなかで、極點に押しつめられた自己の良心と、はげしい對決をせずにはゐられなかつた。この苦しいたゝかひが、その後の朝鮮文學にどれだけ多くのものをもたらせる力となつたかわからない。

その證據が、解放後の朝鮮文學界にきはめて明瞭にしめされてゐるのである。偉大なる藝術は、偉大なる苦悶のなかから誕生するといふ言葉が、單なる抽象的な假說に終ることなく、朝鮮文學は、民族の偉大なる苦悶を通して、より高く、より强く、より進んだ文學となることができたのである。

三

解放直後の朝鮮の經濟的情勢は、日本のそれよりはるかに良好であるかの如く傳へられた。事實、朝鮮全國の市場

には　戦争中かげをひそめたあらゆる物資が、せきを切つて氾濫したといふことである。しかし、それは單なる一時的現象に過ぎなかつた。原始的な農耕生活以外に、あらゆる生産物を日本の工場に依存すべく强制されてゐた植民地的性格が、時日の經過とともに破綻をしめしはじめ、三十八度線といふ人爲的な分割が、これに拍車をかけることゝなつた。

日本の場合は、きはめて遲々とはしてゐても、生產施設が復興し、統一された政策のもとに徐々に國民の經濟生活を回復させてゐる。朝鮮では、事情が根本的に異つてゐるのである。ありつたけの生產力を百%復興させたとしても、國民の經濟生活を依持すべき必需物資の數%をしか生產し得ない狀態にあつて、まづ必要なのは、生產施設の設備であり、尨大な物資の輸入でなければならなかつた。だが、統一された政府が樹立されない以上、これは望み得べくもないことである。

極度の物資不足に喘がねばならないことは、必然であつた。食糧不足もさることながら、文化資材の缺乏は、日本では想像だにできない程である。日本で不足といはれる石炭、紙などは、朝鮮では皆無といつてよい狀態である。

このやうな經濟事情は、新朝鮮建設の最大の障害とならざるを得ない。紙のないこと、それたゞ一つをとりあげて考へてみても、そのことは明らかである。まづ第一に必要とする學校の敎科書、新聞、雜誌、書籍、そして、文書、その全部が、いま朝鮮では、一つとして解決されてゐない。文化の普及發達といふものが、これらの夥しい紙を必要とする以上、朝鮮の文化といふものが、いま如何に困難な立場にあるかは充分想像されることである。

このことは、朝鮮の文學にとつても、そのまゝあてはまることである。文學の發表機關であるべき新聞、雜誌、書籍が、微力であるからには、文學の榮える餘地があらうはずはない。

にも拘らず、朝鮮の文學は、いま朝鮮文學史はじまつて以來の隆盛をほこつてゐるといつても過言ではない。物資不足のため、大半が創刊號で終るべき運命にありながら、解放後の一ケ年半の間に、數十をもつて數へられる文藝雜誌、綜合雜誌が出版された。これは一面、經濟界、文化界の混亂を物語るものではあるが、一面、多年沈默を餘儀なくされてゐた朝鮮の文學者が、その全力をかたむけて文學再建のためにはたらいてゐることをしめすものである。

○

その最もよき成果が、朝鮮文學家同盟の結成と、同盟の機關誌「文學」の發刊であらう。三十八度線以北のことは、あきらかでないが、以南の朝鮮の文學界は、解放直後のあの混沌のさなかにあつて、小說家、詩人、評論家を網羅して、民族文學建設の運動機關としての「朝鮮文學家同盟」を結成し、一九四六年二月九日、歷史的な第一回全國文學者大會を開いたのであつた。
同盟は、
1、日本帝國主義殘滓の掃蕩
2、封建主義殘滓の淸算
3、國粹主義の排撃
4、民族文學の建設
5、朝鮮文學の國際文學との提携
といふ、五つの基本綱領を掲げ、藝術各分野の人々と手を携へ、文藝講演會、文學講座、文學による科學的啓蒙運動、文學の大衆化、新人育成、機關誌「文學」および圖書出版など、あらゆる面において猛烈な活動を展開しつゞけてゐるが、わけても、その機關誌「文學」は、解放後の朝鮮文藝雜誌の代表的存在といつてよく、その體裁、內容ともに、群を拔いてゐる。

李泰俊氏の「解放前後」は、文學家同盟がきづかれるまでの、作家自身を主人公とした作品であるが、かつて藝術至上主義派の頭目とみられてゐた氏が、解放後、自覺せる民族の一人として、おのれの退嬰的な消極性を打破し、紛亂の巷にわれとわが身を打ちこんで民族文化建設のためにたゝかふ積極的な姿が如實にしめされてゐる。これは氏自身の轉換を物語る作品であると同時に、解放後の良心的な朝鮮文學者を集約したものといつてもよく、文學家同盟が掲げた五つの綱領の達成のために、血みどろになつてゐる文學者の像が強くうきぼりにされてゐるのである。

はたらく朝鮮文學者の生きた姿は、それぞれの作品のなかに、力強く描き出されてゐるが、それは時勢の波にのつてうごく便乘的なものでなく、ながい苦悶の時期を通して、人間のあるべき姿、思想といふこと、生活することを、妥協の餘地ないまで究明し、曇りなき思索と反省を經たものである。

力作の一つに數へられてゐる池河連氏の「道程」は、かつて左翼運動に活躍してゐた主人公が、解放によつて、地下から自由活撥な地上に立つ機會を得たにかゝはらず、おのれの良心のうごきを執拗にみつめ、「俺は俺の方式で俺の〃小市民〃とたゝかはう！　たゝかひが終る日、俺は死に俺はさらに誕生するだらう。」といふ假借なき自責の言葉をのこしてゐるのである。

解放といふことに、昂奮し、感激しながらも、おのれの立場を、かたときも見失はない文學者としての眼が、民族の前途に橫はる苦難を見透し、その苦難を踏み越え、その苦難に打ち克つことによつて、はじめて民族文化の建設がある、と、いふことをきはめて戰鬪的なかたちでしめしたのは、金永錫氏の「暴風」であるが、ここでは、爭議中のある紡績工場の少女たちが、自分たちの指導者であり代表委員である人々を拘引していく警察署のトラックのタイヤの前に、身を橫たへて、たとへひき殺されても、自分たちの主張を守り通さうといふ悽愴な場面が描き出されてゐる。

○

政治的に經濟的に、速急な解決を必要とする多くの難問題をひかへ、朝鮮はひとり文學界にとゞまることなく、すべての層の人々が、祖國再建のために死力をつくしてゐるのであるが、そこにはなほ多くの悲哀感を伴ふのもやむを得ないことだらう。

キラキラ　ちりばめたる星たちよ
お前らは　朝鮮の星だ。

だが　このあほい夜に
凮はなびき
路地には
强盜が　塀をこえ

それより　なほ
怖しい　銃丸が
血　あかい心臟をもとめ　眼をみはり
昨日のごと
獄より　はなたれし人々が
ふたゝび狂はねばならぬのか

星たちよ
おゝ朝鮮の星たちよ
そんなに高くぶら下つてゐるでない

なだれおて

眼こはすほど　なだれおつ
お前らの光彩の前に
銃丸も
强盜の刄も
眼がつぶれるだらう

一人の詩人、趙靈出氏の、「キラキラちりばめたる星」に呼びかけるこの悲痛な願ひと祈りは、民族文學建設のたゝかひに疲れた朝鮮文學者のそれにとゞまらず、祖國建設のため、あけくれに思ひ煩つてゐる民族全體の、のどつまらせる詠嘆であらう。しかしこの詠嘆は過去のそれのやうな諦観ではない。

友よ！　たぎるやうな民衆の喊聲を傳へよ
しばしの惡夢をしりぞけ、俺は一歩かけ出さう（金尙勳氏〃父の窓の前で〃）

といふはげしい前進のための足踏みなのである。

（一九四七年五月六日）

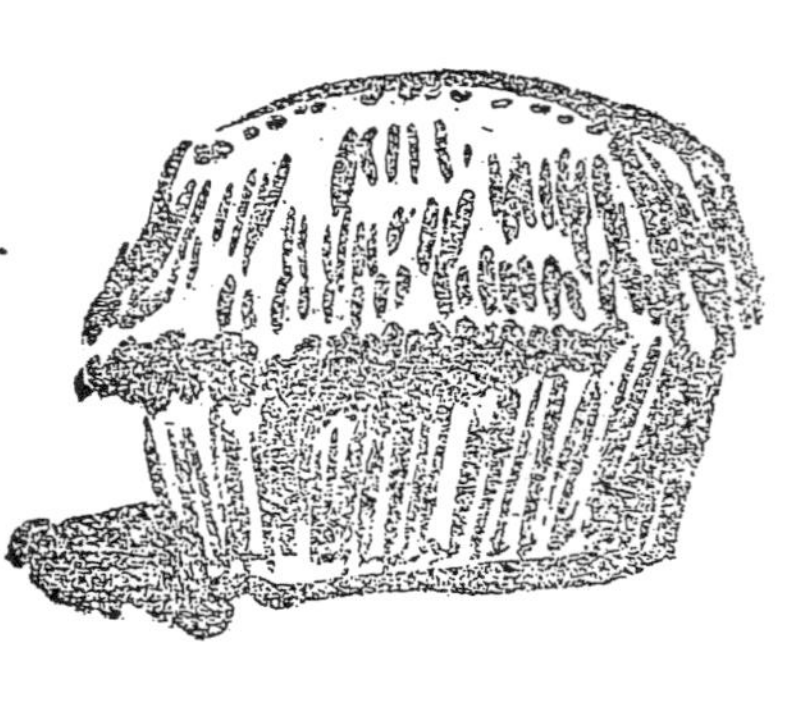

文藝時評
昏迷の中から

金　達　壽

一

狂熱のときが去つて人間解放の時代が來たとき、私は日本文學のためにも喜びを持たずにはいられなかつた。吹けばとぶやうな私小説と、わずかの短篇が世界文學の水準にあるといつて滿足していた日本文學も、いよいよ本格的な世界文學のリストに加わつてゆくのだと思われたのである。文化國家の建設などという聲が逸早くあがり、ことあげせず、といいながらもこのような抽象的、標語的掛け聲の逸早いばかりでなくその空轉を好んでいることはよく知つているので、このような小兒病的標語は信用しないにしても、私は大きな喜びと期待とを持たずにはいられなかつた。

しかし降伏が意外で、したがつて人間の大多數形態である民衆の解放が意外であつた人々の、昨日まで「戰え、死ね」といつていた唇から虚脱という、こういうときにきわめて魅力的な標語が漏らされたことによつて、實は父や兄、夫ばかりでなく自分の生命も救われたことの本能的解放感から生命の飛躍を行おうとした人々を昏迷の底に押しやつてしまつた。長い間の暗黑なときを經て俄かに明るみへ出されたとき、暗黑に馴らされた眼が一瞬くらつくらつとすることを認めぬわけではない。それであるからといつて「虚脱」や「昏迷」に進んで溺れたりたらすいすることはないのだ。無理にうす汚なく肉體的になることもなければ、下手にデカダンになることはないのだ。皮相や、いつも古い流行につかれるわるい癖である。

二

織田作之助、坂口安吾、石川淳氏等が流行り出して織田作之助氏は「可能性の文學論」を殘して惜しくも死んでしまつたが、あとの二人はちかごろ田村泰次郎という有力なメンバーを加えてまだ流行つている。織田氏の作品は二、三篇しか讀めなかつたが、その「可能性の文學論」は注目していゝものであつた。そこには日本文學に對する希望を裏打ちするものがあつた。そしてこれが織田氏の作品を書いた織田氏からいわれることに私はおどろいてしまつた。生きていたら面白かつたと思う。

　私は田村泰次郎氏は「肉體の門」といふのを二、三頁讀み、石川淳氏は「かよい小町」「雪のイヴ」というのを讀んだ。そしてもつとも流行兒である坂口安吾氏は評判の「白痴」ほか相當に讀んでいる。だが、これだけのことで氏等に對して批評めいたことを試みることはかなり失禮であるかも知れない。しかし私は氏等を讃めちぎる評論の類はたいていほとんど讀んでいる。氏等の言說にも眼をとおしている。あたかも氏等の支柱であるかのごとくかつぎ出されたサルトルも讀んでみた。

　だが私は率直にいつてこのチヤンピオンたちの深遠な哲學がどこにあるか分らぬ。「かよい小町」にしても「雪のイヴ」にしても、無理にタイハイを裝つた一片の感傷。露店小說だとしか思えぬ。「母の上京」(坂口安吾)にいたつては途中でよそごとながら雑誌を放り出して、べつべつと唾を吐いた。新聞紙がどうの、膝頭がどうのワイ本ならあつさりとそれで話は分る。何かことありそうに持つてまわるからなお汚たない。サルトルなどとは似もつかないものである。サルトル氏がわかつたら苦笑するだらう。

　人々はその無智から面白くもなんともなく、本當は馬鹿々々しいということを知つているにも拘らず、一度流行といふものにつかれると容易に自己の眞實を納得しようとはしないものである。坂口安吾氏のごときはそのマンネリズムだけがもうほとんどタイハイ的となつている。にも拘らず氏が相變らず流行しているのは、まつたくこの流行の心理學に支配されているからである。そしてこの流行は今日の昏迷を維持している。よそごとながら馬鹿げたことだ。降伏や敗戰が悲劇なのでは決してなく、これらのことがさきに日本の悲劇なのだ。

三

　しかしながらこの昏迷の中から逞ましく（これが美しいのである！）芽ばえるものを引き立て、これらの馬鹿げた昏迷をげんぜんと見下す本當の文學と、そのために努力が拂われていないわけではない。私の喜びと期待はこゝでわずかでもいやされる。たとえば宮本百合子氏の「播州平野」や「風知草」「二つの庭」（中央公論連載中）などと坂口、石川氏等の諸作品とを比較しようなどという白痴はいないだろう。これはもはや文學か、文學でないかというほどの差異である。そしてこの差異は文學のジャンルの差異ではない。人間の差異である。昏迷の中において、この昏迷を助長することによつて沒落をとうすいしようとするものと、眼前に廣がる昏迷の霧を搔き分けて建設の騎士たらんとするものとの人間的差異である。

岩上順一氏の生活の變革論、小田切秀雄氏の主體の恢復、自我の確立論はみなこの第二の宮本百合子、いや、より以上の宮本百合子氏を呼び出すための努力である。しかもこの二人は同じ文學的陣營のなかにありながらも、互に自己の嚴しい批判をゆるめない。「文學の足場」(岩上順一・新日本文學第五號)「文學者の責任」(小田切秀雄氏・同上第七號)＝岩上氏と小田切氏の論點の相違は、岩上氏が敎壇的であるとすれば、小田切氏は演習的であることの相違だが、それよりも興味があるのはこの兩氏の論爭そのものである。「新日本文學」を中心に結集した人々の民主主義的新しい文學はこの兩氏のかしやくない旺盛な批判精神の下からもえ出て、そのピラミツトを築いてゆくことだろう。

そしてこの文學は新しい日本人である民衆のなかから生れる。民衆こそは眞の日本人であり、そのなかから生れる文學こそ本當の日本文學でなければならない。私の期待は宮本百合子氏によつていやされ、それがよせられるところはここである。「病舍にて」(佐々木宣太郎・新日本文學第七號)はさいごの肩を上げてしまつたことが惜しいところであつたが、「さむい窓」(熱田五郎・新日本文學第六號)等のしつかりした筆の運びがすでに私のこの喜びを豫知させてくれる。

だが「町工場」(小澤淸)の場合もそうであつたが、むろんこれらの作品を傑作というのでは(昏迷派の諸作品よりはましなのはいうまでもない)ないが、私は最初の一作の傑作によつてその作家を信用しない。多少の文章を心得て、命がけでかゝれば誰でも一作はちよつとした短篇が書けるものであることを承知しておくべきだ。特に日本においてはこれが容易に行われる可能性がある。虚構がまだ權威を得ず、自己の小さな體驗にしがみつく私小說がまだ權威を失わぬからである。

四

福田恒存氏が「善意の文學」(群像七月號)と題し、若い女性に與える手紙の形式で宮本百合子氏を詳細に解ぼうしてみせている。そして結論して「宮本百合子の小說はあなたをはじめ、現代の女性の指針にはなりがたい」といゝ「今日の現實の桎梏はもつときびしく」て「戀愛においても精神と肉體との相剋はなんとしても回避しえない」し「そのような不幸の原因である社會惡を除去しえたとしても、ぼくたちが―あなたがたが精神と肉體との對立、自我と他我との對立という近代的な苦惱によつて鍛錬されていないとすれば、すべてはもとの木阿彌となるにきまつておりますで、こういう問題になると宮本百合子の幸福主義では絕對に齒が立たない」と懇切に敎えている。

困つたことである。これも昏迷へ昏迷へと誘う、しかもきわめて整然としたお話である。宮本百合子氏の文學が現代の日本女性の指針とはなりがたいということはともかくとして、不幸の原因である社會悪を除去しえたとしても、自我と他我との對立という近代的な苦悩によつて鍛錬されていないとすればすべてもとの木阿彌になるにきまつているという。それならばこの近代的な苦悩の鍛錬はいつたいどこでどう行われるのか。「宮本百合子の幸福主義」つまりどこでどう行われるのか。「宮本百合子の幸福主義」つまり

宮本百合子文學では齒が立たないというところをみると、どこか齒の立つ現代日本の女性の指針となるべき日本文學が出て來ているに違いない。それは示されていない。

宮本百合子氏の文學が幸福主義の文學であるといふ福田氏の懇切な説明をそのまゝう呑みにするにしても、戰後この幸福主義といわれる氣丈な女性以上の文學が出ているかというと決して出ていはしない。滑稽なことだ。現代の日本の女性が宮本百合子氏を指針とし、また指針とし得るならば萬々歳である。それすら出來えないところへ、もつともらしい文章の魔術をならべることは意識的な昏迷の助長以外ではない。福田氏は「これらの不幸の原因である社會悪を除去しえて」からの抽象的心配をするよりも、具體的にこの社會悪の除去のために努力すべきだ。日本文學はまだこの「社會悪の除去」にさえも向つていないのだ。

高見順氏が注目すべき作品「眞相」(改造七月號)を發表したし、太宰治氏の長篇「斜陽」(新潮七月號)も注目されていゝだろう。この作品を讀んで、後進民族としての負い目を背負されてしまつた私は日本人の生活の完成ということを思つた。それは「二つの庭」においてなおそうであろうが、太宰氏がこういふ作品を書くということで印象が强かつたのであろう。しかし母の「あ」ともらした聲を、わたしがそれをしてから説明するのは下手な技術だと思う。「濱邊の歌」(松田美紀・新潮の入選同七月號)は相當達者な筆で、今後もすこしは書ける作家と思えるが、この作品は「素直な美しい春本」である。(一九四七・八・八)

朝鮮作家と日本語の問題

青野季吉

朝鮮作家（日本語でかく）にとつて、日本語とは、いつたい何であらうか。それは云ふまでもなく、日本作家にとつての日本語とは、よほどちがつた關係のものでなければならない。私は、この問題を自分におこして見たけれど、ついに何の答へも、いまだに見出すことができない。

しかしこの問題は、朝鮮作家自身によつて、はつきり答へを與へられなければならないものの一つであらう。日本の環境で成長し、日本語で書きなれているからといふ理由だけでは、文學の場合、不十分である。他の場合は、言葉はたんなる符徴であり、媒介物でありうる。そこに愛の關係などは、かへつて邪魔である。しかし文學では、作家と彼の用ひる言葉との間に、愛の關係を考へることなしには、彼の制作を考へることができない。言葉が彼を呼びさまし、彼が言葉を呼びさますといつた魔術的な愛の關係のない文學といふものは、何であらうか。

朝鮮作家で、日本語でかくように運命づけられており、げんに日本語でかいているものは、根底にそういふ關係をひそめている筈だと、私は考へている。しかしじつさいに於いて、どのような形で、どのような在り方で、日本語が彼を呼びさまし、彼が日本語をよびさましているのであらうか。その魔術的な愛の關係は、どのようなニュアンスに息づいているものであらうか。私のよんだわづかばかりの作品からでも、それについて或るかすかな示唆をつかめないことはない。しかしそれを越えたものとなると、まるで厚い幕が非情に垂れ下つている感じである。

現代的な文學の言葉として、日本語の可能といふことも、大きな問題の一つである。しかしその問題は、われわれ日本人には或る限界以上に踏み出して考へることのできない宿命的な問題である。われわれ日本人は、よかれ惡しかれ、日本語を喪つては、文學することができない。日常の便宜のためには、日本語をすてて、たとへばフランス語をつかつても生きて行けるかも知れないが、全肉體でかき、全人的にかく以外、どんな近か道もない文學では、ぜつたいにさうはいかない。

われわれ日本人にできることは、あくまでも日本語の可能を追つていつて、それを實現するといふ一途である。もしその可能がつきて、もはやなにものも實現することができなくなつた時は、文學の言葉としての日本語の死滅の時である。且つわれわれ日本人が文學において死ぬ時でなければならない。われわれ日本人が、どのような惡條件の下でも、なほ文學しているといふことは、或る意味で、その死滅とたたかつているのだといへる。と同時にまた、日本語にそれだけの可能があることをも意味している。いづれにしても、われわれ日本人は、われわれの文學の現在と未來を、過去においてさうしたように、日本語に賭ける外はないのである。

しかし朝鮮作家に於ては、さうではない。かりに日本語を喪つたとしても、またすてたとして、或はまた日本語の可能がつきてしまつたとしても、それがたゞちに、彼の文學することの絶對不可能を意味しはしない。一時は或る不自由さに惱んでも、それがかへつて日本語からの解放を意味するといふようなことも考へられる。彼の文學的生命の可能が、日本語から解放されることによつて、あたらしく實現されるといふことも考へられるのである。

それだけまた朝鮮作家と日本語の關係が不安定であるのは、云ふまでもない。しかしこの不安定は、日本語でかく朝鮮作家の將來の展望を、くらくするようなものではあり得ない。彼等こそ、却つて、その不安定の故に、日本語の文學の言葉としての可能について、われわれ日本人の越えることのできない限界を越へて、考へることもでき、判斷することもできる立場にあるものといはなければならない。私が、朝鮮作家と日本語の關係について知りたがるのは、こういふ點にもかかつている。

私は、日本語でかく若い朝鮮作家たちの間に、日本語論議といふようなものがこれまであつたかどうかを、知らない。が、それが是否あつて欲しいと思ひ、さらにそれは是否なされなければならないことだと思つている。漢字制限とか、新かなづかひとか、そんなことは第二義的な問題で、私には、根本的に日本語の危機の問題あると思はれるので、一層そうした論議が望ましいのである。（七・三一）

朝鮮文人消息

李泰俊　ソ聯から歸つて『ソ聯紀行』をだし洛陽の紙價をたかからしめている。一九四六年度文學家同盟賞受賞。

兪鎭午　ソウル大學の法學部長。文學活動はしていないが一部では今後の活躍を注目している。

韓雪野　『塔』『泥濘』等の創作集を出している。咸興で文學家同盟をつくり、今では北朝鮮人民委員會の文化部長に就任。

崔明翊　創作集出版、平壤から代議士として登場。

金史良　延安から歸つて專ら政治運動にたづさはつていたが、後金日成大學で西洋文學を講じてゐる。

雑草原

許南麒

ロシアのある小説書きは
何百枚　何千枚の石を重ねても
草は、それを押し除けて
生え出ると書いた
しかし　僕の草原よ
お前は　千枚の敷石より
何層倍も重く苦しい
一九一〇年からの四十年を
生きぬき
そして　あの去年の十月の
銃と劍との抑壓の下からも
芽をふき出して來た
お前のその芽は

たとえ　いまはか細く
ちいさくとも
何時かは亭々と地上に充ち
古い朝鮮の貴族達がめで愛した
桃や梅の
太さを超えて繁り
嘗つての世紀の羊齒のように
この地殼の上に
もう一つの新しい
希望を植えつけてくれるに違いない
僕は　お前の繁殖力を信ずる
雑草よ

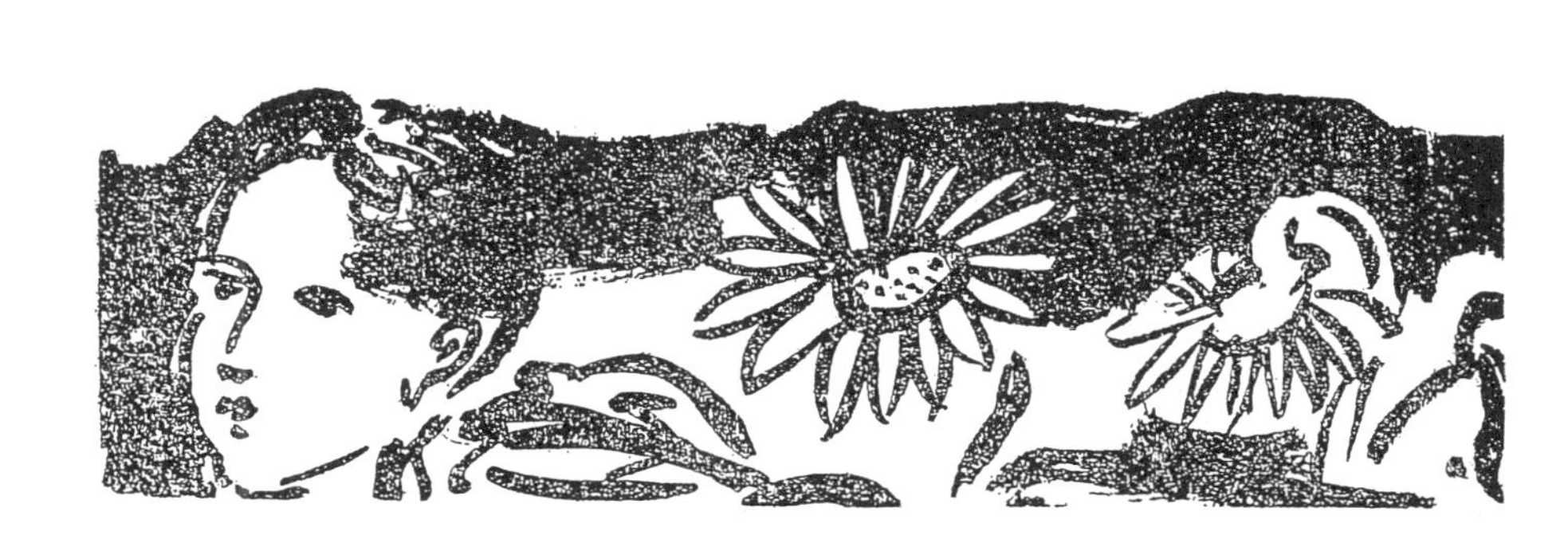

河

康珍哲

劫初から流された原罪の血が
いま　わたしの體內を
とうとうと　音高く流れ
常に「時」の最先端へ押しあげる。

愛憐の岩に砕け　血しぶきあげ
怒れる火山は理念を燒きつくし
個體は灰燼と飛び散らい
歷史の絕頂で激しく亂舞する。

創世の朝から最終の夜まで
流れてやまぬ生命の河
瞬間に生滅し永遠を意識しつゝ
冥劫の海へとかけりゆく。

嵐

尹紫遠

「あなた。この雨の中をどこへ行くんです、え?――あなたッ。」

と細君は玄關に下り立つた夫のジャンバーを後から掴んだ。

「放つせ。えッ、放つせたら、放つせッ。」

と夫は振向くより早く、力まかせに細君の手を振拂つた。瞬間、細君は、「アイコ、アヤー。」と叫び、よろよろと後向きによろめき、兩足をひろげ、どつと尻餅をついた。それと同時に、父親から所きらわず目茶苦茶に叩かれた長女の泣聲がいちだんと高まり、ふるえながら片隅にかたまつていた四人の子供が代る代るに、「父ちやん。母ちやん。」と泣き叫びつつ玄關に馳せつけて來た。しかし、夫は振向きもせず、激しい怒りと、汚辱と、言い知れぬ淋しさを顔に描き、細君のサンダルを突つかけ、荒々しく戸をあけた。細君は素早く起上り、なおも必死になつて夫を止めようと、はだしのまま玄關の外に飛びでた。がその時は夫はもう二三間も離れ、横なぐりの物凄い降りの中を、大通りへ向つて大股に歩いていた。細君は、「あなた。あなーた。」と二三度叫んでみたが、風と雨の音に聲は吹消され、息がつまるような氣がした。

夫はアスフアルトの道に叩きつける兩脚が白い煙となつて彈き返る、今は進駐軍の宿舍になつている元の稅務署の前を通りぬけ、サーコリ市の立つ廣い通りに出た。空はまるで狂つたように、急に眞つ黑くなつたかと思ふと、サッとまた明るくなつたり、風は物凄く電線をうならせて吹きまくり、いつそうの大粒の雨をはらんだ、部厚な廣い黑雲が二ひら三ひら、飛ぶように絕景島から南濱町一帶をおおい、朝鮮劇場、賓來館の上あたりをかすめ、龍頭山の中腹にすさまじい勢でぶつかつては、あたかも荒狂う怒濤が岸の大岩に打くだかれるような景狀をなして千千にせかれて行く。

「基淑の奴め、盜みをするたあ、ああ、たまらない……。」

夫は人っ子ひとり通らない大通りを肌着までがしぼるほどになつたのも構わず、そう、ひとりごちしながら勢よく歩いていた。彼は明確な目的もないのに、ただ、無茶苦茶に歩いてやれ、という衝動にかられて歩いているのだつた。

李萬植夫婦が、十三になる長女の基淑を頭に五人の子供を連れて日本から郷里である金海の鳳林里へ引揚げたのは終戦の年の九月下旬であつた。それまでは山口縣のM炭鑛の勞務係に籍をおいて、ちようど十二年間働いていた。彼は中學を出ていたので、朝鮮人としてはインテリーとして過され、同じ朝鮮人の坑夫たちからは、「先生。」と呼ばれていた。それだけに彼は坑夫たちの手紙の讀み書きから、配給物の手續や、出産屆に至るまで、いやな顔ひとつせずに世話をしてやつたりした。

だから彼が引揚げると言つた時、日本人も隨分止めてくれたりしたが、引揚げても、たよりになるような身内のない者や、身内や、親兄弟があつても、生活の見通しが立たないで居殘る者はしきりに彼を引止めるのだつたが、彼は解放された祖國が無性になつかしくて、一切の生活上の好條件を振切つて引揚げたのだつた。細君は家財道具悉くを持つて歸えると言つてきかなかつたけれども、彼は、

「馬鹿野郎。もう昔とはちがうぞ。そんな日本の物なんか持つて行つたつて、てんで使いものにならんぜ。全部賣拂つて、身輕になつて行かないと、だいいちお前、船に乘れない。」と言つてかえつて細君を叱りとばした。

「でもあなた。着物類だけはみんな持つて行きましょうよ。朝鮮服に造りかえてでも、子供たちは着せなけや…。」

「あんな模樣のある奴は朝鮮服にはをかしいじやないか?」

「でもあなた。」

「でももクソもあるか。とにかく洋服とフトン以外は全部手放してしまえ。おれの國民服もな。もうあんな奴、着られない。」

と彼は細君の提案を殆んど無視した。

仙崎で乘船するまで、ちようど五日間、收容所の中に妻子をおいて、萬植は毎日朝から晩まで乘船の順番を調べたり、先に乘船する團體名簿に家族の名前を書込んだり、子供たちに菓子などを買つて運んだりした。その間彼は解放の喜びに充ちあふれている多くの同胞を見ると共に、また悲嘆に暮れている多くの同胞も目撃した。彼は「ほんとうの戰爭という奴はこんなものかも知れないぜ。」と氣が遠くなるような人の體臭と、尿糞の臭いが流れている收容所を見わたしながら細君に言つたことも二度三度ではなかつた。なかには少し用意して來た金を、船を待つ間にすつかり使い果し、につちもさつちにも行かなくなつて、また元働い

ていた所へ引返す家族連れもいた。

「金なんか一文もいらねえから、早く朝鮮へさ、行くようにして下つせえ。」

と歸國同胞救助隊員に手を合せて拜む老人がいるかと思うと、

「乘船順番に不審な點がある……。」

とて同隊員となぐり合いをする者もいるし、財布を地べたに叩きつけ、半狂亂のようになつて譯の分らないことをわめきながら馳けまわるのも見えた。五日目で乘船出來たのは全く萬植の手柄で、幾ら鼻を高くしても、高くしすぎるということはなかつた。萬植は久し振りに仰ぐ故國の空に、三つになる末の子を高く差上げた。細君は、生れて始めて父と母の國を珍らしそうに見る子供たちに、こまごまと語り、遠く近くを指さすのだつた。

釜山驛の廣場は仙崎よりもなお人でごつた返り、尿糞の臭も劣らなかつた。カケ（屋臺店）は無數につらなり、引揚者の荷を滿載した荷車がイセイのいい掛聲で人をかき分けて行きすぎると、「餅、買いません。」「たばこ如何ですか。」と女や子供たちが我れ先を爭そつて押寄せて來たりした。萬植夫婦は子供たちの手を引きひき、やつとその人混みをぬけ出ると、

「金海の人はこちらですよ。金海へ歸る人はこちらアー。」

というしやがれた聲に「はてな。」と顔を上げて見ると、水原、忠淸南道、全羅北道、狩山郡、金海郡、などと書いた旗がそこここに立並び、その旗の所ではやはり「水原の人はこちらへ。」「忠南の人はこちらへ。」と呼ばつていた。萬植は直感的にすぐ分つた。つまり釜山に住む各地方の有志たちが、引揚げて來る同郷の者を汽車の案内をしたり、食物の世話をしたり、金の兩替に骨折つたりする純粹な奉仕團體であつた。

汽車は夜あるというので、萬植夫婦は荷物を一時あずけ、子供たちの手を引いて大倉町から辨天町あたりを歩いて見るのだつた。至る所に日本の着物類や、家具調度品等が二束三文に賣りとばされていた。萬植は、

「どうだ。あんなもの、持つて來なくてよかつたろう？」

と得意げな笑いを浮べて細君に言つた。細君は唯うなずく外はなかつた。子供たちはやたらに食物を欲しがつていた。實際彼等が日本にいる時は、夢にも見られなかつたような物が、どの店にも豐富に陳列されていた。飴、餅、ビスケツト、リンゴ、柿等を買つてもらつた子供たちは手を叩いて喜んだ。

鳳林里の長兄の家に落ちついてから四五日はまるで夢のようにすぎて行つた。日本から無事に着いたというので、近親の者が入替り、立替りたずねて來た。その都度、酒が用意され、肉が燒かれたりした。然かもその費用は自然の

成行で萬植が負された。百姓をしている兄に現金がそうある筈がなかつたから。

萬植は次第に腕組をして考えこむようになつて行つた。細君は日に幾十回となく溜息をつくようになつて行つた或る日、兄は
「よわつたな。お前たちがずつとここにいてもいいけど、何しろ狹くて、なあ?」

と如何にも思案に暮れたという調子で、言いにくそうに言い出した。實際、兄の家は狹かつた。四疊位の溫突二間に、親子八人が住んでいる所へ、萬植一家七人がやつて來たものだから、家の中は絕えず、子供たちの爭いや、泣聲がたえなかつた。その上萬植の子供たちは一人も朝鮮語がよく出來ないので、となり近所の子供たちから發音のよく出來ない所を眞似されたり、果ては泣かされてべそをかきながら戾つて來ると、今度はイトコたちから輕べつされたりした。萬植は、「なアに、今にすぐ話せるようになるさ。」という氣やすめと、「なぜもつと朝鮮語を敎えておかなかつたろう。」という後悔も激しかつた。時には、

「貴樣が、家にいて敎えなかつたからだ。」

と罪のない細君を怒鳴り散らしたりした。

「ええ、實は私もそれを考えていたんです。」

と萬植は兄の部屋用の長ぎせるに煙草をつめながら所在なげに言つた。

「どうだ。お前、釜山の姉さんとこに落ちつかないか。あすこは姉さんひとりきりだし、家も日本建てでこつちよりはずつと廣いんだ。それに第一、お前、何かやらなくちや――。」

それは萬植もよく知つていた。姉というのは萬植たち三人兄弟の長姉で、二十七の年に夫に死なれ、五年後に再婚したが、性來勝氣で人から頭ごなしにされることをきらう所から先方の親たちと折合が惡くて別れ、四十六になる今日まで獨りで押通して來ている女であつた。それに裁縫は頭ぬけて上手いし、大つぴらではないが、濁酒などをやつてこつこつためた金で今の東大新町の平家を一軒買い、ひとりでは何かにつけて不自由というところから老婆を一人おいて不自由のない生活をしているのであつた。

「そうですね。それじや、明日でも、早速、挨拶かたがた行つて見て來ましようか。」

その夜、細君はそれを聞いて誰よりも喜んだ。「一食位ぬいてもいいから、こんな電氣のない田舍よりはいいわ。それに釜山なら、何んだつて出來るでしよう。」とその成功を祈るかのように言い、子供たちを乘越え、久し振りに夫の熱い息吹にふれた。

萬植が釜山の姉の所へ行つて、三日目に戾つて來た時は、手土産など持つて上機嫌であつた。

「姉さんも喜んでくれましてね。」

「うむ。そうか。」

と兄もにこにこした。それから二日おいて彼等は釜山へ向つた。

彼等が落ちつく部屋は玄關の次の四疊半であつた。幾ら家具がないと言つても、七人の家族が住むには狹かつた。

「そのうちに適當な家があつたら移るさ。」

と萬植は末の子とその次の子を押入に寢かせて傍にすわる細君を見て、半ば氣休めに似た笑いを浮べながら言うのだつた。無論それはたわごとに近かつた。トタン葺で極端に粗末なオンドル一間の家でさえ數千を出、ちよつとした家になると數萬圓にのぼるのだつたから。

「あなた。もうお金、五千圓そこそこですよ。」

「五千圓そこそこだつて?どうしてそんなになつたんだい。」

「どうしてつて、あなた考えてごらんなさいな。どんぶり一つ買つても四十圓ですよ。」

「だから早く、……お仕事見つけて下さいよ。」

「馬鹿野郎。釜山の人口五十萬のうち、四十萬以上が失業者だ。」

實際仕事はなかつた。その上冬は目の前に迫つているし、物價はぐんぐん跳ね上る一方だし、どんなに節約しても、五千圓では一ヵ月持つかどうか、というせとぎわまで來ているのだから、萬植はじつとしていられない猛烈な焦慮にかられるのであつた。

それから一週間位の後、大田驛の雜踏の中に大形のリュックを背負つた李萬植が次の群山行の時間表に見入つていた。彼は米の闇屋になつたのである。全北か、忠南の田舍で一斗二百圓位で買い、釜山に來れば八百五十圓から九百圓に賣れるから、月に三四斗ずつ二三回往復すれば、親子七人の暮しがどうにか成立つという計算からであつた。五日目に米四斗を背負つて歸つた萬植はどつと疲れが出て十日ばかり床に就いてしまい、結局、藥代だの、往復の旅費などを差引くと、元も子もなくなつた。米買いは先づ何よりも强健な肉體が必要であることを痛切に感じたのだつた。そこで今度は、背廣を一着千八百圓で賣り、大邱へ芙蓉(煙草)を仕入れに出かけたが、掛引が餘りにも露骨できたないので、彼は腹をたててそのまま、千圓以上の費用だけ使つて歸つて來た細君はあきれたと言つた調子で——。

「それじや、何にもならないじやありませんか。リンゴでも買つて來ればよかつたのに……。」

「うるさいな。」

と怒鳴つてはみたが、腹の中ではなるほどと思つた。今度は鹽を四斗リュックに入れて大邱へ行つた。釜山では一斗百圓であるのに、大邱は一斗三百五十圓だということを聞いたからだつた。京城行の夜行は全部コッペ(貨物車)で乘客の七割以上はいはゆる商賣にしている買出し部隊であつた。萬植は鹽を背負つて、うんうん呻つている自分を哀われな意氣地のない男に思えて苦笑せずにはいられなかつた。

　商人の掛引というものをまるで知らなかつた萬植は何よりもそれが嫌なものに思えてならなかつた。大邱市場で鹽を賣り、リンゴ五百を仕入れ、釜山驛でオロして計算してみると、それでも五百幾らかが餘つた。「惡くないぞ。」と彼はにつこりし、細君の喜ぶ顔が見たくて急いだ。

　所が家に歸り、細君に自慢をしようとポケットに手をやると財布がない。スラれたのだつた。彼の落膽、というより怒りは猛烈を極めた。それ以來、何にもしなくなつた。その代り酒を飲むようになつた。時にはぐでんぐでんに醉つて來て、

「正直な奴はみんな死ぬんだ。ドロ棒と氣狂いだけが生きている世の中だ……。あはツはつはつ。」

　とまるで人が違つたように成つて行つた。彼の洋服や、細君の目ぼしい衣類が段々米やうどん粉に變つて行つた。彼等の生活狀態が極度につまるに從つて、姉の態度も手の裏を返すように變つて行つた。殊に頑是ない子供たちに對する仕打ちは冷酷というより慘酷な位であつた。

「セサング・エド・ベルナダ。」（まあ、なんてうるさいんだろう。）

　と金切り聲を張上げ、自分の部屋に子供等が足を踏み入れるものなら、大變なことだつた。それはかりではなかつた。自分は常に眞つ白い飯を喰べ、餘ると握りめしにして近所の子供たちにはやつても、決して弟の子供たちにはやらなかつた。子供たちは指をくわえてはうらやましそうに眺めるのだつた。臺所も廣かつたけれども、萬植の細君には使わせなかつた。細君は仕方なしに煉瓦のこわれたのをひろつて來て外で寒中をすごさなければならなかつた。

「あなた。」

「うん。」

「枚ノ島でね、やはり日本から引揚げて來た人で、親子五人がゆうべ枕を並べて死んだんですつて。」

「どうして？」

「まるで干かれいのやうになつていたんですつてよ。」

「………。」

「他人(ひと)ごとでないわ。」

「身寄りも何にもなかつたのかな。」

「身寄があつたつて、この頃の身寄りなんか、何になりますか。」

　と細君はそれとなく義姉の部屋を見、吐きすてるように言つた。萬植はまるで針で心臟を刺されたようにはつとした。そして寢靜まつている子供たちをゆすぶつて確めて見たいようなショックを受けた。

「たまには、子供たちに白米の御飯を腹いつぱい喰べさせ

たい。」

そう言つて細君はあふれ出る涙をぽたぽたとたらした。

萬植は無言のムチに打たれるような緊張を感じた。


冬が過ぎ春が來たが、萬植一家はなお木枯が吹いていた。僅かのスジビ(すいとん)に小鳥のようにせり合つている子供たちを見ると萬植は、「何んでもやつてやろう。」という情熱が熱風のように湧上るのだが、社會的不純を冒し、濁りの中で人を押のけて行く不逞な圖太さのない弱い彼の性情はすぐに絶望と落膽の淵におちて行くのであつた。その淵でのあがきが酒を求めさせるのであつた。そしてそれまでの、彼の唯一の誇りと身上は、「人に迷惑をかけずに生きて來た。」ということだつた。

細君は春以來、ずつと煙草うりに出ていた。釜山驛前、サーコリ市、朝鮮劇場の前などで、警官に追われ追われながら、

「プヨング、タンムベ・サショ。」(たばこは如何ですか)と毎日出て行つた。最初は極りが惡くてどうしても聲が出なかつた。自分としてはびつくりする程大きな聲を出したつもりだが、「それじや、あんた、きこえやしないよ。」とよくとなりで賣つているものから注意を受けたりした。そしてその煙草うりの殆んどは引揚者であつた。

かつては、「先生の奥さん。」と言われた自分が、乞食に等しい身なりで煙草うりをやつているかと思うとほんとに情なくて、煙草の箱をちよつと人に見てもらつて、横つ丁に入つて泣いたことが幾度あつたろう。何かにつけてM炭鑛のことが思い出されてならなかつた。手放して來たものの一つとして後悔の種にならないものはなかつた。

「馬鹿野郎、今さらそんなこと言つて何になる――。」

とよく夫から叱りとばされたけれども、腹の中では、「何、この意久地なし。」と笑つていた。

「母ちやん。おばちやんはね、今、ごはんがクサツタといつて洗つて干しているよ。」

と長女の基淑がうらめしそうに母に告げた。細君は歯を喰いしばつて罪のない基淑を睨み「そんなこと、どうでもいいツ。」と叱りつけながら、「今に、何時か見てやろう。」という義姉に對する恨みがつのつて行くのだつた。

雨が十日ばかり降り續いた。或る日、

「ねえ、どうにかして下さいよ。もう何にもないんですよ。」

「………。」

「默つていないで、何んとか言つて下さい。雨で煙草うりも出來ないし、モトはもうとつくになくなりましたよ。」

と細君はかつてないふてぶてしい態度で夫につめ寄つた。空腹を訴つたえる子供を、やぶれかぶれな表情でなぐりつけたり、

「わたしを殺してくぇツ。」

と細君は怒鳴り散らした。すると義姉は、「うるさいね。少し靜かにせんかね。世間ていが悪くて仕様がない。」と、にべもなく言い間もなく草梁へ行くと言つて出かけた。萬植は無能の標本のように腕組をしてすわつていた。やがて、

「ひとつあたつて見て來る。」

と言つて外へ出た。午後から風は強くなり、雨はひどくなつて來た。細君はついうとうと眠つてしまつた。ちょうど丸三日間ロクに喰つてなかつた基淑はそつとおばの部屋に這入り、米を一升ほどを取り、出ようとする所へおばが歸つて來たのだ。

「アイゴ、お天とうさま。これじや安心して外へは出られない。まるで盗人を家にかつておく様なものだ。」

と毒氣を含んだ癇高い姉の聲が往來まで響いて來た。ちようどそこへ空腹をかかえて萬植が戻つて來た。萬植の顔を見ると、姉はいちだんと高い聲で、

「米を盗ませたのはお前なんだろう。」

と細君を見て怒鳴り、自分の部屋に這入り障子をぴしやんと閉めた。萬植は、

「どうしたんだい。」

と部屋に這入ると、細君は夫をきゆつとにらみ、唇をふるわせた。基淑は両手をきちんと膝の上に乗せ、部屋の隅に縮こまつて頭をたれている。部屋の中はまるで今にも息を引取る人を見守る時のような緊張した沈默が流れた。

「貴様。」

という聲と共に萬植の手は長女の背に打ちおろされた。

「お父さん。もう決してしません。決して、もう決してしません。」

と長女は逃げまわる。細君は、

「あなた、そんな手荒なことをしなくとも。」

「えツ。放つせ。幾ら貧乏をしても、ひとのものに手をつけるような奴は許されん。」

と萬植の手の勢は増し、速度は加えられて行く。細君は必死になつて夫と娘の間に立塞がろうとする。それを押しのける夫の怒號、にげまわる娘の切つぱつまつた悲鳴、泣き叫びながら父と母の足にからみつく子供たち、狭い部屋の中はさながら、修羅場のような騒ぎになつた。そこへ姉が現われ、

「アイゴ、イ・雷（ベラック）に撃たれる奴らめ、いい加減にしないか。そううるさくするなら、さつさつと出て行つてもらお――。」

と腰をまげ、足を踏み鳴らした。萬植はありつたけの聲で

「どつちが雷に撃たれる奴だツ。」

と怒鳴り返した。その殺氣立つた語氣の激しさに、姉の顔は見る見る眞つ蒼になり、口がきけなかつた。おばと父の聲にどぎもをぬかした子供たちは部屋の片隅にかたまつ

て慄えた。細君は長女の傍にひしつと寄り、娘と共にわつと泣きだした。萬植は呆然としてしばらくその有様をながめた。そして彼は、

「おい、家を見つけて來る。」

と言すてて止める細君を振切つて家を出たのだつた。家がそう急に見つかるとは萬植も思わなかつたが、それは全く姉に對するハライセの言葉であつた。


萬植が朝鮮劇場の前へ來た時、涙がどつとあふれて前方を見ることが出來なかつた。おれの手がこんなに痛いんだからな、基淑の奴、めと思うとなお胸がつまつた。風は幾分靜まり、雨は殆んど降つていなかつた。彼の足は彼を自然に南濱町の海岸にみちびいた。海は物凄く荒れていた。時々渦を巻きながら打寄せ、くだける波がしらのしぶきが彼の頭上に降つた。彼は微動もせずに荒狂う海の遠くを眺め、近くを視つめた。

「結局、基淑に盗みをさせたのは誰なんだ？　人に迷惑をかけずに生きて來たということの意義は一體何なんだ？　女房にたばこ賣りをさせ、てめえは酒をくらつてのらくらしているのが、人に迷惑をかけずに生きて來たといいうるだろうか？海も荒れている時は濁つている。そうだ。靴磨きでも、車ひきでも、何んでもやらなくちやウソだ。世間ていだの、極りが悪いだの、身を落すだのと言つた所で、生きるという自體とは何等の關係のないことだ。」萬植は海に向つて、そう強く言ひ放つのだつた。

海鳴りの音はいつそう重々しく冴えて來た。然し空はけろりと晴れわたり、美しい夕燒雲が眞紅に燃えながら遠嶺ろにひろがつていた。

原稿募集

創作――四百字詰　一人一篇　十枚前後
コント――四百字詰　一人一篇　三枚以内
締切――毎月二十日
入選者は紙上に發表し僅少ながら稿料を差上げます。
注意――投稿には住所氏名明記のこと、原稿の返送は致しません。

『朝鮮文藝』編集部

去來

——解放を前にして客死したわが同胞の靈にこの一章を捧ぐ——

李殷直

李君

故郷の冬は嚴しいことゝ思ひますが、此頃はどうしてお暮しですか。それとも、また京城に出てきて、新生する祖國の建設のために何か仕事をしてゐますか？

七月なかばに、新潟から船に乘るはずの君が、機雷に追はれ追はれて下關まで行き、結局八月の十日頃に、故郷の土を踏んだといふ傳言をきいたきり、君の消息をきゝませんが、君は兄の遺骨をかゝえて、きつと無事に、家に着いたことゝ思ひます。

八月十五日といふ、歴史的な轉換は、何も書かないことにしませう。君は君でいろいろな體驗をしたことでせうし、私は私でさまざまな體驗をしましたが、それは我々朝鮮人のみならず、全世界の人間が、それぞれの境遇に應じて經驗してゐることですから………

それより私は君に君の兄のことを話さなくてはならない。おそらく、君も歸る前に、私からいろいろなことをきゝたかつたことゝ思ひます。

君の兄と私が知り合つたのは、君が私をたづねてくる四ケ月前でした。たつた四ケ月間の交際といふことに、君は驚かれるかもわかりませんが、その短い交はりが、君の兄と私の生涯の交はりともなりました。

東京が第一回の夜間大空襲で、三分の一ほど灰になつたとき、命だけを燒かなかつた私は、着のみ着のまゝの幼い子供と女房をつれて、東北の身寄のところへ行き、やうやくのことで置いてもらつて、かへつてくると、勤先に、私の知らない若い人が來てゐました。それが君の兄さんだつたのです。

その新聞社には、私もはいつて一ケ月位しか經つてないので、仕事にはなれてゐませんでしたが、君の兄さんは、編輯とか記事を書くとかいふ仕事に、全然經驗がないらしく、氣持ばかり焦立たせながら、もぢ／＼してゐる樣子でした。當時その週刊新聞の編輯部には、部長のほかに日本人が三人居ましたが、一人は女子で、家庭面の短い記事を專門に書き、あとの二人は、おもに整理や校正などをやつてゐましたけれど、まつたくやくざな怠け者たちで、記事を書いたり編輯したりする主な仕事は、ほとんど全部、我々朝鮮人がやつてゐました。伊東と呼んだ高文パスの法學士尹泰浩と、金平といひ新聞記者を十年もやつたといふ金三喆と、それから私と、君の兄の李平南君とでした。二十五歳の君の兄をのぞいて三人とも二十九歳といふ、そろつて三十前の若さで、大體仲よく仕事をしてゐましたが、金三喆といふ人は「十年の經驗」をつねに鼻にぶら下げる男で、君の兄の書いた短い記事を、やたらに赤ペンで削つたり書き加へたりして、意地のわるいところをみせてゐました。率直にいつて、君の兄の文章は、まだ學生の癖をそのまゝに出したもので、新聞記事としては不向きなものでした。しかしその文章には、素直なところがあり、少し筆を加へさへすれば、誰にもわかりよい、品のある簡潔なものでした。したがつて、何もさうやたらに削つたりする必要はないのです。小姑が嫂をいぢめるやうな金の仕草に、君の兄は、文章の性格をそのまゝ顏にあらはし、つかれたやうな淋しさをたゞよはせるのでした。そしてひどく突きつめたやうな視線を、ワラ半紙の原稿用紙の上へ向け、傍に腰掛けてゐる私にさへ、ほとんどきゝとれないやうな低いためいきをつくのでした。

　私は金にたいして、ひどく腹を立てゝゐましたが、仕事場で喧嘩をするのも氣がひけ、また仲間同志、他の面前で論爭するのもいやなので、こらへてゐました。勿論、部長である日本人に、仲間のことをとやかくいふのもよくないことなので、ひとめにつかないところで、私は君の兄をなぐさめてゐました。

「そんなことぐらゐで腐つたら駄目だ。世の中といふものは、あんなに味氣ない人間たちのうよ〳〵してゐるのが、あたりまへなんだから。」

などと、ありふれた言葉をかけると、君の兄は、私の氣持だけはわかつてくれると見え、うるみのある眼を、眞直ぐ向け、默つてうなづいてみせるのでした。

　二人はすぐ親しくなりました。新聞の仕事はかなり忙しいので、ゆつくり話し合つたりする暇はありませんでしたが、君の兄は、なんでも私にたよるやうな風をみせました。

　私は毎日社の方へ出掛けましたが、君の兄は三日に一日位は休みました。やつれてはゐませんでしたが、健康でないことは、誰の目にもすぐわかる程でした。朝も十時過頃に出てきて（もつとも新聞の編輯の仕事といふものは、大抵十時前に出てくることはありませんが。）机の前に腰をおろすと、ガツカリしたやうに、うつ伏せになつたりしました。前から患つてゐる肋膜がすつかりよくなつてないので、まだ微熱があるといふことでした。仕事なんかやすんで、養生した方がよいといつても、曖昧な笑顔でまた出てくるのでした。經濟的に困つてゐるといふことを、私は直ぐ感づきました。それとなくたづねると、友達には借金で義理を悪くし、下宿代は二ケ月分も溜つてゐる、と、しぶしぶつぶやくやうにいひました。

同僚の怠け者の日本人などは、二ケ月三ケ月と無斷缺勤をしても、月給はキチンと出てゐるのに、君の兄は最初から出勤が正確でないからと、正式の入社手續を部長がしてやらないために、まだきまつた俸給が出ないのでした。休んで居たのでは飢死するほかないので、君の兄は熱のある體を鞭打つて、無理に勤めに出て來るのでした。配給だけの下宿で、無論辨當などあらうはずはなく、お晝はぬきにしてゐました。

私は決して恩着せがましいことをしたわけではありませんが、私自身のことを書くのを許して下さい。

焼け出される前、私はわづかな給料で、配給物だけをやうやく買入れるやうな生活をしてゐたために、それはお話にならないやうな狀態でした。毎月、一週間ばかり炊く米がなく、折角の配給の炭を米と取換へたり、好きな酒を、眼をつぶつてとりかへたりして、どうやら喰ひつないでゐました。しまひにはなにもとりかへるものがなくて、（闇をやるやうな餘裕もなく）女房が子供を背負つて、はるばる神奈川縣あたりに住んでゐる知人の家へねだりに行つたりしたものです。

焼け出されたのち、家族を田舎にあづけ、一人知人の家で居候をするやうになつてからは、一切食べもの丶心配がなくなり、その上、毎日丼に山盛りに食べさせてもらひ、辨當も特大のやつにつめこんでもらつてゐるので、あの空襲中の食糧難のときに、かへつて肥えはじめたやうな有様でした。

平南君のみじめさをそばにみて、自分だけ貪食するのはたへがたく、お辨當を半分わけにしました。屈辱のためかそれともそんなことをされるのがいやなのか、平南君は泣き出さんばかりの顔ではげしくこばみました。それを私は圖々しく、年をかさに、抑へつけるやうにし、無理に食べさせるやうにしました。小遣も無理に、貸したりして……しかし、これが、君の兄のためによいことであつたかどうか、私はいま痛責にたへません。

知り合つて一ケ月ばかり經つた頃と思ひます。櫻のつぼみがふくらみ、すつかり春めいた陽氣になつたある日、浦賀の造船所に應徴士としてきてゐる朝鮮青年の座談會があり、編輯部長はじめ、金、私、平南君の四人で出掛けて行き、夜おそくなつたので、浦賀の町の宿で泊ることになりました。その晩は珍らしく酒が出たので、酒ずきな部長や私たちは、頭がいたくなるまで飲みましたが、平南君は體にさはるといけないから、といつて、ほんの口づけだけにとゞめて置きました。平南君も相當いけるたちらしく、飮みたさうな素ぶりも見えましたが、私もあへてすゝめませんでした。

あくる朝、おそくまで蒲團の中にもぐりこんで、愚にもつかぬ酔醒めの戯言を言ひ合つてゐるうちに、どうしたはづみか、學校の話が出て、私がN大の藝術科を出た話をすると、隣の蒲團に默つて横になつてゐた平南君が、むつくり頭をこちらへ向け、「僕もN大の藝術科です」といふのです。話をきくと、私と同期生で、しかも同じ文藝専攻です。平南君は専門部であり、私は學部だつたので、一緒になることがなかつたわけですが、合併授業などもあつたことですから、平南君と同じ教室で學んだこともあるはずです。たゞ私はよく休む學生であり、學部生以外はほとんど顔見知りもありませんでした。

「なあんだ、君も藝術科だつたのか。ちつとも氣がつかなかつた。」

「僕も意外です。先輩だつたとは……」

なんとなく氣が合つて、親しくしてきたわけですが、二人が同窓生であることがわかると、どうもたゞの因縁ではないやうな氣がし、それからは一層親しさがましていきました。

月給をもらつたあとなど、無理に平南君を誘つて、同胞の部落をたづね、郷土の香りを匂はせる濁酒を前に、しみじみおたがひの經歴を語り合ひました。

平南君の打明け話は、私をすつかり驚かせ、また感動させました。君もあるひは知つてゐるかもわかりませんが、おそらく全部は知るまいと思ふから、その打明け話を、かいつまんで此處に書きとめませう。

彼、李平南は、郷里で小學校と中學校を卒へると、向學の志に燃えて東京に出てきました。父親のきびしい言ひつけもあつたので、最初は朝鮮留學生の大半がさうであるやうに法科へ籍を置いたのですが、法律の勉强は彼にとつて味氣なく、興味もひきませんでした。授業へはほとんど出て行かずに、中學の頃から好きだつた文學書ばかりむさぼり讀んだのです。三ケ月ばかり惱んだあげく、どうせ勉强をするなら、嫌ひなものより好きなものを學ぶべきだと決心し、郷里の父親のもとへ、文科へ轉科したいといふことを知らせました。折返し、父から部厚い封書がとゞきました。轉科は絶對反對であること、萬一法科をやめるやうだつたら、學資の送金は中止すること等を、嚴しく書きつらね、惰弱な文學などに誘惑されるやうでは俺の子ではないと結ばれてゐました。

しかし、彼の決心はかたく、とうたう父親を裏切つて藝術科の文藝専攻に轉學してしまつたのです。たゞ學資を斷たれたのち、苦學をする程の勇氣もなく、父をこれ以上怒らせるのが怖くて、郷里の方へは内緒でやつたことでした。どうせ勘當されるなら三年間勉強した上、卒業證書を持つて歸つてからにした方がよいと考へたのです。そのため休暇のときも家へ歸らうとはせず、下宿で文學書を讀みふけつてゐたのでした。

どちらかといへば無口で交際の下手な彼は、學校へ行つても一人離れて、默つて講義をきゝ、眞直ぐ下宿へ歸るやうな單調な生活で、その頃の學生たちのやうに、喫茶店に入りびたるやうなことは全然なく、たゞ送つてもらつた學資を節約して、新刊の文學書を買ふのがたのしみな位でした。ところが彼には唯一人、親しい友人がありました。それは彼がはじめ法科に入つたとき、最初の時間に、同じ机に並んで坐つた學生で、その後も何回か並んで坐つてゐるうちに、たがひにしたしく語り合ふやうになつたのでした。その學生もやはり文學が好きで、二人はよく本を貸し合つたりしたものです。

靜岡縣の地主の伜で、島田といふその學生は、女學校に通つてゐる妹と二人で、中野に三間ばかりの小さい家を借りて住んでゐました。平南は退屈すると、よく島田の家を訪ねました。轉科の相談を持掛け、夜のふけるまで語り合つたこともありました。島田と三つ違ひといふ女學校四年生の妹は、内氣なたちで、彼が遊びに行くと、默つて茶をいれて出したり、自分の部屋の四疊半の方へ行つてしまふのが常でしたが、ときには三人でトランプ遊びをしたりするやうになりました。

幼いとき實母を亡くし、小さい弟とともに繼母の手で育てられた平南は、とかく、うるほひのある愛情に敏感で、激しくそれを求めてゐました。繼母は彼や弟に、隨分やさしくつくしてくれたのですが、下に小さい弟や妹ができてみると、どうしても甘えるやうな氣持はなくなり、自分の方からよそ〳〵しくしてしまふのでした。休暇に故郷へ歸らないのも、一つの理由はそこにあつたのですが、自分で、家庭の雰圍氣から離れようとすればするほど、甘えてゐられるやうな家庭の雰圍氣が戀しくてならないのでした。

ところが、島田の家へ行くと、不思議な位やすらかな氣持になれるのでした。そして、いつとはなしに、島田とその妹が、全く彼自身と似通つた境遇にあることがわかりました。さういふことがわかると、急に島田の妹との間のよそ〳〵しい分け距てた氣持がなくなり、彼も彼女の兄の一人になつたやうに振舞ひ彼女の方でも、島田と彼とを同じやうに兄らしく扱ふのでした。

二年たちました。幸ひ郷里の方に轉科がばれるやうなこともなく、彼は三年に進級しました。父を欺いてゐるといふ暗い苛責はありましたが、その暗さを洗ひ落してなほあまりある悦びが、彼をとりまいてゐました。三日に一度は、ときには毎日のやうに、彼は島田の家に行き、食事をともにしたり、遊んだりするのでした。郷里から金がくると、彼は街の食料品などで珍品を買ひあつめ、島田の妹慶子の手料理で、三人だけの饗宴をひらくのでした。島田が何かで留守のときは、彼は遠慮なく上りこんで、慶子とお喋りをしたり、菓子を食べたりして、夜のふけるのを忘れるのです。雨の日や雪の日など、下宿に歸るのが、面倒になつて、そのまゝ島田の家で泊ることもありました。

女學校を卒業した慶子は、はやりのパーマネントをかけるやうになり、制服を脱ぐと、見違へるばかり成熟した娘になつてゐました。彼は創作の勉強のために、いくつかの詩を書きましたが、それはみな慶子のために書いたやうなものでした。學校で出してゐる月刊雑誌に、同級生たちは、それぞれ作品を發表してゐましたが、彼は自分の心を、みせびらかすのがいやで、一度も發表したことはありませんでした。それが、よく書けたものか、まづいものか、彼には判斷がつきかねましたが、何回も原稿用紙に清書しなほした上で、慶子だけに、そつと見せるのでした。

讀み終ると、彼女は、うまいともへただともいはず、顔一面に笑みをうかべて彼を仰ぐやうにし、原稿は彼に返さうとはせず、飾りのある小さい自分の箱の中に、大事にしまつて置くのです。

愛を求めるやうな口振りを、彼は一度も洩らしたことはありませんでした。それでゐながら、彼と慶子は二人きりのとき、よく將來のことを語り合ひました。慶子は彼の家庭の事情を何度となくきゝたゞしたあと、

「平さんのお父さんて、隨分頑固さうだから、あたしなんかついて行くと、一ぺんに追ひ出されてしまふわね。」

といつて、さびしさうに笑ふこともありました。

「そんなことないよ。結婚は僕の自由だもの。」

と、強く言ひはしたものゝ、さういふことを口にするのが恥しく、また一面では、慶子のいふ通り、父親の反對は目に見えてゐて、それを押しきつて生活して行くことができるかどうか、自分でも不安になつてくるのでした。

「僕の方より、君の親が許さんよ。きつと……。」

「兄さんがついてゐるから大丈夫よ。」

打消しながらも、慶子は考へこんで、ときには涙をみせることもありました。さういふとき、彼は憐みを感ずるとともに、妙な腹立たしさを感ずるのでした。しかし、誰に何を怒つてよいかわかりませんでした。つい彼自身も涙ぐんで、

「神は、きつと我々を導いてくれる……。淸らかな心を持つてゐさへすれば。」

と、幼い日に牧師からきいた言葉を、そのまゝ言つて、慶子をなぐさめるのでした。

朝鮮人であること、日本人であること、これをお互ひに口で言ひはしなかつたが、心にしこりのやうに、重く固くむすびついて、ほぐれませんでした。

彼は、排日的な氣風の强い中學校生活を送つたのでした。それは思想といふより感情でした。何故日本人が嫌ひかといふのではなく、威張り散らしてゐる日本人そのものをみるだけで腹が立つといふのでした。日本に來てからも、彼のこの氣持は根强く心に喰ひ込んでゐました。學校に行つて講義をきいてゐる間も、電車の中でも、下宿に坐つてゐるときでも、やりばのない鬱憤が氣持を暗くさせてゐました。

それが、島田の家にゐる間や、慶子と一緒にゐるときは、この暗さが、あとかたなく薄れてしまつてゐるのでした。あとで一人になつて、自分のこの氣持の變化を思ひ返し、髮の毛をかきむしりたいやうな衝動に驅られ、

「僕はやつぱり墮落した。僕は朝鮮人ではないか！　もう二度と島田の家へも行くまい。慶子にも逢ふまい。」

と、部屋の中を、はひ廻るやうにして、悶えることもありました。しかし翌日になると、何もかも忘れて、また島田の家へかけつけて行くのでした。

彼が東京に來るまでは、日本人を妻にした同胞をみたとき、輕蔑感を持たずにはゐられませんでした。なんだか朝鮮人の恥辱のやうに思へ、あんな連中のために、朝鮮人がよけい馬鹿にされると思ひ、心から憤りを感じたのでした。それが、いつのまにか、

――日本人を妻にして何故悪いか？――

――人間が人間を愛するのに、すこしも不自然なことは、ないではないか――

――朝鮮人であらうと、日本人であらうと、あるひは西洋人であらうと、理想にかなつた人であれば、それでよいではないか――

――愛情を無視することが罪悪であることがわかつてゐる以上、愛する者と結婚するのが一番正しい道德だ――

――世間態にとはれ、自分の愛を捨て去る者は、卑怯者であり、裏切者であるのだ――

このやうな考へが、つぎつぎとわき起り、ひとり、壁に向つて、この言葉をなげつけてみるのでした。

日本人と結婚してゐる同胞にたいしてのゆがんだ思ひは徐々に消え、かへつて親しみさへ感ずるやうになりました。そればかりかときには、それらの人々が憐れに思へてなりませんでした。

かういふ氣持の變化も、彼が心深く、慶子を抱きしめてゐるからでした。慶子以外に彼の妻があらうとは、どうしても考へられないことでした。それは、彼をして、苦しみぬいたあげくの決心でしたが、慶子に、そんなことまで話すのは、なんだか芝居じみて、いやに思へ、自分の心だけ

に、思つてゐることでした。

ところが、意外なことがおこりました。

六月のある朝（それは一九四一年のことです）、まだ暗いうち、彼は、特高の刑事二人に引摺られて、下宿を出たのです。

何のためか、彼にはさつぱりわかりませんでしたが、警察では簡單なことを、二三言調べただけで、留置場に入れてしまひました。はじめてのことで、彼は特高の部屋の中で、泣聲を立てながら、自分に罪のないことをわめき、歸してくれることを懇願しましたが、誰一人眞面目にきいてくれるものはなく、彼は地下室のコンクリートの厚い壁にかこはれた金網の中に、泥棒や詐欺漢たちと一しよにつめこまれました。

一週間置き位に、警視廳から來るといふ人相の惡い男に、さつぱり容量を得ないことをしつこく訊かれ、棒や皮帶でなぐられ、靴で蹴られ、たゞ肯定するやうな返事や拇印を押すことを强ひられ、彼はいつの間にか朝鮮獨立陰謀團の團員の一人にされてゐました。警視廳の男の口によると、彼は學校で、演劇を研究するといふ名目のもとに、二十數人の朝鮮人學生をあつめて祕密會合をつゞけ、獨立陰謀達成のため、東京の治安をみだし、幾人かの日本の大官の暗殺計畫をたて、また共產主義理論を研究して、赤化主義の宣傳をはじめてゐたといふのです。

檻の中で、彼はいろいろなことを考へました。自分たちの眞の敵は誰であり、その敵はどういふことをしてゐるかを、眼の前にみせつけられたやうな氣がし、この敵をたほすためには、命のある限り鬪ひぬかうといふ、强い氣持が起る反面、自分の一生は、こいつらの鐵のくさりで、ぎゆう／＼にくゝられてゐて、もう何もできないで、結局殺されるほかないといふ絕望感が起りました。一方では、これも結局、父親をだまして轉科などした罰で、誰をも怨むことはない、といふあきらめもありました。

しかし、一ケ月經ち、二ケ月經つにつけ、彼は餓鬼のやうになつて行きました。留置場で渡される飯では、息をつくことさへできない狀態でした。そして一日もはやく放たれて、腹一杯飯が食べたさに、刑事たちの前に出ると乞食のやうに憐みを乞ふのでした。しかし、彼等は、白い眼を向けて嘲るだけでした。

呪ふ氣力がなくなると、彼は忘れたことを思ひ出したやうに膝をついて祈りました。その祈りのかげには、慶子の顏や、言葉や、姿が、やきついてゐるのでした。ほのぼのと浮きあがる彼女の映像は、絕望にひしがれた彼を元氣づけ、いたはり、樣々のなぐさめの言葉をかけてくれるのでした。彼の鼓膜は、それらの鈴のやうな言葉で、快く震へ、心臓は波打ち、やつれはてた頬のおもてに、笑みがうかびました。

眼をつむつて、彼はいつも彼女と對坐してゐました。

彼女にたいする愛の醇化が、彼の魂を救つてゐたのです。己の不幸を不幸と思ふまいとする超克の精神さへが、彼の心にみなぎるのです。朝起きると、彼は彼女の映像に言葉をかけ、夜、やぶれた毛布にくるんで眠りにつくまで、愛の囁きを交はしてゐるのでした。

夜の夢も、また彼女が訪れてくるのです。彼女は常に彼の心とともにあり、一瞬もはなれることがないのでした。

百日あまりの拘禁ののち、彼は起訴猶豫といふ名目で、留置場から出されました。

彼は歩く氣力を失ひかけてゐました。大地を踏みしめることに、かるい怖れとおのゝきを感ずるくらゐでした。

しかし、彼は、目黑の警察から中野まで、電車の乘換ももどかしく、宙をかけるやうにしました。

島田の家は、かはらないそのまゝの姿で、彼を迎へました。こゝろを抑へ、やうやくの力で格子を明け、百日を口のなかに呟きつゞけた「慶ちやん!」を、はじめて聲に出しました。

返事がなく、そのかはり、亂れた足音がし、しづかに障子があいて、彼女の顔があらはれました。視線が、まともに逢ひました。

彼は、彼女が、たゝきの上にかけおり、彼にすがりついて泣くものと思つてゐました。しかし、彼女の表情は凍りついたやうになり、喜びも悲しみも消えた白さでした。

直感からくる失望が、彼の胸を突きさしました。だが、彼は、わづかに笑みをうかべ、憐れみを乞ふやうな聲で、

「今日……いま……出されたんだ……。兄さんは?」

とぎれとぎれに呟きました。

彼女は、默つたまゝ、膝をカクンと折り、障子にすがるやうにして、咽びはじめました。

彼は土間に立つたまゝ、呆然としてみつめてゐました。涙が頬に筋をひきました。

「お上りになつて……」

消え入るやうな聲をのこし、たもとで顔を掩ふて、彼女は臺所の方へかけこんで行きました。

島田は急用で郷里に歸つてゐるとのことでした。彼は島田の下着や着物を貸してもらひ、留置場かへりの虱のついた學生服を着換へました。

彼女は夕餐の仕度をして御馳走をしてくれました。しかし以前だつたら、彼女は、用をしながらも、障子越しに何かと話しかけてくるはずなのに、咳拂ひ一つしないで、かすかに庖丁の音を立てたり、鍋のふれ合ふ音をたてたりするだけでした。意味あり氣なその沈默と、憂ひにしづんでゐ

るやうな彼女の態度が、彼を不安に驅り立たしめました。彼は何度となく、譯をき丶ましたが、彼女は淋しい微笑をうかべ、靜かに頭をふるだけでした。

飢じさのため、彼は夢中になつて、飯を六膳もかきこみました。彼女は、やうやく一杯食べたきりでした。食べ終へ、あとかたづけがすむと、彼女は、島田の机の前によりか丶つてゐる彼から、三尺ばかりはなれて、うつむいて坐りました。

みたされない思ひで、彼は、

「僕の出てきたことが、そんなに面白くないの？」

と、皮肉をいひました。

彼女は、特徴のある、まつ毛の立つた眼をいつぱいにひらき、たぢろぎもせず彼の顔をみつめてゐたかと思ふと、瞼をさげながら
「李さんは何をしたんですの？」

と、訊きました。

平南の平をとつて、いつもしたしげに平さんと呼んでくれた慶子でしたが、あらたまつた李さんといふ呼び方が、なんだかよそ〳〵しいひゞきでした。

「何もしやしないよ。いきなりほふりこまれただけだ。」

「そんなことあるかしら？　何でも李さんは、怖ろしいことをたくらんで、未然に發覺されたといふ噂だつたわ。」

その反問に、彼は恥辱を感じました。逆流する血液が、渦をまいて顔面にあふれるやうな氣がしました。

「怖ろしいことをたくらんだのは警視廳のやつらだ！　奴等は、東京中の朝鮮人の學生を全部ぶちこんで、皆虐殺してやらうといふ計畫だつたんだ。」警察で何百回となくわめきたいのを、云ひ出せないで堪へてゐた言葉が、堰を切つたやうに飛出すのでした。「俺たちが一體何をしたといふんだ！　獨立陰謀團といふのは何處にあるんだ。俺がいつ團員になつたんだ。いつ俺が暗殺の計畫を立てたんだ。いつ共産運動をやつたのだ。たゞ一つ、はつきりしてゐることは、俺が朝鮮人だといふことだ！　奴等にとつて、朝鮮人は全部罪人なのだ！」

血の氣をうせた慶子の顔には、恐怖と不信の色がうかんでゐました。彼が彼女の前で、こんな風な言ひ方をしたこともはじめてでした。かるい後悔めいた自責の念が起りました。しかし彼の言葉は、最後までしやべつてしまはないことにはやまないといふ風に、あとからあとからと、とびだしてくるのでした。

「奴等は、朝鮮人を踏みつけにして、悪いことを散々しつくしてきて、その罪を、朝鮮人の上におつかぶせようとするぢやないか。奴等は强盗だ！　殺人犯だ！　奴等こそ監獄にた丶きこんでやるべきだ。い丶氣になりやがつて……今にみろ、日本なんか滅んでしまふから……俺達の血が承知しない。さうだ俺は朝鮮人だ！　奴等は俺達の血を吸ふ

て生きてゐる鬼だ！　敵だ！」

　わめいてゐるうちに、彼は悲しくなりました。さういふはげしい言葉が爪を立てゝ自分の心臓をひき千切つてゐるやうでした。彼は慶子が、なんとか一言いつて、彼の言葉をとめてくれることを願ひました。しかし、彼女は、石のやうになつてきいてゐました。どうにもならない絶望的な衝動で、言葉はなほつゞきました。

「日本人は、何の權利があつて、俺達に主人面をするのだ。盗棒なら盗棒らしくしてゐるがいゝんだ。一體朝鮮人を何だと思つてるんだ。一人の例外もない。日本人はみんな朝鮮人をあなどつてゐる。あんただつてさうだ！　あんただつて日本人だ！」

「やめて！……平さんやめて……」

　絹を裂くやうな聲を、彼女はたてました。

　どうしたはずみか、彼は、悲しみの洪水に溺れたやうな感情にとらはれました。默つて涙をこぼすだけでは我慢ができませんでした。涙はかたまりになつて咽喉からつきあがりました。彼は斷末魔の狂犬のやうに、身悶えしながら、泣きわめきました。

「ゆるしてくれ……ゆるしてください。慶子さんゆるしてください。僕は死にさうなくらゐ悲しいんです。ゆるして下さい……」

「いゝえ、あたしこそ、ゆるして……」

　肩に波打たせる慶子の様子には、彼に同情した悲しみだけとは思はれないやうなものがありました。あらたな疑惑のために、彼は冷靜さをとりもどしました。

　慶子は、お嫁に行くといふのです。島田が居ないのも、彼女の緣談のため、歸郷してゐるからだといふことでした。

　はじめ、彼女たちは平南の拘留されたことを、すこしも氣づかなかつたとのことです。半月ばかり全然音沙汰がないので心配になり、慶子は兄と共に、彼の下宿をたづねて行つたところ、下宿の主人は
「行先も言はずに引越してしまひましたよ。」

　と、冷淡にいふだけで、とり合つてくれなかつたといふのです。裏切られた感情で、あれこれと思ひあぐねてゐるとき、靜岡の父のもとから緣談をもつてきたとのことでした。

　島田は、平南の無斷失踪に腹を立てゝゐたので、すぐこの緣談に賛成し、父と一緒になつて、嫁に行くことをすゝめはじめたといふのです。

「でも、私は、平さんが、何處か身近なところにゐて、いまにも訪ねてくるやうな氣がしてならなかつたわ。毎日泣いてばかりゐたのよ。」

　彼女は、緣談なら待つてくれるやうに頼みましたが、彼

女の希望とは逆に、はなしはどん／＼すゝめられて行つたとのことです。そして、彼女が見合のために、兄と一緒に靜岡に行つてゐた留守中、彼女たちの家が、家宅捜索を受けたといふのです。隣家の人から、その旨の電報がきて、島田はあわてゝ東京に戻り、その足で警察に抗議に行つたところ、逆に警視廳へ連行され、平南との交友關係を一々調べられた上、警部とかいふ年輩の黑背廣の男から、

「君は、書生らしい考へ方で、面倒をみてゐたのであらうが、李平南は不逞鮮人の中でもとくに悪質だ。君たちの好意が、奴等の運動に巧みに利用されてゐるのだ。君は間接に、皇國にたいする叛逆行爲を手傳つてゐたのだ。かういふことが世間に暴かれたら、君の家はどうなる。君の父の體面はどうなるのだ。輕卒なことをしたものだ。今後決してあんな連中と附合つてはならんぞ！」

と、懇々とさとされたといふことです。氣のすゝまぬ見合をすませて東京に戻ると、島田は蒼い顔をして、すべてを慶子に語つたといふのです。

「平さんが警察にとめられてゐることが、はじめてわかつたのよ。やつぱり平さんは默つて逃げるやうな人でなかつたのだわ。あたしずいぶん泣いてよ。でも、どうしてよいかわかりませんでしたわ。」

兄の態度はすつかり變つて行つたといふのです。結局彼女は、孤獨に堪へるだけの力がなかつたといふのです。婚禮の日取は秋にきまつたとのことでした。

そして、その日が、半月ばかりあとに迫つてゐるといふのです。

初秋らしい、ひんやりした夜風の吹きこんでくるなかで、彼と彼女は、とだへがちな話をつづけました。もう夜はふけてゐました。

「それでは、君は結婚するのか。」

彼女は答へませんでした。

「その男を、君は愛してゐるの？」

「愛してなんかゐませんわ。」

彼女は強く云ひ切りました。

「愛してない男と……。そんなことで君は嫁に行けるのか？　君がその男を愛してゐるのだつたら、僕は君の結婚の祝福もしよう。だが、愛しない男のところへ……。それで君は恥づかしくないのか？」

彼女は、しばらく默つてゐました。それから、キツと顔をあげ、彼をみつめてゐたかと思ふと、いきなり彼の膝によりすがつて泣き出しました。

「あたし、どうすればよいのでせう。ねえ、敎へて、どうすればよいのか。」

蹴り上げてやりたい憎しみを、髮の毛をひきむしつてやりたい憤りを、彼は堪へることができませんでした。しか

し、彼はどうしてよいかわかりませんでした。つかれのために、彼はたゞ眠いだけでした。しかし、彼女のすがりついてゐる泣聲のために、彼はねることもできませんでした。

彼は童貞でした。自分のあこがれだけで夢を描く童貞でした。氣のすゝまぬ婚禮を前にして、身悶えする彼女の苦しみが、彼には、縁のない世界のことでした。

學校は除名處分になつてゐました。

彼は何もかもいやになりました。日本人といふ日本人の顔をみるのさへ苦痛の種子でした。

持つてゐるものを全部賣りはらひ、手提鞄を一つもつて、故郷へ歸つて行きました。二度と渡ることはあるまいと、惜別の情をこめて、玄海の荒海を眺めたのでした。

李君

郷里で君の兄を待つてゐたものはなんであつたか、それは、こゝに書くまでのことはないでせう。しかし、彼は、父が、自分のために、警察へ四度も五度も呼ばれて調べられたとは、夢にも思つてゐなかつたのでした。

父の立腹がどんなものであつたかは、表現の餘地もないことですが、彼は、百日の留置場生活のために、すつかり胸を悪くしたのでした。

君はそのとき、京城の中學へ通つてゐたので、兄の歸つたあとの家庭の暗闘をみる機會もすくなかつたことでせう。だが、肉體的にも精神的にも、くたびれはてた君の兄は、父のきびしい叱言が、唯一の生きるための綱でした。その叱言のかげにかくれた父の愛情が、彼の命を支へたのでした。

二年の鬪病生活によつて、彼は健康を回復しました。しかし彼は郷里で暮して行けなくなりました。警視廳の指令による注意人物を、受入れるところが、一體何處にあつたでせう。

B29が東京の空へ訪れるやうになり、所謂勉强のために東京にきてゐた連中が、我を爭ふて朝鮮へ引揚げて行く最中に、彼はふたゝび玄海を渡つてきたのでした。

自分一人で生きて行くことを、彼は、はじめて決心したのです。爆撃の怖しさを知らぬために、彼は空襲を怖れませんでした。戦爭そのものも、彼のこの決心をくじくことはできませんでした。

彼が、郷里での、なかば强制をともなつた結婚のはなしを、頑强に突つぱねたのも、一人で生きたいといふ、この强い希望のためでした。

だが、彼は靜岡で下車しました。そして島田の伯母といふ人の家を訪ねました。慶子のことをきいてみずにはゐられなかつたからです。

「可愛さうに、あの子も苦勞をしてゐます。子供を一人生んで、きりようもめつきり落ちました。亭主は道樂をするし、いまは兵隊に行つてゐますが、嫁入先はごた〳〵が多くてさとに歸つてゐますよ。」

親切に彼をもてなして、なんだつたら呼んでくるからといふことまで云ひ出しましたが、彼は斷つて出てきました。


やうやくの手づるで、彼は私のでてゐる新聞社に入つたのでした。

しかし、食ふことに追ひつめられた東京の生活が、病氣あがりの彼の生活には堪へがたいものでした。彼はすぐ寢込みはじめたのでした。

そして、彼は、一人の人間に逢つたのです。その物好な人間のために、ながい思出ばなしを語つたのでした。

「あなたは、童貞といふことに、價値を認めますか？」

彼は、眞直ぐ私の眼をみつめていひました。

「童貞とは、春の日の陽炎のやうなものだと思ふ。陽炎に價値があるかないか僕にはわからない。」

私はさう答へました。しかし、私は彼のやうな純情な人間に、まだ逢つたことがありませんでした。

「僕は、慶子を、いまでも愛してゐます。しかし僕の愛が正しいものかどうか私にはわかりません。」

「おそらく、君の愛、そのものは正しいだらう。しかしその愛は、何かで間違つてゐるやうに思ふ。」

彼は默つて、私を見上げました。

「君の愛は、生活に根差してゐなかつた。それが、第一、それから、君は女を愛しながら、女といふものを理解しなかつた。愛が思想になつたら、その愛は感情からはなれるものではないだらうか。女は思想を愛してゐるのではなくて、感情を愛してゐるやうに思へてならない。」

彼はまた視線をおとしました。

「君はその晩、君の童貞をもつて、彼女の處女を奪ふべきだつた。それは君たちの破滅を意味することだが、その破滅から立ち上つてこそ、君たちは愛し合へるといへただらう。」

私はすこし醉つてゐました。

「さうです。その通りです。僕は意氣地なしでした。僕は馬鹿でした。生きる値打のないお坊つちやんでした。」

自虐の言葉を、たゝきつけるやうにいひ、彼は顏をそむけました。そのまなじりに、うるみがあることを、私はみのがすことができませんでした。（以下次號）

編輯後記

創刊號を送る、豫定よりは大變貧弱なものになつてしまつた。然し形ながらも雜誌が出せたことはうれしい。在日同胞が六十萬人も居りながら文藝雜誌の一つも持たぬことは寂しいことであつた。

解放となるや間もなく、朝鮮文學者會が創立され、『民主朝鮮』を始め、其他同胞經營の新聞紙上で盛んに文藝活動が行われて居り、最近に到つては文藝雜誌『玄海』が創刊されんとしている。小誌も微力ながらこれらの文學運動の一助ともならば幸甚である。

誌面は非常にせまいが、一般に解放する。躊躇なく投稿されんことをのぞむ。題材が朝鮮に關するならば朝鮮人に限らない。

本號執筆は、主に朝鮮文學者會の會員である。青野季吉氏の『朝鮮作家と日本語の問題』は日本語で書かんとする我等の最も味讀すべきである。李殷直氏の『去來』は頁數の都合で分載することにした。尚張斗植、金元基兩氏の創作も頁の都合上次號へ載せることにした。御諒恕を乞ふ。

もとより無力なれど、努力はおしまぬつもりである。諸賢の御後援を乞ふ。

朴三文

朝鮮文藝 創刊號

一九四七年九月二十五日印刷
一九四七年十月一日發行

定價二十圓

編輯兼發行人 朴三文
東京都新宿區大京町二八

印刷人 大寺一郎
東京都文京區大塚坂下町五七

發行所 朝鮮文藝社
電話大塚一八七三番

配給元 日本出版配給株式會社

一九四七年九月二十日印刷納本　一九四七年十月一日発行　朝鮮文芸

定價二十円

1947 年 10 月 25 日 印刷納本
1947 年 11 月 1 日 發　行

朝鮮文藝

11月號

NO.2. 1947

朝鮮文藝 十一月號目次

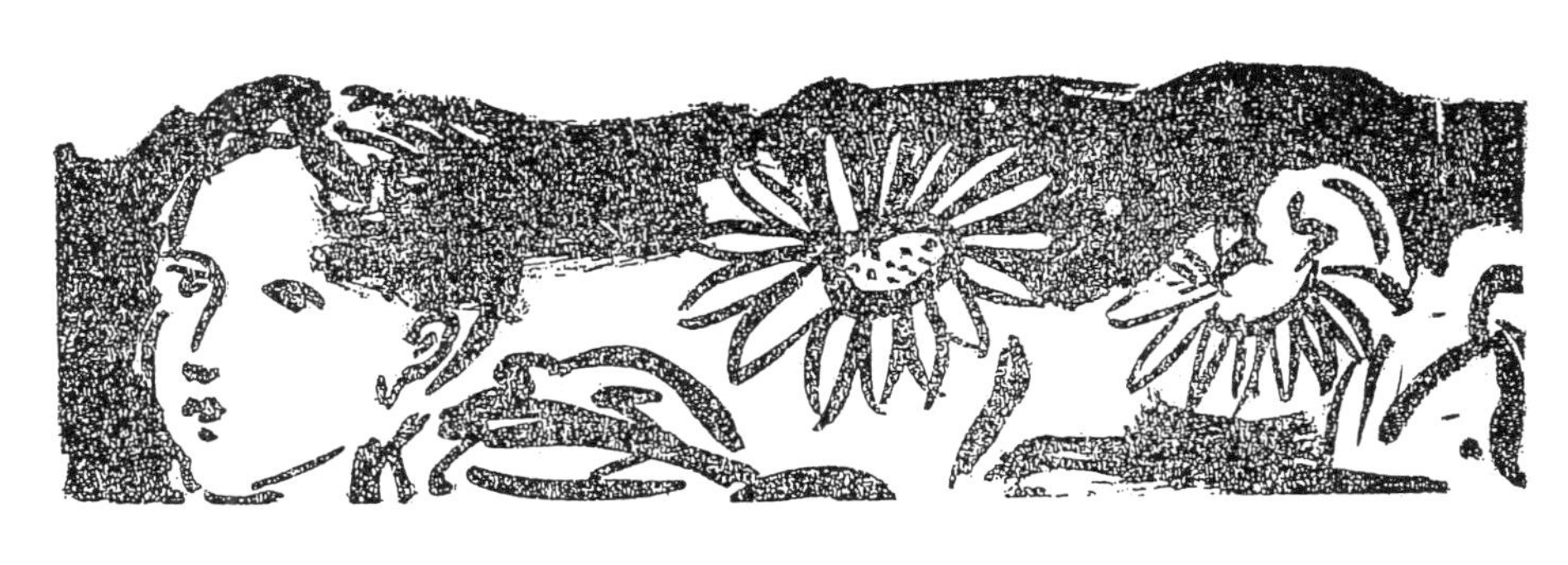

うきしずみ

張斗植

女事務員のお客さんという聲に朴三喜は外へ出て見ると、反齒の銘酒屋のおやじだつた。

「なあんだ！」

朴三喜はおやじの顏を見るや、むつとしたように語氣を荒くしていつた。たかの知れた二三百圓の貸した金が心配でわざわざそれを取りに來たのか、と思うと朴三喜は無性に腹が立つた。

「ひひひ……なんですよ、あんたにちよつと相談したいんだと、露ちやんのやつがそういうんでひひひ……表の通りで待つていますよ。お忙がしくなかつたらひひひ……。」

「あゝなんだ、そうか。――」

朴三喜は氣拔けがしたように硬つた顏の表情を崩すと、こゝ十日ほど會わないをんなの顏を思い浮べて見た。

「なんだね、その相談というのは？」

朴三喜はいぶかしげに首を傾けた。

「まあ、どこか落ちついて露ちやんからゆつくり聞いてやつて下さい……。」

おやじはそういつて、ひひひとさも何か愉しいことでもあるかのように、ひからびた薄氣持ちの惡い笑い聲を立てゝ先に歩く。

通りへ出て見ると、をんなは下駄で小石を蹴りながら歩き廻つていた。朴三喜は、このをんながあの暗い雰圍氣の中で蠢いている淫賣女だとはどうしても思う氣になれなかつた。ましてこう眞つ晝間、人並な動作で振舞つているのを見ると、をんなの美しさと共に殊更にそう思われるのだつた。

朴三喜の顔をしばらく見つめ返えしていたをんなは、おどおどして地面に眼を落とし、また小石を一つ力いっぱいばつと蹴つた。年よりはずうつとじみな着物を着て、丈がすらりと高かつた。裾のところに、下に着た袷が少しはみ出てそれが至極をんなを見すぼらしくさせていた。赤じみた色だつたので特に目立つた。やはりこのをんなの躰にもあの夜の女獨特の體臭が滲みこまれているのを見て、朴三喜は今更のように改めてをんなをながめわたした。まだあの世界に墮ちこんでほんの四、五カ月しか經つていないというのに、いつの間にこのをんなはそれを身につけるようになつたのだろう。そのはみ出た袷が、なんとなく宿命的にをんなの身につき纒う、しようせんあそこから一生浮ばれないといつた暗示を、ほのかに見透しできるような氣持を朴三喜は覺えた。そう考えると、をんなの美しさが惜しいものだとも思い、またこのをんなを洋裝に仕立てたらもつと美しさが引立つかも知れないと思つた。

朴三喜はふたりを連れて顔馴染の食堂に入り、二階へ上りこんだ。

「ところで、どういう話だね?」

下で注文したフルーツとコーヒーを女給仕が運んで來て去ると、朴三喜は待ち切れないといつた樣子でをんなの方を向いていつた。

をんなはちよつと顔をあげたが、そのまゝまた首垂れてしまつた。おやじは依然反齒をつき出したまゝさつきからニヤニヤしていたが、をんなの返事のないのを見て取ると、それを引き取るように躰を前屈みしながらいつた。

「實はね朴さん、この露ちやんが夕べうちの婆さんと喧嘩をしたんですよ。それでどうしても露ちやんが出てゆくというんでね――。」

そこでおやじは眞面目くさつた話をぷつつりと切り、テーブルに置いてあつた朴三喜の莨ケースから一本取つて火を點けると、ひひひと笑つて首をすくめ、いいつづけた。

「――あんたも知つての通り、うちの婆さんと來た日にや全く箸にも棒にもかゝらないいんごうでね、それでなんですよ、この露ちやんが、出てゆく前に是非とも朴さんに相談したいんだと、まあそういうので連れて來たわけなんです。ひひひ……。」

その時、をんなの顔がさつとあがつたと思うと、みるみるうちに眼の色がけわしく變つて行つた。しかし、をんなは何もいわなかつた。上目使いでチラと朴三喜の顔を見てから、また眼を伏せた。

「いつたいぼくにどうすればいゝというんだい? 早くそれを聞こうじやないか!」

「いや、そう難かしいことではないんですよ、STのところにうちの家作があるんですが、もつともほかのひとが今住んでいますがね。――まあ一時そこへでも居ついたらどうかと思つてね。それでなんですよ、あなたのお力を借りたいとまあ、ひひひ……。」

朴三喜はふと、をんなの躰を犯して自分の家へ連れこんだおやじの貪欲そうな顔を思い浮べ、いい知れぬ不快の色を隠し切れず露骨にあらわした。

「ねえお前さん、いい子でしよう、さあ上つてうんと可愛がつてやつて下さいよ。さあさあ……。」

女將は上るとも、上らないともいわない足元のふらつく朴三喜の腕を强引に引張り上げ、後ろから押すようにして狹苦しい部屋へ押しこんでしまつた。薄靑い電燈の光りに照らされた女將の細長い骨つく張つた顔に、朴三喜はぞつとするような寒氣を覺え、醉いが一ぺんにさめて行くような氣がした。そこへ、まるで影が忍び寄るように寢衣姿のさつきのをんなが入つて來て、女將の傍に坐つた。

「この子はきのう來たばかりなんですよ、ねえそのつもりで拂つて下さいよ、それに綺麗な子なんだからね。」

「ああいいよ、なんでもいいよ、いくらだ?」

朴三喜は一刻も早く女將を立去らせたかつた。

「二百圓よけいに奮發して貰わなくちや、ねえいゝでしよう。」

朴三喜は手提げ鞄を引き寄せ、それを拂うと敷き放しのふとんの上へ引つくり返つた。

朴三喜は眼をさますと、をんなは本を讀んでいた。朴三喜の躰はいつの間に浴衣の寢衣を着せられ。をんなの躰にぴつたり寄せていた。

「あら、お目ざめ、ずい分高い鼾を立てゝいたわ。」

「そうか、噓だろう?」

「ほんとうよ、こういうふうに……。」

とをんなは、グワグウ〳〵と可愛いゝ鼻を縮まらせて眞似をすると、クスッと笑つてふとんの中に顔を隠した。

朴三喜は、このをんなの前身はいつたい何だろうと、好奇心にかられて眼がさえて行つた。

「ねえ君、どうして君のようなひとがこんなところにいるんだい? ほんとうに物好きだなあ!」

をんなはしばらく朴三喜の顔を見つめてからいつた。

「あんまりいじめないでよ、あんたたちからそういわれるとわたしどうしていゝか、ほんとうに困るわ!」

あんたたちという複數をつけるをんなの言葉に、朴三喜は月並な自分の問に味氣なさを覺えた。

「それはわたしだつて、何も好きでこんなところにいるんではないわ。でも、わたしはもう浮ばれない、ほんとうにもう浮ばれない躰なんですもの、……ほんとうにそうだわ。」

をんなは急きこんでそういうと、さも口惜しそうに下唇を嚙み眼を曇らせた。

「どうして？」

朴三喜はそれにつられて訊いた。

「ほんとうにこれだけは誰にもいわないつもりだつたの。――でも、あなただけには始めてでもなんだかいえるような氣がするわ。聞いて下さる？」

「あゝ、聞いてやつてもいゝよ。だが、あまり濕つぽい話は元來ぼくは好きじやないんだ。」

「そう、でもいゝじやないの、聞いてよ。――」

をんなはそういつたが、やはり話しにくいと見えてそのまゝ默つてしまつた。

「なんだ！　話さないのか？」

朴三喜はをんなの手を取つて握つた。指のつけ根にえくぼのある白い綺麗な手だつた。

「聞いて下さる？　じや話すわ。――ほんとうにこうやつて眼をつぶつていると、記憶が影のようにひろがつて行くようだわ。去年の七月の暑い晩だつたの。わたしは、まるで今にも降つて來るかと思われるような綺麗な星をながめながら縁側で涼んでいましたら、ちようどそこへ、いよいよ本土決戰だというので陸軍中尉の從兄がわたしの家へお別れに來たのよ。折惡しく父も母もみんな親戚の家へ通夜に行つて、わたしひとりだつたわ。あゝわたし、あの晩のことを忘れるなといつても、一生わたし忘れないわ！」

をんなは眼をつぶり、記憶を辿るようだつた。

「どう、聞いていて下さるの？　そう、それでね、わたしは從兄の部隊内のことや、思わしくない戰況の話を聞いているうちに、從兄が頼もしくなつてうつとりしていたの。ちようどあんたのように綺麗な方だつたわ。あら、ほんとうよ、お世辭ではないわ。――ところが突然、從兄が立つたと思つたら、いきなりわたしの躰を後ろから抱きしめて放さないのよ。驚いちやつたわ。それでもわたしは從兄が、何か惡戲でもしているものだとばかり思つて、――何をするのよ、ねえ從兄さんたつたら、駄目よ！　――といつて、抱きしめている指をほどこうとしながら後ろを振り向いたの。そしたら、わたしの口を素早く盜んでしまつて笑つているじやありませんか。わたしははつとし、急に從兄が怖ろしくなつて自分の躰を守るというよりも、齒がガタガタ震え、失神したように從兄に抱かれたまゝ凭れかゝつてしまいました。すると不思議だつたわ、そうしているうちに今まで齒が震えていたのが納まつて、別なうつとりとした、すうつとしたものを全身に感じ、なんだか頭の中が空つぽになつて行くようでした。――從兄はわたしの乳房をいじくり廻わしていたんですの。今は誰にいじくり廻わされても別になんとも思わないけれど、でもその時は――。從兄は女の急所をよく知つていたんです。」

「それで處女を奪われたので家を飛び出したというわけか

！ ふん、よくある通俗的な話だ！」

朴三喜は冷笑して、をんなの頬を指で突つついた。

「冷やかさないでよ！ ほんとうなのよ。」

をんなは別に後悔している樣子でもなかつた。

「どうだかなあ、信じられないよ。」

「信じられないつて？ そう、じや信じられなければ信じないでもいゝわ。たゞそれだけの話ですもの……。」

「しかし、それにしちやおかしいじやないか、君がこの家へ來たのはきのうがはじめてだろう。すると、こゝへ來る前にこれとおなじような？」

「ううん、こゝへ來てから十日ぐらい經つわ。家を出てからけようでちようど二十日、――それでね、それからというものわたしは、たゞ結婚するという從兄の固い約束を信じ、そればつかり賴りにしていましたの。終戰になつたときわたしはどんなに悦んだか知れませんわ。そうして從兄が復員した噂を聞いてからは、わたしはもうじいつとすることが出來ず、わたしの方から訪ねて行きました。ところが、從兄はちつともわたしに會おうとしないのです。そうね、――四回も訪ねましたが駄目でした。けつきよく世間知らずのわたしはまんまと從兄に瞞されたんですわ！ わたしは口惜しくて口惜しくて、そのまゝどうする考えもなくふら〳〵と家を飛び出してしまつたんです。――そして上野驛前をうろうろしているうちにあのお父さんに會い親切にされるまゝ宿屋へ連れこまれて慰みものにされ、そのあげくの果てがこの始末ですわ。」

「あのお父さんつて？ 誰のこと。」

「この家のお父さんよ！ 反齒でほんとうに嫌な爺々よ！」

「なんだ、それで君は反抗しなかつたのか？」

「わたしが？ わたしに反抗する力が殘つているとでも思つて？ どうしてそんな力があつたでしよう！ それでなくとも當どもなく家を飛び出し、持つていたお金は使い果たしていたし、わたしに反抗する力があろう筈がないじやありませんか！」

朴三喜は默つた。可哀そうなやつだ、とはじめてをんなを憐んだ。朴三喜はさつきをんなが讀みかけて置いた枕元の單行本を手に取つた。前後の頁が大分取れて、どういう本だかわからなかつたが、ところどころ繰つているうちにそれが小說で、しかも朴三喜とおなじ朝鮮人の張學柱という作家が書いたものだということが直ぐわかつた。その作家は終戰後すつかり日本人になり切つているとのことを、朴三喜は思い出した。

「この小說、面白いのかい？」

「ええ、とても面白いわ！」

「朝鮮人の書いた本だよ！」

「あらほんとう？ そう、じや面白くないわ。――」

をんなはぽそつと、そういつて、朴三喜の手から本を取りあげ、頭の上へ押しやつて彼の腕を振つた。

「ねえ、聞いてよ。」

「あゝ、もうたくさんだ！　それよりも、どうして朝鮮人の書いた本は面白くないのだい？」

「ひどいわ、そんなことどうでもいゝじやないの、わたしの話はちつとも聞こうとしないで……。」

「どうして面白くないのだい？」

「それは一がいにいえないわ、――でもなんとなし朝鮮人は嫌いだわ！　こゝへ來る朝鮮人はみんないけすかないやつばかりよ。」

「なんだ、たつたそれだけの理由か！　じやぼくもそのいけすかないやつだというわけだなあ！」

「あら！　あんた朝鮮人？」

「そうだよ、どうだもう話をするのも嫌か！」

「ううん、そんなことはないけど……。」

をんなは頭を振つて、しばらく朴三喜の顔をまじまじと見つめていたが、

「でもいゝわ、ねえ、もつと話しましようよ。ねえねえ……。」

をんなの名は瀬川露子といつた。年は二十一といつたが、二つ三つ若く見えた。ぱつちりとした青く澄み切つた眼が、特別に印象的であつた。

朝、歸えるときをんなはいつた。

「また來てね、いつ來て下さるの？」

「ぼくは約束ごとが嫌いでね、氣が向いたら來るよ。」

「それでいゝわ。氣が向いたらきつと來てね！」

朴三喜は異母兄が經營する牛ブローカー的運送店に勤めていた。ブローカーとの取引はいつでも酒席で取交わされたので、その度に朴三喜は酔つてをんなのところに通つた。

「いつも酔つ拂つてくるのね、つまんないわ。」

をんなは朴三喜の靴下を脱がしながら、愉しそうなしぐさをつくつていつた。

「酔つ拂らわなければ、こんなところへ來るもんか！」

「どうせそうでしようよ……。」

をんなはそういつて投げ出した朴三喜の足をぎゆつとつねり、イイと綺麗な歯並を揃えた口を突き出した。

をんなは會う度に大膽に變つて行つた。

「ねえ、わたしに莨一本ちようだい。」

をんなの指先は黄色くなつていた。

「ねえ、今晩わたしと飲みつくらしない？　わたしおごるわ、あんたに負けないことよ！」

そうしてをんなは大トラになり、一晩中朴三喜を寢かせないのだつた。

「君、そんなに酒を飲んだら躰に悪いぞ！　いゝかげんにしてもう家へ歸るんだなあ！　悪うございましたといつて

……。」

「そんなことわかつてますわよ！　わかり過ぎるほどわかつてますわよ！」

ある晩、それはをんなが淋毒で入院して、半月ぶりに退院したばかりの晩だつた。

「わたしなんだか、あんたを好きになりそうだわ！　病院にいてつくづくそう思つたの。どう好きになつてもいゝ？」

「じや今までは、朝鮮人だというので仕方なしに相手になつたとでもいうのか、あはゝ……。」

「ううん、そんなことないわ。――でもあんたは卑怯よ、とう〳〵わたしにそれをいわせるなんて！　わたし堅氣の奥さんになれるかしら？」

朴三喜はそれに答えず眼を伏せた。をんなは朴三喜の手をつかみ、汗の出るほど握つた。

「わたしあんたの子供が欲しいの！」

突然だつた。そういつたをんなはふとんの上に顔を埋めてククと笑つている。朴三喜はぞつとした。しかし、そう感じたのは一瞬のことだつた。冗談とも、眞面目ともつかないをんなのその投げやりな言葉に、朴三喜は堪らないほどの可愛らしさを覺え、感傷的な眼をして波打つをんなの姿態からじいつと眼を放さなかつた。

やがてをんなは顏をあげた。眼をかゞやかせながら朴三喜の顔へ近ずけて來た。今にも頬ずりせんばかりの風情だつた。朴三喜はいきなり兩手でをんなの顔をグイッと引き寄せ、息がつまるほどをんなの唇の上へ自分の口を持つて行つて壓えつけた。

しかし、それから朴三喜はをんなに會つても、をんなは健忘症にでも罹つたようにそのことについてはおくびにも出さなかつた。酒を毎晩のまない日とてない、と女將はぐちをこぼした。それでいて、女將は決してをんなに小言さえいわなかつた。そのかわり、ほかの二人の女に對しては働き性のない畜生！　と眼にあまるほどガミガミ口ぎたなく罵つた。そういう場合、をんなは素見の客をつかまえては無理に同僚の女に泊らせるのだつた。そうしてをんなは朴三喜とグデングデンになるまで醉い、「どう、わたしいゝ玉でしよう！」と、朴三喜の顔へ器用に莨の煙りの輪を吹きかけながら、自嘲的にいうのだつた。

朴三喜の通いつづけていた足取りは、しぜん遠ざかつて行つた。それは決してをんなを嫌つたのではなく、何か深い淵にでも落ちこんで行くような自分のふしだらな生活が怖ろしかつたからであつた。

「それでなんかね、あんたが露ちやんと一緒になるというのかね？」

「とととんでもない、あんた何をいうんです。――たゞわたしは露ちやんが可哀そうでね、たゞほんの親切から、―」

おやじはあわてゝ、口をとんがらかせながらいつた。

「ほんとか、——まあいゝ……。それはそうと、いつたい君はどうする氣なんだい。かんじんな君が一言もいわないじや、なんにもならないじやないか！　どうするんだい？」

「もういゝんですの、お父さん歸りましよう。」

をんなは力なげに立ち上つた。

「歸る？　それじやおめえ金はどうしてくれるんだい！」

今までと打つてかわつたおやじのきめつけ方だつた。

「いゝわよ、そのぐらいのお金、わたしのオーバーでも賣つて置いて行くわ！」

をんなはつんとした顔でおやじにそういうと、朴三喜に向ひ、

「實はあんたにお別れに來たの……。」

と滅入つた聲でいい「さよなら。」と二三歩後ずさりながら、思い切つたようにくるりと背を向けて歩き出した。何ものかゞ朴三喜の心をばはたと打つた。とたんに我慢が出來なくなつた。朴三喜はすくつと立ち上ると「露子！」と叫んだ。「ちよつと待つてくれ！」

をんなは振り返つた。面が一時に荒々しい、息もつけぬ輝きに貫らぬかれて行つた。

「いつか別れなければならぬ君とぼくだ！　しかしこんな別れ方じや面白くない、後味が悪い！」

朴三喜は苦蟲をかみつぶしたようにいつた。

「おやじ！　その借金というのはいくらだ！　ぼくが立替えよう！」

「ひひひ……そうですか、なあにたつた五百圓ですがね、——あんたが拂つて下さるかね！　ひひひ……そうかね。」

朴三喜はおやじの下司な笑い方に、一つ横つ面を擲りつけてやりたい氣持をうつ〳〵と燃え立たせた。それを我慢し、オーバーのポケットから札入を取り出すと、自分の借金と一緒にテーブルの上に置いた。

「おやじ！　お前は先に歸つて貰おう。」

「ひひひそうですか、じやこれは遠慮なく頂きますよひひひ……。」

おやじは拜むような恰好で百圓札をかぞえると、すごすご階段を降りて行つた。

「ほんとうに氣持ちの悪い野郎だ！　あんな奴に身を任せたんだからなあ！」

「それをいわないで、それでなくともわたしは浮ばれないんだわ。あまりいじめないでよ。」

「君をいじめて見たところでしようがないじやないか！　まあとに角、ぼくは君があそこを出て行くだけで嬉しいんだ！　よく決心したねえ。君はいつも浮ばれない、浮ばれないといつているが、それは君の氣持ちの持ち方一つでどうにでもなれるんだぜ！」

「そうでしようか！　なんだかわたし信じられないわ、ほ

んとうに？」

「馬鹿だなあ！　君はどうしていつまでそうくよ／＼するんだい？　君はもうあの暗い世界に住む女じゃないんだよ！　これだけしかないけど……。」

朴三喜は殘りの金を全部をんなの膝の上に置いてやつた。をんなは「ええ、ありがとう。」といつたが、金はどうしても受取ろうとしなかつた。

「あんたに會うといつも說教ばかり聞いて嫌だつたけれど、けようはほんとうにしんみりと有難い氣がするわ。どうぞこのお金はお納めになつて、わたしはあんたの顏を見てお別れするだけでたくさんなの。その上いろ／＼親切にして下さつて……。」

をんなは鼻をつまらせた。

朴三喜は急に心の熱くなるのを感じた。そうして、かつてこのをんなに對して感じなかつた飛び立つほどのなつかしさを覺えた。

「なんだ、泣いているのか、馬鹿だなあ、——さあもう出よう。」

「ねえ、お願いがあるんだけれど……。」

「なんだね？　いつてごらん。」

「お別れの握手をさせてくれない！」

朴三喜は、なあんだそんなことかといつて笑おうとしたが、をんなの眞劍な表情に引きつけられて堅くなり、掌をズボンにこすつて差出した。その手ををんなは強く、強く握つた。をんなは淋しい微笑をその美しい顏に湛え、

「わたしお馬鹿さんねえ、泣くなんて、——さよなら————。」と口誦むようにいつて先に立ち、階段を降りた。

それから一と月ほどしたのち、朴三喜はいつもの機嫌で銘酒屋に行つて見た。をんなは馴染の若い會社員と同棲して幸福に暮らしているとのことだつた。

がある日、朴三喜はばつたり道端で銘酒屋のおやじに出會つた。おやじは相變らずひひひと反齒の顏で笑うと、あゝそう／＼といわんばかりの表情をつくつて朴三喜に近寄つて來るなり、掌で口を隱すようにして朴三喜の耳元にほそぼそと囁いた。

「ねえ朴さん、あの女のやつ、向島にいるんですよ、向島の淫賣窟に……。亭主が安い月給だし　それに人妻であるということが窮屈でね、ひひひ……。」

そして朴三喜の耳元から口を放すと今度は「ほんとうにあきれ返つたあまつちよですね……。」と聲高にいつて首をすくめ、またひひひと笑いながらそのまゝ行き過ぎて行つた。忌々しげにそれをじいつと見送つていた朴三喜は、それと同時にすつかり忘れていたをんなの顏を思い出した。

（一九四七、九、一五）

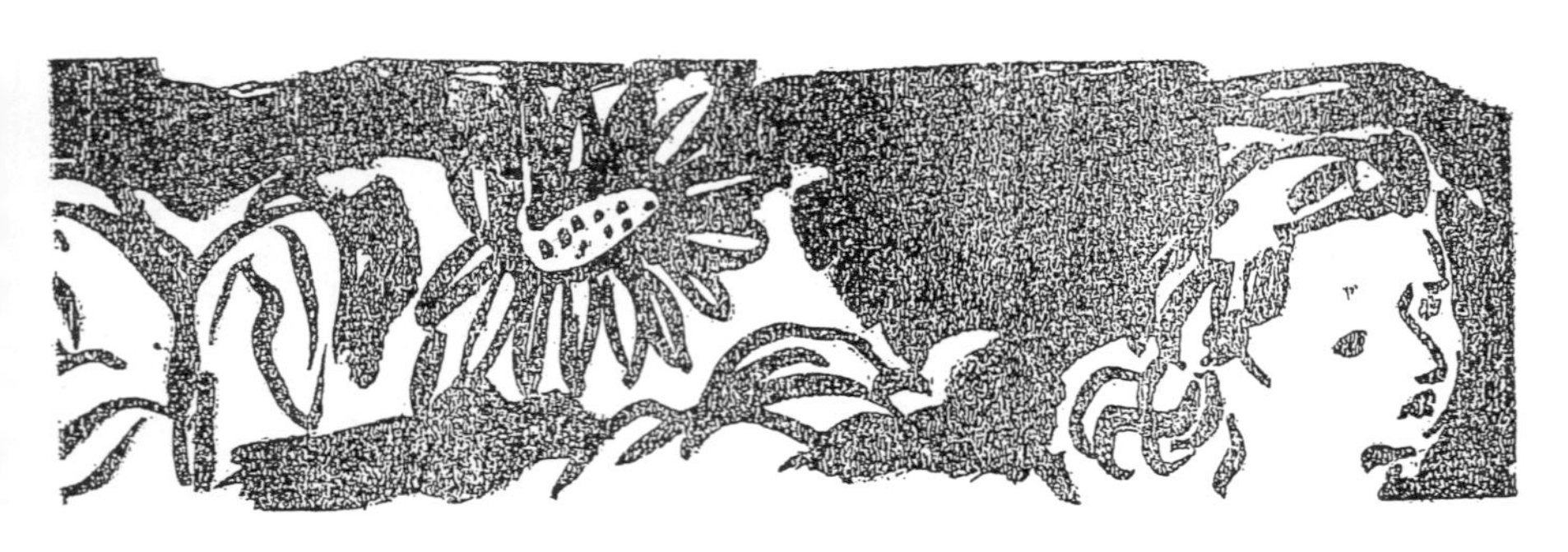

犬子君よ眠れ

金　元　基

「いろ〳〵有りがとうございました。おかげさまで面白くやつています。」

「あゝそう。それはよかつた。」

　それから何カ月かたつた。或る日。

「いや面白いです。まつたく。ついこの間のことですがね。歸りにはいつもちやんと鍵をしておくはずの課長の机の抽出しが、その日にかぎつてこれぐらいあいているのですよ。これは課長が忘れてそのまゝにして、歸つたのだと思いまして、近寄つて閉めてやろうとしましたら、抽出しの中に錢が入つていたです。それで何氣なくそれを始末しておきましたよ。無くなつたりすると、いつも留つている私の責任ですから。ところがその翌る朝です。いつものように課長が入つてきました。私はちようど室から出ようとしたときですがね。階段の途中で忘れものを思い出して室へ戻ろうとして、足をためらいました。中で話聲が流れて來たからです。「いや無いよ」課長の聲です。「そうですか、やつぱり。」外の社員の聲です。はゝ！　と思いまして室へ入つて行きました。そしたら課長も社員も慌てゝ自分の席へ戻つて、すましているですよ。ふゝゝと笑いが出まして可笑しかつたです。それをようやく怺えて
「課長さん！　昨日これを……」

　包を顔にぶつつけたかつたですが、おとなしく差出しました。そしたら
「あゝそうか。それは……」

　たつたこれだけです。見向きもしなければくすりともしないですよ。

まつたく癪にさわりましたが、それだけ氣持がよかつたです。はゝゝ

「あの會社に朝鮮人は私一人だけですからね。」

「全部で何人位いるんだね？　あの會社には……」

「あの支社だけで社員が十五六人と職工が八十人ぐらゐで百人ぐらいはいますね。ところが職工というのはどうしてこう不良が多いでしようね。眞面目なのは一人もいないぐらいですよ。ちよつとしたら刄物でさしたり、脅かしたり、もうはなしになりませんよ。私ですか。私には滅多にそんなことはしませんよ。入つて二個月ぐらいしたときに春の運動會があつたですよ。豊島園で。そのときに百米にも二百米にも、マラソンにも何でもかんでも私が一等をとつたんですが、しまいにはもう私が出たら誰も出ないですよ。あ奴が出たらもう駄目だとこそ〳〵言つていて、ちつとも出ないですよ。まつたくだらしのない奴らですよ。この間は會社で一番の與太公を半分殺してやりましたよ。思う存分擲きのめしてやりましたら、氣持がよかつたですよ。そしたらこのごろは大分おとなしくなりましてね。原因ですか。原因は私も一つあ奴らをやつてやらうと思つていたときだつたですが、丁度あ奴の方から因縁をつけて來たですよ。それというのはそのころ會社で出勤率の悪い工員の家庭訪問をやつたですが、丁度その最初の日のことです。私はK市のM子という女工の家を訪問したです。この女は會社でも評判のよい、眞面目な人ですが、突然一週間以上も無屆で缺勤をしているです。病氣なら病氣で何とか屆があるわけですが、それもないから課長もおかしいと思つたらしく、私に行つて來るようにいいましたので、行つてわけをきいて見ました。そしたらなにもわけはない、たゞ辭めたいというわけですね。それでなにかわけがありそうだと思いまして、何回も根堀り葉堀り尋ねましたが、たゞ恥しがつてもじ〳〵しているだけで、返事をしないのです。こう頭を重いように前に垂れ、膝の上に手を組んで、こう揉んでいるだけでした。」

「いや、別になんというわけではありませんわ、たゞ辭めさせて頂こうと思つているだけですの。」

と蚊の鳴くような小さい聲で言つていました。きりようは大していゝ方ではありません。中以下かも知りませんが、小柄で可愛いゝ眼をしているだけです。だけどずい分おとなしい人ですよ。話をするのにも私の顔をこう正面から見られないで、外方を向いて話しをするですよ。確かに眞面目な人ですよ。それから襖がすーと音もなくあきまして、老婆が茶を運んで來ました。靜かな物腰だつたですよ。膝をこう折つて、こんな手をして、」

「どうぞ粗茶を一つ……M子がいろ〳〵お世話さまになりまして……。」

と勧められたのです。私はなんと言つていゝかわからなくて、口のなかでもにや〳〵言つて、言葉を呑み込んでしまつたです。そのとき私は靴をはいたまゝ、上りかまちにこう腰をかけていましたが、なんだか羞しくなつて、あらぬ方を眺めまわしたです。そしたら家の中がきれいに整頓されているですね。あんな貧乏な家は、よくこう襖なんかでも方々破けたところがそのまゝになつていて、ちよつとした風が吹いてもひら／＼と音をたてたり、雑巾みたいなぼろきれが室中散らかつているですが、そんなのは一つもないし、襖なんかでも破れたところはきれいに張つているですよ。閾なんかでもぴか／＼と光つておりました。それでようやく歸りしなになつて、その老婆から聞いたのですが、會社の男の奴らが娘のことを五月蝿くつきまとうので、娘が會社を辭めたいということを聞きました。その老婆はやつぱりM子の母親だつたです。それで私はむら／＼と癪に障つてきまして、だけどまあそのことは自分がなんとかするから是非辭めないで出社してくれと、さんざんたのみました。そしたらようやく納得してくれて、翌る日から出て來ました。なにしろ可哀そうですからね。あの娘が働いて母を食べさせているらしいですよ。兄は一人いるんですが、中日戰爭で出征しているし、弟はまだ小學校へ行つているですし、私も同情心がわきました。それで會社の歸りには、不良たちになにかされたら可哀相だと思つて、三日間ばかりK驛まで送つてやりました。そしてその三日目だつたですが、その日は風がちつともなく、木の葉がそよとも動かない、じいつとしていても汗がたら／＼落ちる暑い日だつたです。私は彼女を誘つて氷やに入りました。そしたらそのなかに會社の工員が氷を呑んでいました。そ奴は私を見たら默つて、こそ／＼と歸つて行きました。そのとき私はなんとも思わず氷を呑んで勘定を拂おうと思つて、幾らとききながら錢を出さうとしたら、彼女がさきに拂つたのです。なんだか氣の毒ですからその錢を彼女に渡したら受取らないのです。仕方がないから御馳走になつちやつたです。

それでその翌日のお晝ちよつと前でした。私は二階の自分たちの室（人事課）から三階の工場へ行こうと思つて階段を上つていたときです。ちようどその日のうちに稅務署へ屆けなければならない扶養家族の調査表の不分明なのを調べに階段の中ぐらいなところを上つていたですが、上から誰か降りて來て、私の肩をとおんとつきとばすですよ。吃驚して見たら私の前に、隼の何とかいう奴ですが、こいつはえらい與太なんです。ちよつとしたら刄物でさすらしいです。それがとても早いそうです。そいつがこわい眼をして睨んでいるですよ。

「こら犬！　しつかりしろ……」

といきなり、惡口をいうのですよ。私のことを犬というわけですよ。犬子ですからねはゝゝ……。私も癪に障りまして、上を見たら昨日氷やで逢つた野郎がにや／＼と笑つていたですよ。はゝあの野郎がと思いました。その隼の何とかいう奴はけつこう身體もがつちりした奴で背も大きい方ですよ。私の頸ぐらいはあるですよ。

「なにおだ？」

私は笑いながら言つたですよ。そしたら懐の中に手をこう入れるですよ。これはと思いましたから、身體をこうはやくよけたです。そしたらそのあとへ刄物をこう持つた手をすつと出したですよ。その横合いから手首をおさえその奴の後へまわつて、兩脇へ手を入れて、抱え上げるようにして、階段の下へほおり投げ、下りて行つて、奴の胸めがけて靴の踵を一發どーんと打ち込みました。力一杯だつたですからね。奴さん一ぺんにううううと唸つてしまつて、息が絶えてしまつたようですよ。階段の上も下も工員が一ぱいたかつて來て黑山のようだつたですが。みんな吃驚して、誰もなんともいうものがありません。私も吃驚しました。四五分もたつたでしようか。息を吹きかえしました。そのうちに擔荷を誰かゞ持つて來たので、それに載せて病院に擔ぎ込みましたが、全治二週間だそうです。とんだところで豆飯（朝鮮では囚人に豆飯を食べさせていた）を食わされるところだつたですよ。それで警察へ呼ばれて始末書ですみましたがね。それには課長の奴喜んじやつて、うまく骨折つてくれたおかげですがね。その後は私のまえでは與太公ども小さくなつていますよ。彼女ものび／＼と會社へ通つて來ますよ。はゝゝゝ……。」

また何カ月かたつた。正月の或る晩。

「明けましてお目出度う御座います。配給生活は大變でしよう。これは會社で特配になつたのですが。麥ですよ。えゝ賞與ですか？ いや案外くれましたよ。二十割ですかね。ところがみんな使つちやいましたよ。はゝゝ……」

えゝ？ あとはまだ何とかなりますよ。いやもう映畫へ行つたり、本を買つたり。あゝ身延山へ見學に行つて來ましたよ。正月のお休みに。いやいゝところですね。素晴しいところですよ。えゝ、あの學校へでも入りたいですがね。これじやどうも、まあ何とかなるでしよう。えゝ彼女と一緒に行きましたよ。いやそれがね、面白いですよ。あれからずーつと交際しているんですが、本當におとなしい人なんですよ。學校は女學校を出ているし、歳ですか、二十一でしよう。映畫へ行くのにも一一母の許しを得てからでないと行かないですよ。私ですか。ちよく／＼行きますよ。母も私ならと許してくれますし、外の人だと絶對行かないらしいですよ。いやへゝゝゝ。もう大分前ですがね。晝間會社で彼女に逢つたら、

「今晩家へ遊びにいらつしやいません。母も言つておりますから……」

とはずかしがりながらいうんですよ。

「なんか御馳走してくれる？」

といゝました。そしたら、

「えゝ。」

というんですよ。それで行つてみたんですよ。そしたら、おはぎなんかを出してくれまして、一杯食べて來ましたよ。あまり食べたのでお腹が苦しくて、會社へ歸つて來てからも困りましてね。えゝ、まだ會社へとまつているですよ。私が一番いゝというんで外の人はとまらないですよ萬年宿直ですよ。そのとき可笑しくつてはゝゝ。出せば食うし、出せば食うし、彼女吃驚して、まあ凄いわねえとか、身體が大きいから普通よりよけい食うとか、とにかく五六回お變りしましたからね。おかげで米びつ空つぽでしようよ、はゝゝゝ。それで面白いんですが、私の名前の話が出たんですよ。はじめ彼女の母が、

「あなたの本名はなんておつしやるの?」

ときいたですよ。

「朴守仁というんです。」

と答えました。そしたら彼女が
「犬子は變だわ!　どうして犬子とつけたんですの?」

と聞くんですよ。それで癪に障つたからです と答えたら、

「どうしてまたそんなに、なにかわけでもあるんでしょうか?」

と彼女の母がきゝました。それで
「人間の苗字なんて、そう變えられるんですか?」

ときかえしました。そしたら彼女も彼女の母も默つていました。

「私は犬の子です。自分の苗字をかえたですから……」

私は多少興奮していました。それで下手な日本語でそのわけを話してやりました。

「私は生れて二十三年ずーと日本のために、苦しめられて來ました。すべてのものをとられました。私の父は日本人から高い利息の錢を使つて、それがかえせなくて、しまいには家を賣り田畑を賣つて、そのために病氣になつて死にました。そのために私は學校へもろく〱行かれず、村の寺へ預けられ、その寺經營の農業學校を出たゞけなのです。ところで日本が中國と戰爭するようになつて、無理矢理に私らの苗字までを取り上げようとしたのです。つまりこれが朝鮮における日本の皇民化運動なのです。私は自分の苗字までをとられてはと思いましたが、意氣地のない奴らみんな國本とか何とかとりかえるのです。私は癪に障るから犬子とつけてやりました。そしたら、面事務所から呼ばれました。

「君は犬子とは、どういうわけだ?」

ときくのです。私は
「犬子とは犬の子という意味です。朝鮮では苗字をかえる奴は人間の子じゃなくて、犬の子といわれていますから…

と言つてやりました。そしたらかん〱に怒りあがつて、警察へまわされ三日間留置され、家へ歸つてからもいろ〱五月蠅いことを言つて來てかなわないから、日本にやつて來たのです。これだけ言いましたら、私も胸がすーとしました。それでなごやかな口で、

「犬子つて、可笑しいですか?」

とき丶ました。勿論私は彼女も彼女の母もさぞ嫌な顔をするだろう、してもかまはないと思つて言つたのですから、返事なんかどうでもよかつたのです。が彼女の母は下を向いて默つてきいてゐた顏をあげて、

「まつたく非道いことをするものですね。日本はこれでおしまいですよ、こう物はなくなるし、高くなるし、若いものはみんなとられるし、あ丶……」

と溜息をついていゝました。そしたらこれもやつぱり默つてきいていたM子が
「うちの兄さんもどうしているんだか?」

と、はあ! と溜息をつくのです。出征しているわけなのに、可笑しいと思つていましたら、彼女の母が言葉を繼いでいうのです。

「これの兄も戰爭がきらいで、令狀が來る前にと急いで、一昨年の十月上海の方へ逃げましたが、今はどうしているか?」

出征しているというのは近處の繕いだつたのです。それがあつてから、だん〱仲よくなつて行つたのです。それで今度も身延山へ一緒に行つて來ても、彼女の母はなんとも言わなかつたですよ。は丶丶丶……。まあ結局人間というのは同じものなのですね。それからだん〱親しくなつていきまして、向うでも他人みたいに思わないらしいし、私としても自分の家へでも行くような氣持で遊びに行つたりするですよ。與太公をのめした武勇傳からの戀ですか。そんなものでもないですがね。へ丶丶丶。」


はげしい戰さの中に、また一年がたつた。春。

「犬子のところですか?」

「君のところからは餘り遠くもないしするから、歸つてみた都合で餘暇があつたらだ。無理することはないからな。この日本というところへ來て、いはゆる異鄉の空で誰もが、大なり小なりの艱難と辛苦をなめなかつたものはいなかつただろう。だが、そのなかでもわれ〱民族のために、すつ裸になつて身一つで働いて、すでに獄中につながれた人々だとか、あるいは犬子君見たいに、涙も出ないようなむごい仕打をうけて、祖國へ送還された者にたいしては一層の憐憫の情を禁ずることが出來ないのだ。ましてや歸國してから、どういうわけであのような牛めたいな不死身が病氣で入院しなければならなかつたのか? どういうわけで自分で筆がとれなくて代筆でなければ葉書一枚出せ

ないのか？　皆目見當がつかないのだ。いくらそのわけをはつきり知らして貰いたいと手紙を出しても、それにたいしては一言もふれていない。それから推察すると君のいうとおり、警察かなんかの拷問の結果だろう。おそらく。いずれにしても最近は大分快くはなつたらしい。つい十日ばかり前に來た手紙には、大分よくなつて兄のところへ寄遇している。杖をついて少しずつ散歩も出來るようになつたから安心してくれと言つて來た。だが君も見たとおりどの手紙にも葉書にもどういうわけで、どういう病氣だということはちつとも書かれていないだろう。まつたく可哀相な話だ。殊に彼が送還されたときのことを考えると、人間なんて權力のまえには一文の値打もない虫けら同樣なものだということがつく／＼わかつた。あんな警察の者の二人や三人物のかずにも思わなかつたであろう彼が、のそ／＼と屠殺場へ引張られる牛みたいに、おとなしく三日もとめさせられて、それで誰にも逢えず默つて歸つたらしいからね。さぞかし逢いたかつた人も大分いたわけだが。まあ僕なんかにはたゞ單なる義理からだけかも知れないが、K市のM子さんなんかには、なにか別れの言葉でも言いたかつたゞろうと思うと一不層憫でならないのだ。僕には警察へ入れられているとき僕のところへ手紙を寄越してくれた。課長に彼が特別依頼をしたらしいんだし、また會社としても僕が彼の保證人になつている關係上この人だけにはと思つて、あの速達を寄越してくれたらしいんだがね。いづれにしても僕も吃驚して駈けつけたときには、もう日本には彼の姿がいなくなつていたときだつたからね。課長がしよぼ／＼した眼で言うには「會社としても惜しいことをしました。あれだけ素直で淡白な人はちよつと尠いですからね。ですから私らもあの人が一人でずうと宿直をやつてくれたので安心がおけましたし、第一金錢的に非常に恬淡でしたよ。いまだ一度も間違いを犯したことがないと言つてもいゝくらいです。ですから私も三十年近くも警視廳へ出ていた關係もありまして、ありとあらゆる手をつくして見たんですが、この問題だけは皆目見當すらもつかなかつたですよ。大體が朝鮮の慶南道ですか？　あそこの道警察の依頼で檢擧されたらしいんです。だからこちらには三日ぐらいしかとめなくて、すぐ送還したわけらしいんですがね。なんか朝鮮にいたとき團體にでも入つていたようなことはなかつたんでしようか？」丁寧なことばで、反對に向うから訊かれたようなわけなんだ。だから思い出したんだが、犬子君は寺經營の學校を出たんだろう。だからあの時分起つた朝鮮の宗教團體の彈壓あれの餘波じやないかと思うんだ。君のお父うさんなんか引懸つたあの事件のさ。それを考えると可哀相でしようがない。こうまで憐れな民族であるかということが口惜しいのだ。それで今度君が學成らずして、歸らなければならないということ、そのことも無かし口惜しいことだろうと思う。今まで新聞配達だ、土方だ、屑屋だありとあらゆる苦勞をして、目的を完うし得ずして歸つて行く君の心境は察するに餘りある。だがわれわれは生きのびなければならない。一人でも多く。そのためには一日も早く朝鮮に歸ることだ。あちらさんは朝鮮までは亡ぼそうとは思つていやしない。僕みたいに大勢で身動きのできないものはしかたがない。道中が危いから。だが僕もむざ〳〵犬死だけはしたくないから山の中へでも暫時避難するつもりだから安心してくれ、ほんのちよつとの時間でもね。どうせ決つた勝負だ、長くはない。だが今度また逢えるときが樂しみだ。そのかわりおたがいに身體に氣をつけて……。みなさんによろしく。それからくれ〴〵も犬子君には是非一度逢つて貰いたい。それからその詳しいことを知らして貰いたい。」

その後一個月ほどたつて、犬子君の消息を知ることが出來たが、それは彼が犬のようにこの世を去つていつた知らせであつた。

（一九四七、八、五）

支社募集

有志各位の協力を得て、各地に支社を設置し、本誌及び小社出版物の配分を圓滑にし、文學志望者、文學愛好者諸賢の文藝研究會等を支社内に持つことにして、本誌と密接な連絡を取り、共に文學運動を展開せんとするものである。

一、支社責任者は小誌及び小社發行の出版物を割引購入が出事ます。（二割五分引）但し雜誌二〇部以上、書籍十部以上。

一、責任者の希望に應じて文藝研究會に作家を派遣を取り計ります。

一、支社内の文藝研究會、報告記錄を希望に應じて小誌に掲載します。

一、責任者は本誌廣告代理取扱ひが出來ます。（五割引）

一、誌代、出版物、廣告代金共に前金であります。

一九四七年十月二十日

朝鮮文藝社

去來（續）

李殷直

彼はだんだん元氣になつて行くやうでした。そして、五月になりました。四月十三日、四月十五日と、東京の城南城北が灰燼にきしました。のこる山の手が、この五月二十五日に燃え盡されたのです。

省線がとまり、勤人たちは、燒跡を歩いていきました。私も秋葉原から目黑まで歩きました。

新聞社の人たちの大半が、この日に燒け出されました。尹泰浩も金三喆も、身體一つで逃げ出したのでした。

それでも三日四日經つたあと、みんなの消息がわかりましたが、彼だけは一週間以上經つたのに、なんの音沙汰がありません。私たちは心配してゐました。しかし、

「まさか、燒死んだんぢやあるまい。」

「體がわるくなつて寢込んでるんだらう。」さういふ同僚の噂のはしはしには、他人の不幸を期待してゐるやうな意地の惡さがほのめいてゐるやうな氣がして、私は焦立たしい日をすごしてゐました。

やうやく彼がやつてきました。やはり燒け出されたのでした。なんでも彼の居たところの周邊は逃げ場がなく、國民學校の運動場にかたまり合つてゐたとのことです。やがて學校も火につゝまれ、火の子のために運動場には坐つてゐられなくなり、彼は、運動場のはしにあるプールに飛込んだとのことです。

「頭だけ出して、一晩中、水につかつてゐましたよ。一しよに飛込んだものが、次から次へと倒れて、プールの中の半分は死んでしまつた。曉方になつてみると、僕の隣にかゞんでゐた爺さんも死んでゐました。」

彼は氣だるさうに、他人のことでもはなすやうな調子でいひました。

「罹災者といふものは、身輕なものですね。」

そんなことを呟いてゐたかと思ふと「熱が出て。坐つてゐることさへできないのに、寢るところがない。疊と蒲團の有難さをしみじみ感じました。」

「いま、どうしてゐるの？」

「友達のところを泊り歩いてゐます。みんな配給だけでやつてゐるので、氣の毒で……」

僕のところへ來てくれ、と、いへないのが殘念でした。居候の身の上では、食客を連れて歸るわけにもいかないのでした。

「九州に友達が居るから、其處に行つて、養生したいと思ひます。」

私は、反對しました。熱のある體で、そんな無理をしたら、まるで自殺をするやうなものです。

「二三日だけ待つてくれ、君が寢てゐて養生できる位の場所は、こゝにだつてあるはずだから。」

千葉縣で、土木事業をやつてゐる知人のところへ、私は頼みに行くつもりでした。

「いや、九州に行きます。農村にゐる人で、前から、何回も來るやうにいつてきてゐるから、大丈夫です。」

彼は頑固にいひはりました。

「それは、李君の希望通りにさせたがよい。」

部長が、うるさうにいふのです。ほかの人たちも、みんな、好きなやうにさせたがよいといふのです。

「九州に行つてからの問題でなく、この交通地獄のなかで、二日三日も揉みぬかれることが問題なのだ。君そんな體で堪へられるとでも思つてゐるのか？ それに汽車の中では何を食べて行くつもりだ？」

私は、どうしても彼を行かせたくなかつたのでした。

「いや、大丈夫です。なんとかなります。」

「なんともなりやせん！ 君は世間の冷酷さが身にしみとらんのだ。死にさうになつてあがいたつて、誰も助けてくれやしないんだから。」

私は、君の兄の頑固さに腹を立てました。それでも、彼は行くといふのです。

そして、彼は行きました。


一九四五年六月といふ月は、私といふ人間にとつて、出來事の多い月でした。私は仕事のために精魂を打ちこんでゐました。君の兄のことは、氣にかゝらないわけではありませんでしたが、忘れるとも忘れてゐました。七月になつて、私は全國の炭鑛地帶をあるきはじめました。一週間あまり常盤炭鑛をあるいて歸つてくると、

「李さんが歸つてきましたよ。骨と皮だけであるいてるやうですよ。とても助からんて、皆いつてます。あなたの歸りを待ちこがれてゐますよ。」

いきなり、給仕の少年が、いふのです。

待つまでもなく、彼がやつてきました。給仕の形容の通りで、頬の肉は、ひときれもなく、くぼんだ眼ばかりが、キラキラ光つてゐました。

「宋さん……」

彼は、私の手にぶら下るやうにして、しばらくふるへてゐました。

何も言ふ言葉がありませんでした。私はすぐ友人たちの合宿所へ彼を連れて行く決心をしました。友人たちのグループは、戰時下の窮迫してゐる同胞を救濟するための同志的なあつまりでした。私もその一員で、そのために炭鑛をあるきまはつたのでした。勿論合法的なやりかたでないと仕事ができないために、日本の政府の直接所屬のやうな形にしてありました。おそらく、あの友人たちなら、瀕死の彼を助けてくれるにちがひないと、一人一人の友の顔を思ひ描きました。そして、私はどうしても片づけねばならない仕事があつたので、一足先に、彼に紹介狀を持たせてやりました。

九州に行つてからのことを、彼は別に語らうとはしませんでした。口をきくのも大儀のやうで、おそらく彼は語る元氣がなかつたのだと思ひます。たゞ彼の口からもれた僅かの言葉で判斷すると、九州の友達には逢へなかつたやうです。家族の人だけに逢つて、家に入りもしなかつたといふから、きつと居留を守つかはれたかもしれません。それから、僅かの所持金で、二十日あまりの間を、どうして何を食べてやつてきたのか、それは彼の身體が物語つてゐるのでした。おそらく彼はほとんど食べなかつたにちがひありません。彼が骨と皮だけになつたのは、病勢の惡化のためといふより、缺食のためであつたのでした。東京へは、私が常盤炭鑛に出かけた翌日に着いたとのことです。新聞社では、部長以下彼の顔をみるのもいやがつて、交番につれて行つてやつたとのことでした。そして、交番の巡査は、彼を近くの宿屋に入れ、町會ら救護用のパンを貰つてあてがつたとのことです。彼は息をきらし、パンをかじりながら、いのちを縮めつゝ私を待つたのでした。私さへ歸つてくれゝばなんとかしてくれるだらうといふ期待で…。

友人たちの合宿所は、杉並區のはづれの方にありました。私が入つて行くと、私たちの指導者格の、滿洲で八年間判事をやつたKが、いきなり私を別室につれて行きました。

「君は、どういふ考へで、あんな病人をこゝへ連れ込んだんだ。こゝは共同の住居だ。そこへあんな危險な病人をよこして、もし誰かにうつりでもしたら、どうする氣だ！迷惑だから、早速何處へか連れて行きたまへ。それから君に忠告するが、君自身をまり丈夫ぢやないのだから、あんな病人の世話なんかやめたがよい。君は我々の仕事に大事な體ぢやないか。病人は警察にでも渡してやればよいではないか。」

私は呆氣にとられました。もともと私はKにたいして人間的に疑惑を持つてゐましたが、この言葉は決定的でした。私は議論をするだけ無駄だといふことをさとりました。

「今夜一晩だけとめてやつて下さい。明日は病院に入れるか、どこかほかのところへあづけます。」

私はその足で、深川の片隅に焼けのこつてゐるわが同胞の部落をたづねました。

この町は町會長も住民もみな朝鮮人です。この町なら、なんとか彼の面倒をみてくれる人もあらう。

町會長は留守でした。もう時間がおそいので、町會事務所には誰もゐませんでした。とぼとぼ歩きまはつて、その晩家に歸つたのは、十二時過ぎでした。

あくる朝、私はまた深川をたづねました。町會長は留守でしたが、なんとかしようといふ事務員の言葉をたよりにその日の夕方、私は君の兄を背負つて、杉並から深川へ行きました。

驚くやうな輕さでした。まるで十位の子供の重さしかありません。暫くあるくと、彼は、

「胸がいたいからあるく。」

といふのです。肩によりかゝつてあるく方が、はるかに樂のやうです。氣管の破れたやうな彼の息遣ひが、私の耳のそばで喘いでゐました。

深川のその町は、電車の停留所から、十五六町あるかねばなりません。二町もあるくと休まねばなりませんでした。

しづみかけた夏の夕陽が、繪具で描いた輪のやうに見えました。焼跡の堀割の傍の切石の上に腰をおろして、私たちは、夕焼の空を眺めました。

人生とは無限のかなしみだ、と、誰かゞいつたやうに思ひますが、しづみかけた太陽が、何か、無窮を語つてゐるやうに思はれてなりませんでした。

私自身が、落魄して、人々にさげすまれてゐるやうな感じでした。そして、この世の中に、彼と私だけが、とりのこされて生きてゐるやうな、かなしさでした。

「人間の世界には、何一つ頼るものがないんだ。それでも人間は生きなければならない。それが人生ではないだらうか？　とにかく生きることを考へるほかない。強く生きるんだ。」

彼は、力なく、うなづいてみせました。しかし、眼だけは、ありつたけの生きる力をあつめたやうに輝いてゐました。彼は、またゝきもせず、西の空をみつめてゐました。

ふと、私は、一つの想念にうたれました。

「君は、いまでも慶子さんのことを考へてゐるのか？」

彼の顔がひきつつたやうでした。彼は答へませんでした。私は後悔して、視線をそむけずにはゐられませんでした。

「生きることに信念と信仰を持たう。何事によらず、あきらめてはおしまひだ。」

私は立上つて、彼をかゝへました。

「ありがたう。」

彼はかすかに答へました。

こみあげてくるのを、私はかみしめました。部落についてみると、たのみにしてゐた町會長は、まだ歸つてゐませんでした。町會長の奥さんが氣の毒がつて、町會事務所の事務員をさがしてきてくれました。

「困つたな、困つた、町會長がゐなくて。」

若い事務員の困惑したやうな言ひ方は、不愉快でした。でも、私は哀願しました。彼のために、なんとか休息の場所を、あてがつてほしいことを、くだくだしくならべたてました。しぶしぶながら、彼は動いてくれました。そして、その晩は、部落の隣保館に泊めてもらふことになりました。しかし、いくら夏の眞中とはいへ、毛布一枚貸してくれないのです。私たちは、電燈もつかぬ暗い、かびくさい部屋の疊の上に横になりました。

晝から何も食べてなかつたので、おなかが空いて寢つかれませんでした。起き出て、事務員にたのみ、救護用の米を一升もらつて、ときたまに飲みにいつた濁酒屋に行き、病人のためにお粥を炊いてくれとたのみました。

普段、私にたいしてひどく愛想がよく、どんな用でもやつてくれさうにみえた婆さんも、病人の世話をするのはいやだ、と、はつきりいつて斷はるのでした。

町會事務所から、乾パン一袋だけをもらつて、それをかじりながら、私たちは寢たのでした。

君の兄の寢息は、やぶれた太皷の音のやうでした。そして、ときどき、ひどいうなり聲をたてました。氣管ばかりでなく、肺も、ひどくおかされてゐたにちがひありません。

寢つかれないまゝに、私はいろいろなことを考へました。

私は、私一個人の友だちである彼の危篤をかなしむといふより、一人の朝鮮人の若者の、このいたましい環境が、かなしいのでした。かなしみといふよりそれはむしろいきどほりでした。

何が、彼をかういふ目にあはせてゐるのか？

それが運命だといふのなら、ただそれまでのことです。

しかし、これが、はたして運命なのでせうか？一人の人間がこんな狀態に陷つゐるのにこんなものを運命だといへるでせうか？

そのくせ、私は祈つてゐました。自分の氣持の何處かでは、彼は絶對に助からないと信じこんでゐながら、彼の上に奇蹟がおこつて、彼が再び元氣になれるやうに祈つてゐるのでした。

祈つてゐるうちに、私は、自分の愚かさがむしように腹立たしくなりました。なにもかもが、感傷で、それがきはめて淺薄なひとりよがりから出たことのやうに思へるのでした。

二言目には、彈壓されてゐるといひ、虐待されてゐるといひ、侮蔑されてゐるといふ。そんな生き方をしてきてゐる自分自身が、奴隷根性だけしか持つてゐない人間のやうに思へるのでした。

言葉では、

「強く生きる。」

と、口癖のやうにいひながら、生きることを、すこしも眞劍に考へない人間たち、なんでもかんでも、他人のせいにして、自己の責任を考へようともしない人間たち、絶えず抜け穴をさがしてゐながら、自分だけが追ひつめられてゐるやうに、大袈裟な身振りをする人間たち、さういふ人間たちのなかでも、とくに意氣地がなく、利己的な私といふ人間が、こゝにかうして思ひあぐねてゐるのです。

まどろみかけては、眼がさめ、さめては、彼のはげしい息遣ひをきゝながら、考へこむのでした。

ながい夜でした。そして、つひに窓が白んできました。

私は、ひどい頭痛をおぼえました。おきて便所に行き、手洗場で顔を洗はうとして、うつむくと、急に目まひがしました。いやなひびきの咳も出ました。

三年ばかり前に、私は肺浸潤をわづらつたことがありました。氣づいたのがはやく、手當がよかつたので、三ケ月位でよくなつたのでしたが、それからといふものは、一寸した無理をすると、すぐ熱が出ました。

何もかもつきのけてしまひたいやうな、いとはしい氣持になつて部屋にはいると、戸の音に彼は眼をさまし、

「今日は、何處へ行くのですか?」

と、苦しい息で、氣づかはしさうにきくのでした。私は返答をしないで彼のくぼんだ大きな眼をみつめました。彼は、もう涙をこぼす氣力もないやうでした。

「心配しないでいゝよ。もすこしたつたら、町會長にあつて……。」

言葉をきいてゐるのではなく、私の口元をみて、彼は氣をおちつかせようとしてゐるやうでした。

さいはひに町會長は歸つてきてゐました。町會長は、すぐ、一人の爺さんの家へ案内してくれました。

「とツさん。いやな顔をしないで面倒をみてやるんだ。こ

の青年は大學を出た立派な人間で、郷里の家だつて相當なもんだ。世話をしたら、またよい話もあらうといふもんだ。」

おつかぶせるやうにいはれ、土方の日雇ひ仕事でもやつてゐるらしく見える爺さんは、困つたやうな皺のよせかたでしたが、それでもひきうけてくれました。

お禮をいつてゐるゆとりもありませんでした。私は病人を、そのはじめてみる爺さんに押しつけました。

もし、良心の苛責がなかつたら、どうして私は、蟇口にありつたけの紙幣を、その爺さんに渡す氣になれたことでせう。

爺さんは、すぐ蒲團を出して敷いてくれました。

「僕は休息したい。」

さういひ續けた、病人の希望が、いくぶんでもかなへられたやうに、私には思へました。しかし、彼は、肉體の苦痛のためか、感謝するやうな色はほとんどなく、むしろ腹立たしげな顏でした。

――感謝することをわすれた病人は、決して助からない――といふ諺を、私は子供のころ母親にきいたことがありました。その言葉がふと思ひ出されました。

「今日は、病院をきめてくるからね、氣をおとしちや駄目だよ。かならずなほるんだからね。」

彼は、わづらはしさうに眼をあけてみせました。自分のそらぞらしい言葉が、むなしくかへつてきました。彼は、おそらく誰の言葉も信じてゐなかつたに違ひありません。

その日、都廳の厚生課に行つて、郊外の療養所に入れてもらふことにきめました。その療養所なるものが如何にインチキで無責任なものであるかを、私はわかつてゐました。なるべくなら、さういふところでなく、食べものゝ世話をしてくれるところへ入れたがつたのでした。療養所などに入れたら、すくない配給をまた中間でぬかれ、しるしだけの食物があてがはれるにちがひないのです。おそらく彼は、一日として生きてゐられないことなのです。

「暖い味噌汁が食べたい。お米の御飯が食べたい。」

さういふ彼に必要なのは、卵や牛乳や林檎や肉のスープや新鮮の魚類です。しかし、このすさんだ燒野原の何處にさういふものがあることでせう。たとへ何處かにあるとしても、一體誰が、彼のために、さういふものを手に入れて運んでくるでせう。

新聞社に廻り、同志の集合場所に寄つたりするうちに、日はくれました。一日中頭痛がとまりませんでした。私は彼のところへ寄る氣力がありませんでした。

雨に濡れながら、いつものやうに、省線の驛から一里ばかりあるいて、居候をしてゐる家にかへると、家に君が待つてゐたのです。

小柄な彼と違つて、弟の君が堂々たる體軀なのに、私は、おどろきもし、安心もし、一種の反感もおぼえました。

君は、實に理路整然とした挨拶の仕方で、二十三歳といふ年齢とは考へられないほどでした。君の兄は、ひとの前に出て、ものも滿足に言へない男でした。

しかし、いづれにしても君の出現は奇蹟でした。京城にゐる君が、連絡船のとまつてゐるそのとき、どうして玄海灘をわたつたのか？ やがて君のはなしで、北鮮から裏日本をまはつてきたといふことがわかりましたが、よもや兄が、さういふことになつてゐやうとは、思ひもおよばなかつたと、君の言ふことをきくにつけ、私は感慨にうたれずにはゐられませんでした。

寫眞の材料を買ふために、命をかけて玄海灘を渡つてきた君でしたが、君に命をかけさせてまで、海を渡らせたのは、たゞ君の好奇心だけだつたでせうか？

「神樣が、あなたを導いたんですよ。」

私の寄食先の主人が、君にさういふことをいひましたが、それだけでは説明のつかないものでした。

とにかく、君の出現によつて、君の兄は、孤獨でなくなりました。そして私は、一切の重荷を君に背負はせてやればよかつたのでした。

あくる朝、深川の部落へたづねて行つたとき、君の兄は、蚊帳の中で寢てゐました。君が、かけ上つて、おこしたとき、君の兄がやにはに君に抱きついて、二人が抱き合つたとき、君の眼にも、君の兄の眼にも、涙があふれてゐたのを、私はみてゐました。

彼が入院するとき、私も當然附きそふべきでした。しかし、私はくたびれてゐました。仕事が忙しいばかりでなく、行くのがいやでした。

そして、私は、九州に旅立つたのです。君の兄が、憩ひをもとめて行つたところへ、私は命をかけに行きました。連日のやうに空襲があり、たとへ無事に行かれたとしても、いづれは爆死しさうな不安がありました。しかしそんなことも別に氣になりませんでした。私は生きる自信がありました。そして、また生きなければなりませんでした。

福岡の炭鑛地帶や、長崎の造船所で、私は毎日、數千數百の同胞に逢ひました。そのことが私に生甲斐をあたへました。そして、私は、君の兄のことを忘れてゐました。

無條件降伏の號外を、私は門司驛で讀みました。東京には八月の二十一日になつて歸りました。

彼は、私が九州に出掛けた四日目に死んだといふことを、同僚にきゝましたが、私にはかなしいといふ感じは起りませんでした。たゞ喚きたい衝動だけでした。

一年近くなつた今になつて、私は、彼の死を、深く考へるやうになりました。私たちのはたらいてゐた新聞社は解散になり、同僚たちは散り散りになりましたが、たとへ逢つたとしても、彼のことなどは、みんな忘れてゐるに違ひありません。

たしかに、彼の生涯は、忘られた生涯でした。

彼は、生れて死ぬ日まで、一體何をしたのでせうか？

だが、何かゞ、しこりのやうに、私の心にのこるのです。彼が私の友人であつたからでなく、彼が夢をもつた人間であつたからだと、私は思ふのです。

夢をもつた人間が、どんなに貴重なものであるかを、君は考へたことがありますか？

夢を持つてゐたために、彼は、あのやうな死に方をしたのだと、私には思はれてならないのです。

彼の死そのものは、若者として、實に不名譽な死でした。それは何の價値もないものでした。それでもなほ、私は、彼がいとほしくてならないのです。

人生は闘爭だといひます。しかし彼は闘ふといふこと、まるで知らない人間でした。だから彼は、戀に破れ、生活に破れ、つひに人生に破れました。そのきはめて當然な歸結が、私には焦立たしいのです。

私が、君に、この長い手紙を書いたのは、君に、兄のことを回想させるつもりではありません。といつて、君に、兄のやうな意氣地のない生活をしてはならないといふ忠告でもありません。

私はたゞ、君をも含めて、君の家の人々、わけても君の父が、彼といふ人間にたいしてあまりにも理解がなさすぎたといふことを、いひたいのでした。彼の死んだあとになつて理解しても、それは無駄なことだと、君はいふでせうか？

彼といふ人間を、理解することによつて、おそらく、君は、あらたな人間を見出すにちがひありません。祖國の再建に奉仕したいといふ君にとつて、一番必要なことは、この人間にたいする理解の心と眼でなければならないと、私は思ふのです。

私は、君や、君の父に、もう一度、彼の死を考へてもらひたいのです。

最後に、君の健闘を祈つてやみません。

（一九四六年・八月三日）

文藝時評

日本文學の環境

宋車影

環境に順應するといふ人間の性情について若い友人達が論爭した。いづれも文學を勉强してゐる三十前後の人である。

一人は、これを肯定すべきだといひ、一人は否定し、さらに、ある人は積極的に肯定すべきだといつた。論じ方が、觀念的であつたために、きいてゐて、なんだか、まぎらはしいと思つたが、その中の一人が、一體、環境といふものは、人間によつてつくられたものか？ それとも、つくるとか、つくられるとかといふものでなく、絕對的なものなのか？ そのいづれであるかを、まづ、きはめることが必要だといつた。

みんなが、一時、默つてしまつた。あれほど活潑な論爭を展開してゐた人たちが、しかもきはめて難解な用言を、さかんにならべて說き立てゝゐた人だが、この單純な、基本的な問題にぶつつかると、急に默りこんでしまふのである。つまり、博學ではあるが、自己の立場といふものを持たない人たちだと、いふほかないのである。

凡俗だとか、陣腐だとか、稚拙だとか、いつた言葉を、さかんに使ふ人達が、どうも偉い人のやうに思はれてゐる。こういつた傾向は、現代社會の一般的な現象のやうである。
特に、私は、日本の文化人たちに、この傾向の甚しさをみるのである。

日本が中國とだけ戰爭をしてゐる五年間、私は東京のある文科大學に通つてゐた。日本思想といふものが、さかんに押しつけられ、なにもかも、軍國調に切りかへられる頃である。ごく少數のもの（あまり本を讀まない連中である）をのぞいては、みな、この押しつけてくる空虛な日本思想といふものに反感をもつてゐた。それでゐながら、不思議なことに、優秀だと思はれる日本の學生達は、さかんに通とか、風雅とかを、となへる人たちの著書に沒頭してゐた。そして、結論として、日本文化の優秀性を誇示するやうないひ方をした。私は、學友たちの矛盾したあり方が滑稽に思へたので、率直にそれをいつた。すると、學友たちは、私が朝鮮人であるために、日本の通や風雅が、わからないのだと、斷定した。あるひはそうかもしれないと、私は思つてみたこともあつた。しかし、私には、勉强をしないでたゞ軍國調にかぶれてゐる少數の學友たちの方が（その連中は腕力をよくふるつたので、みんなに怖れられてゐる反面、ひどく輕蔑されてゐた）はるかに正直で、日本人らしいと思へた。彼等は、すくなくとも、自分たちが無智であることだけは自認してゐた。そして勇ましくすることが、靑年のもつともよき生き方だと、素朴に信じこんでゐた。

民族的な偏見にとらはれてゐやしないかと、私は、つねに、自身をかへりみるのであつたが、それでも、私は、通とか風雅を論ずる多くの學友たちに、いひようのない救はれ難さを感じてゐた。ところが、同じやうな感情が、解放後の、自國の靑年の、無自覺な行動に接したときにも、わきおこつた。日本といふ國の、文化的な環境が、國籍の如何、民族の如何を問はず、同じたぐゐの、救はれがたい人間を育てあげたとでもいふべきであらうか？

敗戰後の日本と、戰爭中の日本とは、根本的に、相異つた世界であると、すべての人々はいつてゐる。一面からみたとき、たしかにそうではあるが、また一面からみたときは、以前の日本と、いまの日本は、本質的に、何等の差異も認められないといつてもよい。そのもつとも著しい面が、文學の世界である。

文學者こそは、民族の良心であると、うぬぼれた文學者が、日本にも數多くゐたことを、私は知つてゐる。とすれば、日本人の心のありかたを、もつとも素直に現はしてゐるのも文學者だと、いひ得るかもしれない。しかし、私は、このごろの、日本の文學者に對して、多くの疑惑を持たずにはゐられない。何故なら、かつて私が學窓時代に、日本の學友たちに感じたやうな、救はれ難さを、このごろの日本の文學者に感ずるからである。むしろ、ある意味では、ひしがれ、押しつめられ、おのれの無力をかこつてゐた戰時中の日本の文學者の方が、はるかに良心的であつた。その頃は、日本の文學者の大部分は、自分たちが、國家や民族を救ふだけの、何等の力も情熱もないことを、率直に認めてゐたからである。たしかに、そのときの彼等は正直であつた。

用紙難とはいひながら、此頃の文學誌の種類の多さは、驚異に値するものである。六十四頁ではあつても、それぞれに、文藝雜誌の看板を押し立てゝ、本屋の店頭に、にぎはしく揃つてゐる。どんなに熱心な評論家であつても、おそらく、これ等の數多い文藝雜誌を全部は讀みこなせないであらう。だが、これほど數多い文藝雜認のなかで、はたして、幾人の、眞に文學を愛する編輯者がゐるであらうか？　一體文藝雜誌の編輯者と、エロ雜誌の編輯者との間に、どれだけの、意識の差があるであらうか？私は、エロ雜誌の編輯者の方が、ずつと正直だと思つてゐる。彼等は自分の仕事が、金儲けのための手段だといふことを意識してゐるからだ。

そもそも、かういふ種類の腹立たしさは、何にだとへてよいものであらうか？　自らの位置とありかたを自覺せず、しかも、良識の代表者であるかのやうにふるまつてゐる、その傲岸無恥な態度に對して！

別離の時（群像九月號）を書いた寺崎浩は凱旋門を書いたレマルクにもじつたつもりであらうか？　息を切らしたやうな表現のしかたで、特攻隊歸りの生きてゐる幽靈と、その情婦（三面記事によく使はれるこの單語がよく適合する女に表現されてゐるために）とのいきさつや、漠然とした生活苦を描いたものであるが、凱旋門の主人公の場合は、自己の不當に抑壓された位置に對する激しい憤りがあり、しかもその環境に屈しないだけの強い生活意慾と、生活感情が、なまなましく描き出されてゐるのであるが、こゝには、單なる街の女たらしの、だらしのない世態が、だらしなく描き出されてゐるに過ぎない。

同じ雜誌に、舟橋聖一の「冬夏室御占」なるものがでゝゐるが、戰後、いちはやく、エロ小説を書いて、したたま原稿料をかせいだ商賣文士であるだけに、ぬけめのない老エロ師をたくみに描きあげてゐる。九月號の各誌には、そろひもそろつて、同じやうな舟橋の作品が三つも四つも出てゐるが、どうも、このごろの編輯者は、文藝雜誌でも、エロ小説がないと、文學にならない（その實商賣にならないと）と思つてゐるやうである。

復員兵を扱ふ作品は、到るところに目につくが、田村泰次郎は、自身が復員兵であるだけに、群盜哄笑（新文藝四號）には、世相に對する一面の實感が生き生きと出てはゐるが、街の顏役を英雄視する主人公の劣等感は、すこしも時代諷刺にならないばかりか、作者の安易な妥協振りをみせつけられるやうで、後味のわるいこと夥しい。同誌の、田中英光の「運」は、戰時中の爆撃の生んだ一挿話を單なる興味ある題材として取上げたに過ぎなく、この作家は、文學とは、すべからく落語か講義の如くあらねばならないと思つてゐるやうである。むしろ、すこし古風ではあつても、川崎長太郎の「浮浪」の方が、こつこつ小說を勉强してゐる感じがして好感がもてる。

同じやうなことが、明日（九月號）の、漂泊の子（中山義秀）や、殘された畫像（德田戲二）、文學界（九月號）の故國（芹澤光治良）、新日本文學（八號）の妻の座（壺井榮）、などにいへる。しかし、中山の漂泊の子は、いまゝで何回も讀まされた題材で、またかといひたくなる。德田といふ作家は、まだ若い人のやうに思はれ、構想も古めかしく、人物の描き方も幼いが、淸純な感じだけは、得難いものであらう。芹澤の故國には、それだけが一種のコントになるやうな前書がついてゐる。この前書も、畢竟、作品から受ける、ある病的な感じを、作者がもつてゐるために、附けずにはゐられなかつたもののやうである。上海における一佛人の孤獨な暮し方にふれたところから、世界人に共通する平和な環境を求める主人公の、纖細な感情は、よく描けてゐるが、それは生活の據所のない、貴族的なもので、迫力がなく、そこには建設的な面がない。

壺井の妻の座は、女ならでは書けぬものゝ一つであらう。それだけに、男の弱點である側面が鋭く突かれてゐる。

作家の精神は解放されてないとしても、文學は一應、壓制から解き放たれたといふ感じを强く受けるのは、思想犯としての拘禁生活を自由に記錄した作品に接するときである。

野間宏の第三十六號（新日本文學八號）と丹羽文雄の藝術家（文學界二號）は、おなじ拘禁生活を受けた記錄でありながら、實に對蹠的である。野間の第三十六號は、陸軍刑務所のなかの思想犯である私といふ人間が、脫走常習犯である第三十六號の同僚を觀察したものである。作者の意圖するところであらうが、こゝには、人間の自由を拘束する權力者の不當な仕打が、强くにじみ出て、この權力者によつてつくられた人爲的な環境が、どのやうに善良な人間性を蝕んでいくかといふことが冷靜に語られてゐる。ところが、丹羽の藝術家では、畫家である主人公が、天皇行幸といふたゞそれだけのことのために、プロ運動をやつてゐる者として五十日間の留置場生活を送るのである。その結果、主人公は拘禁生活の堪へ難さから仲間から脫落して、それは藝術家として當然のことだと、うそぶくのである。人間性の眞髓にふれてゐる筈の藝術家が、天皇行幸だけのために、五十日間もブタ箱にほふりこまれるやうな社會組織に對して、すこしの疑惑も憤激も感じないばかりか、藝術の自由のために權力者に屈服してしまふといふことが、はたして、あり得ることであらうか？　創造する良心、人間解放のために奉仕せんとする藝術家の意慾があるとしたなら、藝術家たる畫家は、畫筆を打つてゞも、權力者に、たたかひを挑んだであらう！　それなくして、一體眞の藝術の自由といふものがあり得るだらうか？　この一篇は、脫落者としての、裏切者としての、いまの日本の一部分の文學者の生態を、告白したものであるといつてもよい。だからこそ、彼等は、民心を痲痺させるエロ小說をさかんに書きなぐつて、稿料かせぎをやつてゐるのである。

野間宏は近代文學にも連載小說（華やかな色どり）を書いてゐるが、そのさかんな意慾は認められるが、第三十六號のやうな手固さがない。同誌には、埴谷雄高の「死靈」が連載されてゐる。一つの文學誌に二つの連載長篇がのるのは珍らしく、野心的な編輯ぶりといへる。

數少い力作のうち、西野辰吉の廢帝トキヒト記（文藝九月號）は、斷然目立つものである。神聖にして侵すべからざるものとしてあつた、史實のなかの御醍醐天皇や光嚴院をもつてきて、歷史の上では英明にましましたと敎へられた御醍醐を、たぐひなき野心家であり、陰謀術策にとんだ人間と論ずるあたり、作の出來不出來は別として勇敢な開拓者といへるであらう。しかし、結末におけるトキヒトの流浪を通した庶民の生活狀況が、とつてくつつけたやうな印象をあたへるのは、作者の意識が、全篇を一貫してゐないからであらう。とはいへ、今後この方面にいくらでも開拓の餘地があることを指摘した點、この作の力は大きいといはねばならない。

原稿募集

創作――四百字詰　一人一篇　十枚前後
コント――四百字詰　一人一篇　三枚以內
締切――每月二十日
注意――投稿には住所氏名明記のこと、原稿の返送は致しません。
入選者は紙上に發表し僅少ながら稿料を差上げます。

『朝鮮文藝』編集部

デイジャプナイゼイシユン

殷武巖

凡そ漢字で書く日本人の姓名ほど不便なものはない。文字を通りこして、正に判じ物の類さえ少くない。日本の地名も同様であるが誰も氣付かない様な、奇想天外な呼び方や、幾通りも讀み方があつて仲々正しいのが、あてられないのや、同じ呼び方でありながらとても數えきれない程多くの違う文字を使つて、よほど注意しないと正しいのが書けない様な、意地の悪い姓や名前が多いのである。試驗問題ならともかく、誰にも親しまれ呼びやすく書きやすく、讀みやすくなければならない筈の、姓名がこれでは、御本人はもとより、他人にとつても、不便この上ないことである。

日本文化の最もおくれ、非實用的な、いやむしろ反社會的でさえある、この日本式姓名を、皇民化とゆう御宣託で、朝鮮人にも勿體なくも、使用を許すとゆうので、創氏とゆう文字通り歴史的な制度が、强制施行されたのであつた。

これは丁度、日本の最も封建的で、どの國のそれよりも立ちおくれていた徴兵制度が、支配者たる軍閥のやむにやまれぬ必要上、志願兵制度とゆう、苦しい名目で、恰も朝鮮人に破天荒の特權でも與えるかの様に勿體ぶつた能がきを並べながら、あらゆる陰險な手段で、いやがり逃げ廻る學生や若者を狩り出したのと同じであつたのである。

兵隊として使うのに名前が、李、金、朴ではまづいのである。民族意識を抹殺し、同化政策を强行する都合で、やつたことである。

然し一方、日本や中國、滿洲あたりで、後暗いことや無責任なことをしている朝鮮人だとか、軍閥をかさに、ひと儲けし度い連中とか、本當に朝鮮人は劣等人種であると信じ、自分だけ朝鮮人をやめたい者とか日本人こそ世界最優秀族と信じ進んでその一員になり度い者、日本帝國の繁榮は永久なものであると信じた者、朝鮮民族復興に絶望し早く同化すること以外では民族の生物學的な存續さえ不可能であると日本帝國の無慈悲な彈壓政策に恐怖敗北した者、其の他無條件で同化を喜ぶ若者等は、日本式姓名使用の合法化と軍人になれるのを無上の喜びとしたのである。

話しが餘りにも政治的になつてきたが、とにかく一九四五年八月十五日から以後は、考え直すべき點も多く、又實際多くの人々は前の行きがかり等は、きれいさつぱりと振り捨つて、自分こそは誰よりも先きに今日あるを知つていた者である、我こそは非協力者である。われこそは生れながらの民主々義者である、愛國者である。指導者である。革命家であるといわんばかりの振舞いに出た。最も非良心的な、特高、軍閥などの忠犬を勤め同胞を苦しめ喰い物にしてきた者までが、堂々と民主々義や建國や愛國の指導者と自任する解放になつたのだ。

ところが今尚思いきり惡く、朝鮮人同士で日本式朝鮮姓名、大元炳變、金本東千、大城龍漢の類を使い合うのは、どうかと思う。過去の功績や業績上もう朝鮮人になれない者とか營業上の色々な手續未了の實業家とか、そんなものどうでも良い超現實的人々なら、話しは解る。然し、愛國者、建國者、その他の指導者と自任し、委員長、會長、局長、部長、社長等の數かぎりの無い程多い、長の字のつく肩書の名刺を會う人の誰かれのみさかいなく渡さないと承知しない様な人々までも日式氏名のまゝであつたり、こつたのになると一枚の名刺に兩式の姓名を刷り込んであるのさえある。

年若の者よりも若い人々に多いことであるが、個人的にも團體的にも、何かあるとすぐ彼等が犠牲になり彼等の敵である筈の特高や憲兵がやつた様な、ヤキを入れ度がることである。よからぬ者とか、氣にいらぬ者などを團體の事務所等へ連れていつては、大勢で無秩序に制裁を加へるのである。所謂志願兵で身につけて來たものかも知れない。

日本文化から、日本人から、われ〳〵が學ぶべきことは無數にあるが、今日考えてみるとどれだけ良い點を攝取しているか疑問である。唯在來の朝鮮人の缺點に、日本の惡い反面だけを加えた様に思えてならない。

人のふり見て我がふり直すとゆうことは左程難事ではない様だが、やはり容易ではないらしい。しかしどうしてもそれはやらなければならない。われ〳〵自身の運命を再び他民族に任すことがあつてはならない。われ〳〵は民主々義化する前に日本帝國主義からの惡い遺産を先づ殘すことなく清算しなければならない。日帝殘滓どころか未だその大部分いや全部をそのまゝ身につけているのである。無慈悲な非日本化なくして朝鮮の民主々義化はないのである。民族意識をよび醒ますのはよいが、祖國遙拜、檀紀、大韓等の單語からは一種の日帝臭と獨善的國粹主義、即ちフアツシヨの幼芽を感ずるものである。

（一九四七、九、一四。）

編集後記

創刊號では種々な激勵や忠告の言葉があつた。それ〳〵有難く拜聽した。あまり無理をしないで續けるつもりである。本國作家の作品を飜譯發表することは、本誌の最も急務とするところであるが、連絡がつかないので困つている、近き將來に實現できると思う。

創作は創刊號で好評であつた李殷直氏の『去來』の續きと、金元基、張斗植兩氏の作品を掲載した。兩氏共、『民主朝鮮』誌上で定評ある作家である。

創刊號にも言つた通り、原稿は一般の持込みも歡迎する。編集部宛に送れば、よいものは掲載する。

校正室の窓からは何時の間にか秋風が流れる。去つては又來る秋である。但、此の間に世の一員として何をなしたかである。何を悟り、何を得ることができたか？ 潮流は何處へ進み、更に何處へ向ひつゝあつたか？ 大地にしつかと足を踏みしめて、我が行へをはつきりと見極めることができたか？ 反り見て何一つ滿つるものなく、此の秋も又去らんとしてゐる。

（サンムン）

朝鮮文藝　十一月號

一九四七年十月二十五日印刷
一九四七年十一月　一　日發行

定價十五圓

編輯兼發行人　朴　三　文
東京都新宿區大京町二八
印刷人　大　寺　一　郎
東京都文京區大塚坂下町五七
發行所　朝鮮文藝社
電話大塚一八七三番
配給元　日本出版配給株式會社

一九四七年十月二十五日印刷納本　一九四七年十一月一日発行　朝鮮文芸

定價十五円

1948 年 1 月 20 日 印刷納本
1948 年 2 月 1 日發 行

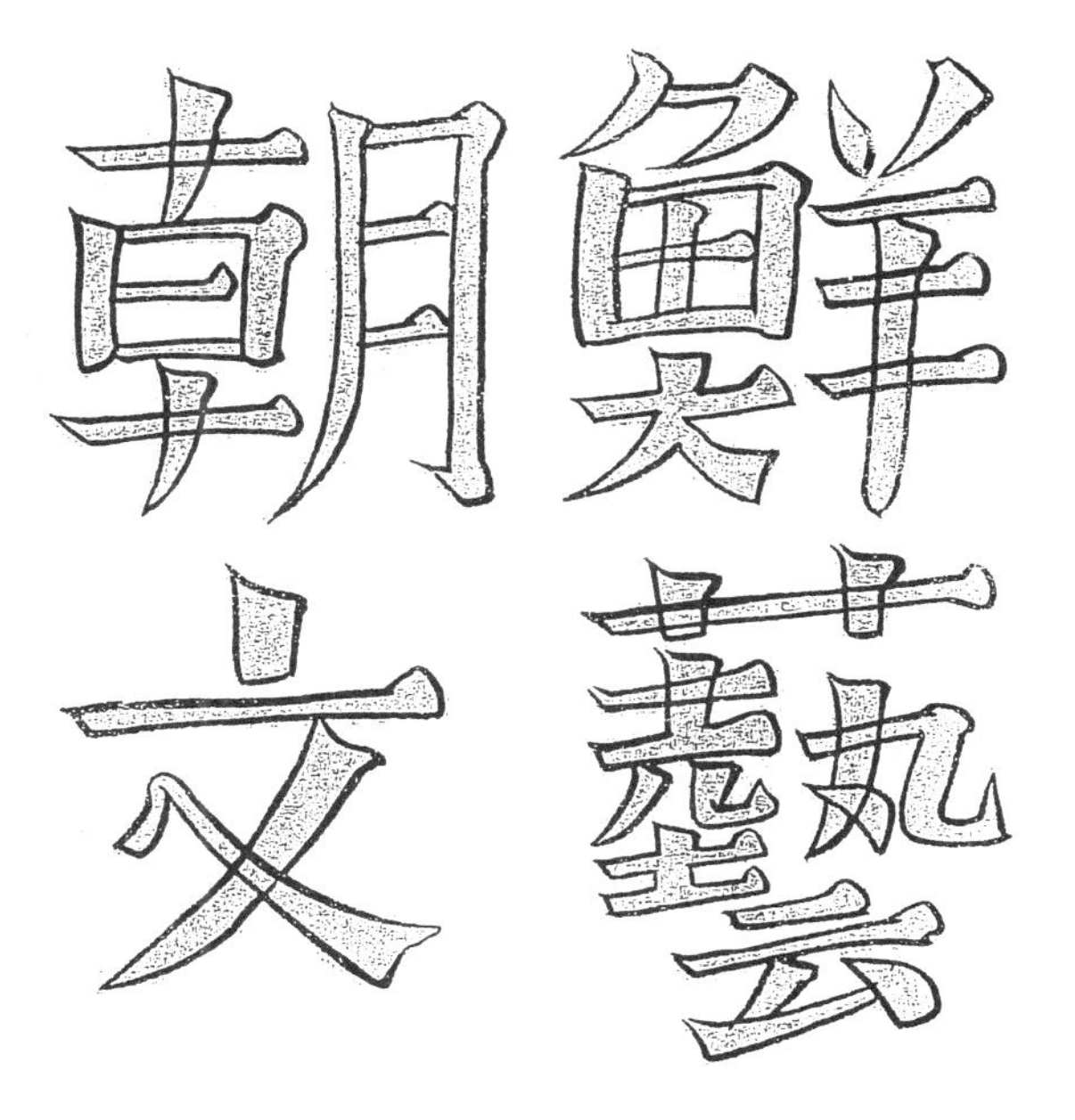

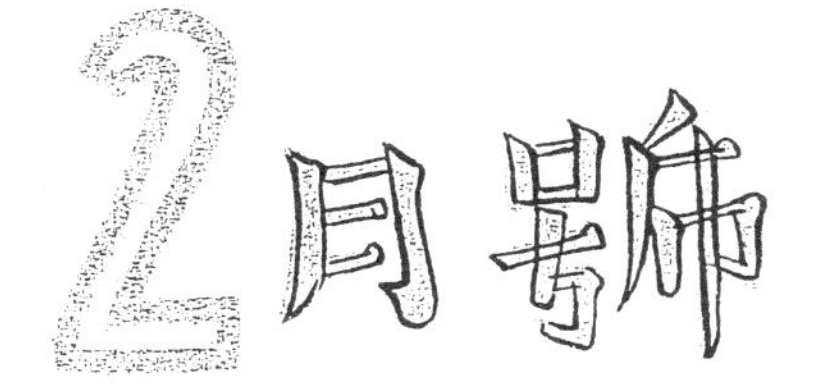

朝鮮語版『朝鮮文藝』二月創刊號

今月中旬發賣

評論……………金 達 壽
詩…………………尹 紫 遠
魚 塘
朴 水 鄉
姜 舜
小說……………金 元 基

價・拾圓(豫定)

朝鮮文藝 二月號目次

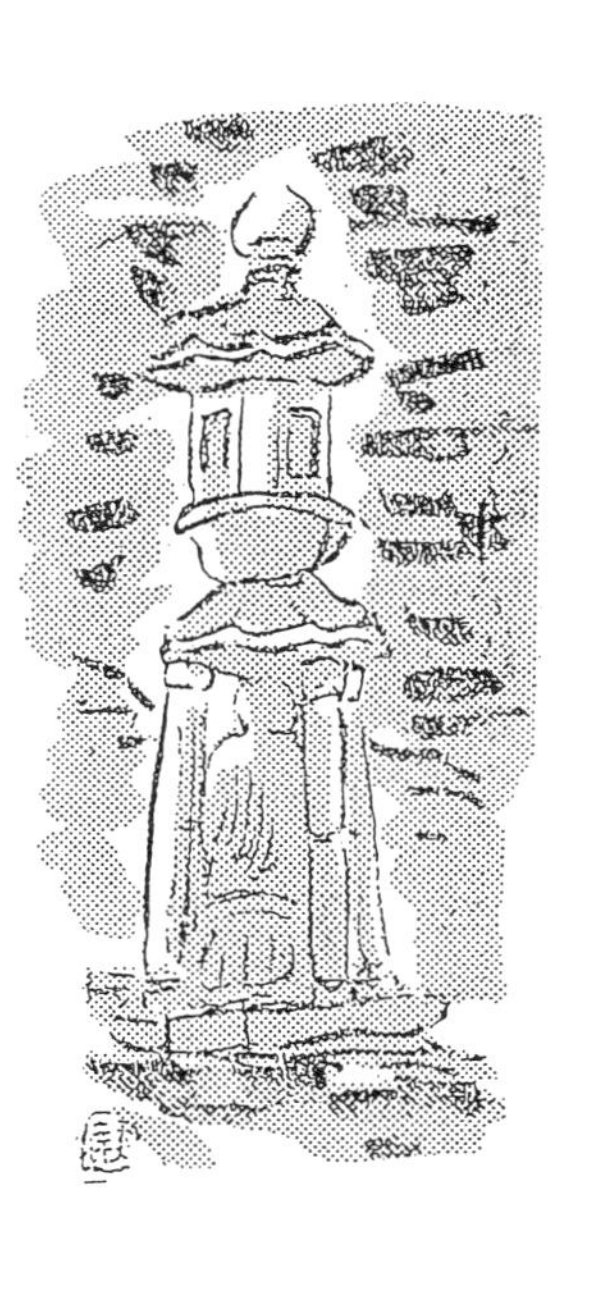

春香傳と李朝末期の庶民精神（一）

宋　車　影

春香傳の生命はその高い道義性にある。さればこそ、儒敎的な封建社會たる朝鮮の家庭において、この激烈な戀物語が、存續し得たのである。

孝子物語の典型ともいふべき沈淸傳とともに、婦女子の貞操觀を强調したこの烈婦傳は文字なき封建社會の婦女子および庶民階級にこよなき敎科書の役割を果してきた。家庭内に閉ぢこめられた婦女子、さらに貴族社會の奴隷としてのみ存在し得た庶民階級の人々は、一切學ぶといふことを許されなかつた。しかしこの人々は子供の頃から、沈淸傳や、春香傳を讀みきかされ、やがてこの繪草子によつて諺文を學んだのだつた。

それは單に慰安娛樂のための物語ではなく、虐げられた人々の、唯一つの夢の通ひ路であり心のはけ口であつた。沈淸や春香の哀れさに泣き、彼女たちの仕合はせのために心をたのしませることによつて、希望なき生活を强ひられてゐる人々は、わづかに己が身をなぐさめることができたのであつた。

したがつて、これらの人々は、沈淸や春香に對して、すこしの疑ひをも持たなかつた。無條件に讃美しかつ信仰した。たしかにそれは信仰の一種であつた。

最も美しき物語を問はれたとき、人々は躊躇することなく、沈清傳と春香傳を思ひ出し、これこそ朝鮮が産んだ、最高の美であり道德であると云はずにゐられなかつた。

過去においては、この無批判的な讃美は、充分許されることだつた。沈清傳や春香傳を美しいものと信じ、それをそのまま受入れ、かつ受繼いでゐてもよかつた。

しかし、今日においては、さういふ態度はすでに許されなくなつた。封建的なものが、すなはち罪惡であることが明瞭にされ、自我をとりもどした人間が、その個性に立脚して社會生活を營むべきである、と、はつきり示されてゐる以上、我々は、過去の朝鮮社會をそのまゝ今後に持續することは、到底できないことであり、またさうあつてはならないのである。

こゝで我々は一切のものを假借なく分析しその眞實をきはめなければならない。さうすることが、古きものを脱却して、あたらしき社會國家を建設せんとする我々の與へられた使命である。だゞこゝで注意すべきことは、事物そのものゝ歴史的存在價値をさへ否定せんとする潮流に卷きこまれるやうな誤謬に陷つてはならないことである。

春香傳の發生

春香傳は李朝中期の物語とされてゐるものゝ、作者不明のこの物語は、由來について多數の傳說をともなつて、或ひは仁祖朝といひ、或ひは肅宗朝、或ひは英宗朝、または更に後期と、諸種紛論されてゐるが、大體において百五十年あまり前の作で二百餘年前の肅宗朝を背景とした出來事とされてゐる。

春香傳は湖南にあつた實話を戯作化したものといはれるが、その作者は、地方官吏上りの文人といひ、または地方官廳にはたらいてゐた吏房ともいはれてゐる。すなはち一部では兩班階級の者が作つたといはれ、一部では平民階級の者が書いたといふ。しかし三十數種の流本を持つ春香傳は、果してその何れが原本であり、その原本の作者が如何なる階級の人であつたか、すべてはたゞ謎とされてゐる。

諸說を綜合して判斷するとき、巷間に傳はる傳說か、あるひは實在した物語を筋として、文才優れたる上流階級の人が書いたといふのが妥當であらう。それと併行して、この傳說を庶民階級の者が、自らの好みによつて劇作化したのも事實であらう。京城あたりの貴族階級の婦女子に愛讀された春香傳が、藝術の香り高き悲戀物語であるのに對し、庶民に歡迎され、かつ親しまれてゐる唱劇の臺本としての春香傳は、その藝術性が甚しく低俗化してむしろ醜惡に近い卑猥さを露見してゐるにも拘らず、そこには著しい社會性を伴ひ、單なる一少女の悲戀にとゞまることなく、虐げられし者の權方者への反抗を如實に示してゐるのである。

しかも前者が、二百餘年前の社會をそのまゝに、支配者には絶對從順な庶民たちを描き、そこにはいさゝかの對立も抗爭もない封建的色彩の濃いものであるのに對し、後者は沒落寸前の兩班生活なるものを假借なく暴露し、目覺めた庶民の息吹きが生々しくうつし出されてゐて、兩者の間には實に數十年數百年の社會の隔りを感ぜしめる。

したがつて、前者における春香傳の生命は、その戀の眞實性であり、忍從を伴ふ愛の强靭さを謳つたところにあるが、後者の生命は、權力者は必ず滅び正しき人民は必ず興るといふ社會正義を强調したことと、信義の前に必ず勝利があり、その信義は鬪爭を伴ふものでなければならないといふ斬新な進歩性を示してゐることである。

かくの如く、春香傳は、一定の環境において、一人の作者がつくり出した藝術作品ではなく、凡そ百數十年間の年代に亘つて、支配者と被支配者とを問はず、全民衆が織りなした社會劇とみるべきである。故に或る一種の限定本を取出し、これのみが春香傳であると稱へるのは誤りといふべく、三十數種の流本を集大成し包含してこそ、眞實の春香傳といふべきであらう。

春香傳は長い時間と、廣い空間の總和になるものであり、その正しき解跡は、單に文藝的考察にとゞまることなく、これを歷史的に或ひは社會學的に、或ひは哲學的に分析し、それを綜合することである。

殘念ながら、今日に至るまで、我々はこの春香傳の綜合的研究にふれる機會がなかつた。貧しき文獻と淺薄ゐる學識とによつて、筆者は數年前、この莫大な仕事にとりかゝつたのであるか、原稿三百枚餘りのその苦心の成果は、昨年三月十日の殘酷な戰火によつて灰燼に歸した。

一切を失つた空白な頭を抱へ、春香傳の正しき究明は到底なし難きことであるが、記憶に浮ぶ幾點かを捉へ、春香傳にこもる思想性を分析し、これをわが民族精神に結びつけて論じでみたい。

如何なる精神によつて書かれたか

旣に述べた如く、春香傳の作者は、支配階級たる官吏(兩班)であつたり、また被支配階級たる藝人(常民)であつたりした。兩班の書いたものと常民の書いたものとは、その性格が相違することは、更に論ずるまでもないが、その何れにせよ、全春香傳を通じて一貫して流れてゐるものは、正しいものを正しく、いゝものをよく、美しいものを美しく、描かんとする熱意である。眞善美こそは、藝術の窮極の理想であり、人類の最高の道義であるが、春香傳の如く、この眞善美に對する率直な熱意を表明し、しかもそれをかくも効果的に描き出した藝術作品は、きはめて稀であるといはねばならない。

それは女主人公たる春香の美しさから溢れ出る美の精神ともいふべきであらうが、これは一面、多くの春香傳の作家たちの美にたいする飽くなき憧憬を語るものではなからうか。すなはち兩班から常民までのすべての階級の作者たちをふくめて、朝鮮人である作家は、美の化神ともいふべき春香をとほして、美しき世界を描き出さんとつとめた。その作者の意識を貫くものは、社會に貢獻し、この社會を改革したいといふ善意にほかならない。封建社會そのものを妥當と認めてゐる兩班にしても、階級打破を熱望してやまない平民にしても、現實の社會の醜惡なうごめきを、決してよいものとは認めなかつた。現在の如く墮落した社會にあつては、人間は幸福にはなれない。ために人間は苦しまねばならない。正しき社會は、我等の勞苦と鬪爭の生活の彼方に存在すると、いふ信條を持つてゐたのである。

　この善意に發足した、眞實を求める信條こそ、春香傳をして、世界的な文學たらしめてゐたのである。

　この善意に發足した、眞實を求める信條こそ、春香傳をして世界的な文學たらしめてゐるのであるが、しからば、この善意は、如何なる環境によつて、培はれたものであらうか？

　春香傳の發生は李朝末期とされてゐる。しかもこの時代は二千餘年の朝鮮の歷史のなかにおいて、特に墮落し、最も疲弊した時代であるといはれ、その低迷から脫却することができなくなつて遂に朝鮮は獨立を奪はれ、民族、國家をあげて奴隷的地位に轉落せざるを得なかつたといふ。かくて日本人のみならず歐米諸國人は、朝鮮を無智蒙昧な野蕃國、或ひは植民地と見做した。そして彼等の描く朝鮮史は、この李朝末期において、朝鮮は到底自力では救はれ得ない程、腐敗してゐたと、してあつたのである。

　もとより、この時期は、朝鮮の暗黑時代の端緒をなしたものであることは、結果的に顧みて事實であつた。しかし彼等の誹謗の如く朝鮮民族そのものが、精神を忘却した奴隷であつたか、どうか、我等は此處に感情を交へることなくその實體を究明せねばならない。たしかに朝鮮民族自體はこの時期において大きな誤謬を冒した。そしてこれを論ずるためには、いきほひ過去數百年、いな朝鮮歷史そのものを遡らねばならない。

　朝鮮の國家建設は、何れの國家も、さうであつたやうに、部落的酋長の統合からはじまつた。たゞ强ひてその特色を求めれば、朝鮮民旣の母胎をなした扶餘、高句麗、沃沮、濊、挹婁、韓（以上六族を總稱して濊貊ともいつた）の諸族は、侵略を好まず、禮儀を好み、屢々國中大會の祭禮を催して連日飲酒歌舞をことゝとする農耕種族で、典型的な平和愛好種族であつたといふことである。これらの種族は互ひに武力をもつて抗爭することもあつたが、酋長同志の談合によつて各々王を選び小國を建設し、それが漸次統合して高句麗、百濟、新羅の三國となつた。

三國時代は民族精神の横溢した時代であり進取の氣魄にみちみちたときである。朝鮮において武士道が華かであつたのもこの時代であり、民族信仰の根基たる神道信仰が榮へたのもこの頃である。それは今日我々の考へてゐるやうな獨立精神ではなかつたにせよ、屈辱を知らぬ獨立自存の生活をたのしんでゐたのである。しかし唐の强力なる專制の魔手は、その絢爛たる貴族文化の粹と、練られた武力の集團とをもつて朝鮮を侵略した。

地理的に最も密接な關係にあり、唐の文化の何物たるかをいち速く理解したであらう高句麗が、國家の總力を擧げて、これに抗爭してゐるとき、長安の文物に心醉した新羅の貴族が、唐を極度に崇拜して、ひたすら媚態を盡すことに汲々としてゐたことは注目すべきである。新羅の貴族は、民族獨自のものを主張することを、野蕃なことゝ自卑し、唐の模倣をすることに意義を見出した。名を捨て實を取るといふ便乘的な功利主義がこゝに生れ、その反逆的な民族の裏切によつて、百濟と高句麗は滅亡し、唐の野望は成就されたのであつた。百濟の都扶餘の陷落の日、三千の宮女が白馬江を血に染めて巖頭に果てた史實を、われらは、朝鮮民族精神の一つの表示として忘れることができないばかりでなく、いまこゝに論ぜんとする春香の精神の源流を、この悲劇的な史實のなかゝら汲み取ることができるのである。

新羅による三國統一は朝鮮歴史の大きな展開ではあつたが、この便乘的な功利主義の成功は、朝鮮の民族精神に拭ひ得ない汚點を印した。朝鮮民族の最大の弱點とされてゐる事大思想はこゝに根差してゐるといつても過言ではなく、新羅の唐に對する追從の數々は、以後の朝鮮民族國家の方向をさへ誤まらせた。しかし此處で我々が忘れてならぬことは、新羅のこの浮薄な行動は、何處までも貴族中心社會であつて、一般國民のあづかり知ることではなかつた。貴族專制のこの社會では、庶民はその奴隷に過ぎなく、何等意志表示の機會も方法も與へられなかつた。庶民はたゞ貴族の命ずるまゝに動き、その後に從つた。されど强靱な民族意識は、無力でかつ無知なこの庶民の生活の根底に流れてゐた。人民は意識することなく、民族の生活を、傳統の傳へるまゝに守り通してきたのである。

野蕃なことであり唾棄すべき迷信行爲でしかないといはれる自然信仰が、千年一日の如く、庶民の生活の一要素をなしてきた。

新羅（慶州）の貴族社會は、地方の豪族の擡頭によつて崩壞した。榮華を誇つた王朝の流れも、巧みな戰略家に謀られ、王自ら新興の武將の頭に王冠をのせるといふ、前後未聞の禪讓の式によつて結末を告げた。

高麗王朝そのものも、新羅王朝の延長といつてよく、王都において勢力を占める文官は殆んど新羅の門閥であり、またこの門閥出身でなければ高位高官には上れなかつた。したがつて彼等の生活が人民と遊離したものであることは論を俟たず、國民は依然として地方にはびこる豪族の私物の如く扱はれ、何時果てるとも知れない忍従の道を歩んだ。たゞこの王朝が佛教を奨勵し、これを國教としたゝめ、僧侶が貴族を凉ぐに到つたことは、社會機構に幾分の變革を來した。しかし高麗王朝の軟弱外交ぶりは、その內政の紊亂とともに國民の事大思想を、いよいよ抜き差しのならないものにした。

蒙古がこの國を侵攻したとき、王侯は國民を敵軍の馬蹄下に放擲したまゝ、金銀財寶をはじめ妻妾奴婢をいざなつて、江華島に逃げこみ、海に弱い蒙古軍を尻目に、國事を忘れて饗宴に日を暮した。今日陶器美術の世界最高峰を行くものとして珍重されてゐる高麗青磁は、このときの貴族趣味の所産であり、世界の珍本とされてゐる一切經の刊行も、このときこの島でなされた。所謂、朝鮮の兩班の柔軟性は、かゝる驚くべき特長を發揮するのである。

しかし、女眞軍をはじめとして蒙古軍に到るまで前後十數回の外敵の侵入によつて、國土は寸地をあますことなく蹂躙し盡され、戰火と外敵の暴虐に追ひまくられた國民の苦痛と屈辱は言語に絶するものであつた。人爲の度重なるこの破壊は、受難の民をして、厭世と絶望の淵へ驅り立たしめ、その反動として虚無と享樂主義が風靡し、一切の眞面目な努力が凡そ意味なきものと化した。

高麗末期において、幾つかの國民的革命運動が勃發した。だが、組織なく秩序なき烏合の集の如き集りは、徒らに策士の利用するところとなり、專制者をして、盜賊の名を冠せしめる材料を與へ、あへなく討伐されてしまつた。

李成桂の成功は、この國民の盛り上る專制者への反感を巧みにとらへたことによる。しかし彼とて大衆の犠牲のもとに統治者の地位を獲得せんとする一武斷派に過ぎない。國王の地位につくや、彼は國民に重税を課して、宮廷造營といふ尨大な土木工事を起し、高麗王朝にもまさる峻嚴な階級制度をもつて、人民を拘束しかつ隷屬せしめた。李朝の創案になる八賤制度こそは、專制者の典型的な人權蹂躙でなくてなんであらう。

たゞ我々は李朝初期の一人の名君の存在によつて、朝鮮の代表的偉人の面影をみることができる。おそらく李朝四世の世宗こそは、朝鮮人としての意識を、最も強く體驗した人に違ひない。王の施策は、すべてこれ人民のためのものであり、人民の福祉を願ふところから發したことである。勸農、勸學、經濟振興、人民登用(道法)、法令の改良、科學の奨勵、その功績は枚擧に遑ないが、わけても、訓民正音の發布こそは、朝鮮文化を、世界文化史のレベルに引き上げたものである。

民族的悲歌

保高徳蔵

金史良君の「光の中に」、「天馬」、それから、題は忘れたが未定稿の百八九十枚の火田民を扱つた作品（私はこれを生ま原稿のまゝ讀んだ）、また靑木洪君の「耕す人々の群」といふ長篇等を讀んだ時に、私は、その文體の中に我々日本の作家ではどうしても出すことの出來ない、朝鮮的な獨特の底光りのするものを感じた。

そして、最近また尹紫遠君の「三十八度線」といふ未定稿の作品を讀んだ時にも、同じものを感じた。この作品はまだ完成されたものではなく、作者は完成に懸命の努力を拂つてゐるさうで。私が讀んだ時にはまだ幾つかの缺陷が指摘されたが、その文體に前二者と共通した底光を感じたのである。日本の敗戰と共に三十八度線を境にアメリカとソ聯軍によつて兩分された朝鮮半島には、様々の面に於いて日本以上の復雜な現象が起つてゐるが、この作品もそれを扱つてゐるのである。兼二浦でペンキ屋を營んでゐた兄弟が若い妻を連れて、朝鮮の故郷へ引揚げるために三十八度線を突破して歸る道中記で、前述のやうに幾つかの缺陷はあるが、それ等の缺陷が除去され、更に補塡すべきものが補塡された曉には、私の云ふ文體から浸み出てゐる獨特の底光は更に強く讀者の心に觸れるであらうことが豫想されて、私は尹君のためにその完成される日を期待してゐるのである。

ところで、我々日本人には出すことの出來ない朝鮮の作家獨特の底光とは一體どんなものであるか、といふと、私は、李朝五百年の苛政に次いで日本の侵略主義の暴壓の下にあへぎ呻いて來た朝鮮人の胸奥に湧き出た民族的な悲歌であると思ふ。それは帝政ロシアの專政治下に於いて、もがきあへいで來たロシアの農民のそれに似かよつたものである。上からのしかゝつて來る强大な壓力に抗すべくもなく、悲慘な生涯を苦惱と呻吟の中に送つて行つた民族の悲しみが、人々の心に育まれ、自然の調子となつて出て來たものである。そこには文化の花の咲き匂つた西歐のダンデイズムはない。粋（いき）とか通（つう）とかに逃避した徳川未期から明治にかけての日本の小説とも相去ること遠いものである。それはやはり、どちらかといへばロシアの作家に感じられるものである。私は、生きることに精一ぱいで、生活の喜びもなく、文化の片鱗をも身につけず、愚直で、悲惨事に全身をもつてぶつ突かつてゆく人々の叫喚とすすり泣きの聲が、ドストイエフスキーの作品を讀むたびに感じられる、その同じ感じが朝鮮のこれ等の作家の作品から感じられることをいひたい。

金史良君は朝鮮に歸つた。そして延安に行つたといふ消息も聞いたし、平壤の大學で講座を受持つてゐるといふ消息も聞いたし、また金元基君が飜譯した戯曲が「民主朝鮮」に掲載されたのも懐しく讀んだ。青木洪君も朝鮮に歸つて、この方は消息もなく、どうしてゐるか全く不明である。從つてどんな作家的活動をしてゐるかわからないが、この點では金史良君も同樣である。私はこれ等の作家の消息も知りたいが、その後の作品を讀みたいと思ふ心が切である。いひ忘れたが、咸興で深更まで語り合つた韓雪野君の作品についても頻りに思ひが走る。この意味に於いて、民族的悲歌を文章の奥に自然に彈でさせ得る尹紫遠君の「三十八度線」が完成される日の 期待して ゐる ことを 繰返していふ。

新狂人日記　許南麒

今月の九日、つまり一九四七年の九月九日の、第一次郵便で、私のところに、次のような手帳が一冊屆いた。丈夫な包裝用のハトロン紙で、二重に丁寧に包まれたもので、「小包書留」と言う墨印の横に赤インクで劃方書き馴れた達者な行書で「手帳在中」と書かれてあるきりで、宛名も差出人も何も書いてない小包であつた。

私は何度かその表裏を確め、果してこれがどういう風廻しで、――全くそれは風廻しと言う他に、私に屆けられなければならない何等の理由も見當らなかつた――私のところに投げ込まれたかと、考えないわけには行かなかつた。私は、若しかしたら、この包裝紙の上に、もう一つ別の紙が貼つてあつて、それが投げ込まれる拍手に剝がれたのではないかと、一應、大門の內外を改め、小包の裏表を丁寧に調べて見たが、何一つ紙片も落ちていず、小包の上にも、それらしい痕跡は何もなかつた。眞新らしい切手の上に捺してあるスタンプも、どれ一つ如何がはしいものはない、言はゞ立派な小包として、このまゝ屆いたのである。私は、或いはこれは、他の人に屆けられるべきものが、何かの誤配ででも迷いこんで來たものではないかと思い、局まで持つて行つてやろうとも思つた。しかし、この郵便物に限つて、何處の誰の大門に投げ込まれても、誤配と言うことは成立つ筈がなかつた。つまり、これは誰が受取つても、それが正當な受取人と言うことになり、誰がそれを繙いて見ても、私に限つて何一つ文句はありませんと言つた至極身の上の自由な郵便物であると言うのがわかつたのである。

私は、もうこれ以上遠慮する必要はなかつた。私は早速その封を破り中にもう一皮、繞らしてある分まで取除いて、焦茶色の羊皮でもつて表紙を貼つた、今時には見るも珍らしい、大型の立派な手帳を取出したのである。それは、外側だけが當々たるものではなく、内味も實に結構な上質紙で出來ていた。そして、各頁には、それぞれ January 1. とか March 3. とかと日附が附いており、各々その下に Wednesday とか Sunday とかと曜日まで印刷されてある日記帳式のもので、その欄外には、毎日、フランクリンとか、ナポレオンとかゞ、同じ横文字で、一日一つづつ齊身修家の爲に役に立つ有益なる格言を書いているという、どう見ても、これは我が朝鮮の文明の水準からしては産出されそうもない充實したものであつた。

　だが、この手帳はこれだけで終つているのではなく、各頁に丁寧な書込みがしてあるのである。つまり、これは、誰かゞ私宛に新しい手帳を一冊寄贈して來たと言うのではなく、誰かゞ自分の手帳を、私宛に讀んで貰うために送つて來たと言うものらしかつた。私はその最初の何頁かを、大した興味も持たずにめくつていつた。そうしている中に、私はこの手帳が甚だ重大なる記事でもつて充されていることがわかつて來たのである。私は、事の順序として、その手帳の所有主、即ちこの手帳の内容を記載に及んだ張本人の名前を知ろうとした。しかし、それは失敗に終つた。何處にも、――表紙の裏表はおろか、文中にもそれらしいものは一言半句も見當らないのである。しかし、私は、手帳の内容全體から推して、これがある道の（惜しいことには、それが何處の道であるかと言うことも書かれてないのである。所々、「勿人郡」とか「選民邑」とかと言う地名が出るが、これも私の現在持ち合せている地理の知識からすると、朝鮮十三道、何處にも斯かる地名があつたとは思い出せないのである。）檢察部長の地位にある人のものであることはわかつたのである。だが、追々讀者諸君にも、その手帳を讀んで貰えばわかることであるが、この手帳の、一番最後の日附になつている、一九四六年十二月十六日附の日記は「預首令」と言う珍法でもつて首を道當局に取上げられてしまつた、首のない人間――、いや正確に言えば、首の代りにアルミニウム製の腦隨機關を取付けた人民どもで充滿したヒツトラー通りのことが細かく描かれている。ヒツトラー通りと言う名前からして、多分に怪しいが、アルミニウム製の代用頭腦を附けた人間どもが、うようよしている條に至つては、どうしてもそのまゝ信ずるわけには行かないのである。「預首令」と言う法律が、現在施行されていると言う噂は、全然聞かないが、我國のことだから若しや何處かの地方でこつそり實施しているのではないかと思い、朝鮮通信社及び東亞日報社宛、各々電話でもつて問合せて見、又南朝鮮と北朝鮮の本年度の年鑑を取寄せて、該當項目を詳細に調べたのであるが、どうしたものか全然斯かる事實が見當らないのである。

しかし、そうであるからと言つて、この手帳全體が、一種の空想からなつているものだとも斷言出來ないのである。何故なら、そのためには、餘りにも全體の調子とその筆跡等が眞面目であり過ぎ、その方々に見える法律的知識が專門的であり過ぎるのである。又、事實この手帳の內容が、實際になかつたものにしても、あの人民共を封ずる手としては、實に適切な考えではないか。

先づ私は、この手帳の主がその扉に「國法及び正義と危險を共にすべきなり」と言うソクラテスの言を持つて來てあることに感心するのである。それは、二行に亙つて記され、何かこの持主の人格を象徵する言葉のような氣さえするのである。この手帳の持主は想像するに、法を遵守する精神に於いて、當代我が朝鮮の、どの法務官にも引けを取らない立派な精神の持主ではなかつたかと思うのである。

先づ私は、その第一頁、卽ち一月一日の欄から紹介したい――。

一月一日。夕刻道長官宅に於いて迎年宴。民族團結黨地方委員李氏參席。僕は、こんな政治屋どもが嫌いだ。まるで何かの猿芝居だ。

一月二日。右翼であろうが、左翼であろうが、苟くも法を亂すような者はどんどん檢擧すること。これ卽ち法治國の憲なり。

一月三日。勿人郡、勿人紡織會社形勢不隱、道檢察部動員。

一月四日。日曜日。鄭牧師が敎會に出て見ないかと誘う。しかし僕は斷つた。少くとも法務官と言うものは絕對中立でなければいかん。敎會に行くことも、現在の朝鮮の現狀から見る場合、或る一派に偏向することになる。危險、危險。

――これは至極當然な話に過ぎない。少くとも法務に携り、社會の秩序を保持する者としては、當然こうあつて然るべきことである。今更改めて紹介するまでもない話だ。もう何頁かを飛ばして、もつと面白そうな所を書き拔いて見よう――。

一月十七日。槿民郡、國土熱愛黨支部內に武器彈藥多數隱匿の疑いあるを以て、一應手入れせんとせるも、道長官、見逃がされよとの言により、已むを得ず中止。彼もどうやら國土熱愛黨系らしい。

一月十八日。歸還同胞七人組による「新一枝梅」と言うのが現はる。昔、巷間の人氣を一身に集めた一代の義賊「一枝梅」の故事に倣う者どもらしい。彼等は强盜を働いた家の壁に「我々は、富の公平なる再分配を、身を以て實踐する者に過ぎない。」と大書したビラを貼り、その上にゴム判の「一枝梅」を押すそうだ。外地から歸える者は、どうも赤くさい者が多くて困る。早速手配する。

――これは多少面白い。あの有名な義賊「一枝梅」の二世が生れたとは愉快な話だ。私はうつかりして、新聞で讀み逃したに違いない。日附を控えて置いて、後からその日の新聞を探して見よう——。

二月六日。、早婚の悲劇と言うのは、今日になるも、まだ跡を斷たない。一體これはどうしたことか。二十一の嫁と、十四の婿と——。妻が苛性曹達で夫を毒殺したと言う事件だ。

二月七日。暴行とか姦通とかと言う事件は先づ穢わしくて仕様がない。同じ犯罪でも强盜とか殺人とかと言うのは見ていて氣持がいゝものだ。法律の中にも隨分下らない條文が一ぱいある。

——大して珍らしいことではない。こんなことなら、毎日の新聞紙上に、うようよしている。——

二月二十一日。明月館に行く。崔警部の奴が、是非一つ部長殿、一緒に行つてあげましよう、先方であれだけ部長殿を一目でもいゝから、お目にかゝりたいと、言つてますからと、再三うるさく言うので行つて見たら、何のことはない、そいつの息子の放免願いぢやないか。經濟違反で徵役一年六個月と罰金七萬圓の求刑を受けた奴を、何とか出して下さいと言うのだ。席を蹴つて立とうとしたら、崔警部の奴が、盛に、まあまあ、そう言つたもんぢやありませんよ、部長さんはまだ若いからそう仰るけれど、年を取つて見るとわかりますよと、妙な宥め方をした。奴には法の精神がわからん。

二月二十二日。また崔警部の奴が、米を二俵、官舍に屆けて來やがつた。早速返してしまう。

二月二十四日。何とかして、あいつを何處か他所の道に廻してしまうか、馘にしてしまはなければならない。彼は、法務官としての資格がない。

——下らん話である。もつと別のところを讀んで見よう。——

三月一日。所謂三・一記念日である。道廳内でも、この偉大な革命記念日の行事をやることになつている。しかし、私は職責上安閑として祝い酒に醉つて居れない。部下を總動員し、トラックに分乘させ、市民戰線と民族團結黨とが主催する二つの記念大會を警備する。各地で、この日を期して、左翼及び右翼の大衝突が準備されていると言う情報が入る。

三月二日。昨日は遲くて書ききれなかつたけれども、どうも左翼と言う奴は一筋縄では行かない。彼等は正々堂々と眞正面から、ものを言うのではなく、何時も根本から覆そうとする癖がある。治安維持法見たいなものがあつて、一齊に總檢擧をせねばならぬらしい。

——私は、元來こう言うことには興味を感じない。餘り專門的であり過ぎるのである。もつと別の頁を開けて見よう——。

五月七日。市内某中學校の、入學試驗に關する收賄事件が報告されて來る。これは昨日の選民邑女學校の入學試驗の際の、一教師につき五名宛の收賄入學默認に關する學校長の割當事件と、同一のものである。早速この件に關する、道内全學校に對する調査を命ずる。全く困つた話だ。

五月十日。今迄集つた報告では、殆んど調査した學校の大部分が、皆、一教師五名宛の、收賄入學を實施していると言う。これは由々しき問題である。徹底的に追及して嚴罰を以て臨む必要がある。教育の精神も、全く地に落ちてしまつたものだ。

――さ程、珍しい話ではない。先づ早い話が、汽車の切符一枚買うのでさえ、幾らか握らせなければ買えないと言う世の中に、學校に子供をやるのに、金のかゝるのは別に不思議なことはない筈ぢやないか。少し、氣が利かな過ぎる。尤も檢察部長と言う役目は、これでなければ勤まらないかも知れないが、別に我々は、こう言うことを、此處でもう一回讀み直さなければならない必要はないのである。もつと先の、もつと重要な所から寄して見ることにしよう。

この手帳は、もう少し先に進むともつと文體が簡潔になつている。たとえば「又明月館招待、斷る」とか「ウイスキイー一打、馬鹿にするな」とかと言つた風に、上、下、二つの語句で持つて、殆んど綴られていると言うことが眼に付く。そして、時たま、一、二日と絶え勝ちになり、七月十日あたりから、殆んど毎日のように「形勢不隱、集會に氣を付けること」とか「K S駐在所管内、暴動の氣配見ゆ」とか「强制供出不滿の暴徒、駐在所を襲擊」とかと言つた熟語が並べられ。

八月七日。何か治安維持法見たいな法はなきものか。と結んである。

それから、八月の二十二日まで、空白のまゝに飛ばして置いて、八月二十三日に至つてやゝ詳細な記事が書かれているのである――。

八月二十三日。僕は最近になつて新聞を讀むのが、すつかり嫌いになつてしまつた。もともとから僕は朝鮮の新聞と言うものに對しては、大して敬意を拂うことが出來なかつた。殆んどが、所謂新聞の使命である筈の、公平と正確と迅速なる報道と言うことを忘れてしまつて、出鱈目な記事ばかり載せているからだ。たとえば先週土曜の國土熱愛黨主催の非常國民大會は、私も行つて見たのであるが五千人位しか聽かなかつたにも拘らず、その政黨系の國土新聞では「十萬の大衆を動員!」と三段拔きの大見出しで煽つて置いて、冬帽に外套を着けた豆粒程の澤山の群衆が寫つている何處か他所の寫眞を麗々しく掲げてあるという式なのである。萬事がこう言う調子だから、何處まで信用していゝのか見當がつかない。

しかし、今朝の新聞では、僕は一大發見をした。この記事も、例の調子で捏ち上げたものではないかと心配だが、もしこれが本當だとすると、これは大變な研究だ。恐らくコペルニスク以來の、大發見と言つてい丶譯だ。それは、この市のある外科醫が、頭部の分離手術と言うことに成功したと言う記事である。今迄大腦や小腦や延髓の手術と言うのは殆んど不可能に近かつた。よしんば出來たとしても、それは極く小部分の手術であり、叉危險率も相當に高いものであつた。しかし、この外科醫は、アルミ製の延髓と小腦と中腦と大腦半球の人間運動に必要な部分だけを入れた丸い腦髓を豫め用意して置いて、それに手術を受ける人の呼吸器管や神經等を連結すると言う方法を取るのだつた。その間に、本物の頭部は安心して切り離して手術すると言うのである。この方法によれば代用頭腦を作ると言うことが多少面倒なことであるが、手術そのものは注意してやれば危險率は一〇%以內で濟むと言うのであるのだ。

早速、今日中に誰かを遣つて、その外科醫に會つて見るつもりだ。

八月二十五日。僕は、これを法律にしようと思うのだ。先づ、國法でもつて、どうにも處分のつかない人種どもの大腦半球を、道でもつて徵發しようと思うのだ。造物主は人間に確かに必要以上の頭腦を與えたのだ。僕はその回收役を今から演ずるのだ。造物主が與えた頭腦を、造物主が期待している以外の、或いはそれ以上に濫用する人達は、當然罰せられてい丶譯だ。朴醫師には、こんな內容は話さなかつた。兎に角、その研究を使はしてくれることを賴んだ。彼は、こつちから人を遣つて呼び出したものだから、何か彼の研究に對して言掛りでも付けるのではないかと思つて、びくびくしていた。だが、こちから言い出したものが、その研究の、言掛りではなく、それを利用させて欲しいと言うことであるのがわかると、彼はほつとしたらしく「は、どうぞ。幾らでもお使い下さい。」と、まるで石鹼か何かでも貸すような格構で、右手を二度ばかり前に差出し、無闇にぺこぺこと頭を下げて退下つて行つた。僕は獨りでに微笑ましくなつた。彼は溫厚な醫學徒に違いない。

――しかし、こう言う長い記述も、こ丶二三日で終り、その後は、叉例の簡明な文體に代つている。

九月二日。判例集 P.56 我妻氏民法總論、石田氏民法概論、牧野刑法 P.201～P.215 參照。

九月五日。スイス法典讀破。參考書が欲しい。

――無味乾燥である。もう何頁かめくる。

九月十二日。法令構想中なり。

九月十六日。大體の構想終る。

九月十七日。上司の許可申請。それから、明日から當分の間、休暇を貰う。

――下らない。この手帳の主人公が、新しい法令を草案中とある。もう五頁ばかり飛ばす。――

九月二十五日。この法律の完成の爲に、我が身命を賭さん。

――何か悲壯な覺悟である。

十月四日。萬歳、新法令完成、道長官大滿足。早速來週初に、道議會を召集、これが發布方を約す。

十月十日。本日預首令發布。もう心配することはない。我國將來の見透しも、これで大安心だ。隣道より、早速長距離電話で、法令の趣旨と、その內容と法令全文のコピーを申込んで來る。その他の道よりも、この內容を知つたら申込んで來るに違いない。もう大丈夫だ。

――私が、特にこの手帳を掲げて、こゝに紹介するのは、この預首令と言う新法の爲である。手帳は、この日から俄然晴彩を及び、手帳の主は、日々の數字を書きあげて行くのに、一つの生き甲斐さへ感じているような力み方なのである。

十月二十八日。早や二百名を突破。これは餘程大量的に代用頭腦を生產しなければならないんだが、しかし、この代用頭腦と言うのが、人造人間の頭腦を作るような精密な操作と技術を要すると言う代物なので、どうも科學的水準の低い我が朝鮮では、一日十個以上は何ともならないのである。しかし預首令の處分を受けるのは、今迄の平均だと一日三十名を超える盛況であり、又どんどんその率が增える一方だから、何とか生產設備を擴張する方法を取らなければならぬ。今日も、僕が頭腦工場を督勵に行つている間に、朴醫師が來て行つたと言う。彼には困つたものだ。

十月三十日。クリスチャンと言うのは、仕様がない。もう、あの預首令と言うのは止めてくれと言うのである。僕の研究を基礎にして作つたものだから、もう僕の研究を利用することはお斷りしたいと、朴醫師は言うのである。醫師としてもそうであるが、特に人間として、神に仕える身として、自分は精神の苛責に堪えられないと言うのである。今日迄の總計四百二名。この街にも大部、アルミの首が見受けられるようになつた。

十一月五日。計千三百十七名。朴醫師、又來る。

十一月十日。計貳千五百六名。もう算えるのが嫌氣が差して來た。街の半數が、あの人種のような氣がする。

十一月十五日。初め、一人や二人を街で見掛ける時とは、まるつきり違ふ。なるべく街でも見掛けないようにし、朝夕の自動車の中では眼をつぶることにする。

十一月二十日。朝、部屋に入つたら途端に、金巡査が「總計全部で壹萬五百十名」ですと、度外れた大きな聲で報告をしたので、僕は思はず「馬鹿野郎」と怒鳴りつけてやつた。「もう明日から、そんな數字は報告せんでもよい」と言つてやつたら、變な顏をして何時までも僕の顏を見上げていた。いやな野郎達だ。朝から事務机の上で、日本の大正年度の民事判例集ばかり讀む。

十一月三十日。又朴醫師が來る。それを、居ないと言つて斷らせたら、お晝頃事務室に訪ねて來た。あゝ、街中がアルミの頭腦みたいな氣がして仕様がない。

――十一月二十日頃から、この手帳の筆蹟は、次第に亂筆になり、所々鉛筆で書きなぐつた所も出來て、全體として何かたゞならぬ精神的な動揺が見えて、全く氣の毒な氣がしてならぬのである――。

十二月八日。今日は日本が太平洋戰爭を捲き起した日だと言うので、反フアッショ鬪爭委員會と言うのが、市民廣場で「反フアショ大會」をやるのだと言う。そのスローガンの中に「預首令卽時撤廢！」と言う一項が入つていると言うから道警察部を動員して首腦部の總檢擧をやらせ、僕の代のに崔警部をやつた。すると崔警部はお晝頃歸つて來て、もう彼處には、誰一人、まともな首をつけたのはいなかつたから檢擧の仕様がなかつたと言うのだ。僕は何故か胸がどきんとするのを覺えた。三萬名に近い――三萬名位集つていたと言うのだ――首のない人間の集り。そしてそれがアルミの白い球を輝かせながら、デモをすると言うのだ。僕は何だか、胸のうちがむかむかする。

十二月十日。アルミの球に色を付けることが流行ると言う。そしてそれも殆んどは赤色だそうだ。僕は氣が狂いそうだ。もうこれ以上耐えられたもんぢやない。地方では、もぐりでもつて預首手術をやつている醫者が居るものと見えて、時々地主や有産階級や、地方に出張中の官吏達の首が首のない奴等の手によつて切り取られると言う話だ。嚴重に取締るよう各警察署長に命令を出す。そういう醫者は、どんどん死刑か懲役に送る必要がある。。朴醫師が、又來る。まるで神經衰弱か何かだ。顏色が蒼白く、骨ばかりが殘つていると言う感じだ。僕が、彼の顏色の惡いのを心配ずると、貴方だつて骨ばかりぢやないかと言うのだ。貴方だつて良心の咎めを受けてゐるのぢやないかと、彼は言うのだ。何か、近頃はこの男に逢うと、氣味が惡い。彼は又神の話をして歸る。僕は神樣から見放された極惡人なのかも知れない。ふん、そんな馬鹿な話があるか。僕は法律なんだ。僕が法律を作るんだ。僕は一條一項だつて、法律に背いたことはないのだ。僕は善人だ。僕は善人だ。――僕は一番正しい人間なんだ。

――そして、この手帳は、次の十二月十六日でもつて終つている。それは殆んど讀み取り難いような亂雜を極めたなぐり書きで十二月三十一日の日附のところまでを占領し、又それでも足りなくて、六枚ばかり餘分に付いている住所錄の所まで食出した程長いものだつた。

十二月十六日。街は猛烈な寒波でもつて覆はれ、氷が軒並に氷柱を垂らしている寒さであるにも拘らず、僕は體のほてるような眼暈をどうすることも出來ないのだ。何かそれは激しい嘔吐を催す惡感のようでもあり、地面が急にくらくらと震動するような耐えられない不安のようでもあるのだ。僕はなるべく人間の通りそうもない裏通りから裏通りを選んで歩いた。それにも拘らず、それでも、足音を聞くと、何か道端の建築物、たとえ、それが人の家のガラス戸であろうが、電柱であろうが、それに縋り付かなければ倒れてしまいそうな足のぐらつきを覚えるのだ。

僕は、あの先週の土曜の晩から何處かえ出たきり、いままで歸つて來ない運轉手を罵倒する元氣も、早速代りの運轉手を見付けてくれと頼んで置いたにも拘らず、今日迄誰一人、機械的に見付けてくれようともしない庶務の野郎共をののしる力もなくなつてしまい、たゞ一刻も早く、あの二つの大通りを無事に通り越して、道廳の鐵門を潜りたいことだけが唯一つの希望だつた。

しかし、あの裏通りから、ヒツトラー通りに第一歩を踏み入れた時の、あの光景は一體あれは何だろう。僕はなるべく何物も眼に寫らないように、たとえ、それが犬ころであろうと馬糞のかけらであろうと、何一つ眼には入れないぞと言はんばかりに外套の襟を首がそつくり入る位に引き立て、帽子は、額がかくれる程深く引き下げ、それから手提鞄でもつて殆んど顔をかくすようにして歩いた。

しかし、それでも駄目だつた。あの街のあれは、何一つ匿せなかつた。そればかりか、いま、このヒツトラー通りを通つている總ての物音が、皆各々髪や眼や口や鼻の代りに丸いアルミの球をつけて貴樣の鞄の上を踏みにじつてやるぞと言はんばかりに、僕の方に迫つて來るのだ。

ヒツトラー通りは、まるで荒涼たる風景なのだ。街路樹の立枯れた大通りの中を、遙か向うの通りから、無數の人間共が、首の代りに代用腦髓をつけ、アルミで出來たその白や赤の球を、折柄の白みかゝつた弱い朝の光線に光らせて、機織棹の變りか何かで、せめて織る眞似でもしなければならないかのように左往右往しているのだ。或者は杖でもつて地面を叩き、或者は手でもつて前方を探り、又或者は犬が泣くような聲で連れを探し、そして電車やバスや自動車に身を打ちつけ……、そして、その中を幾人かの勞働者風の者達が赤旗を振りながら進み——僕はこんな光景を殘らず見てしまつたのだ。

（こゝで、ペンから鉛筆に代つている）

僕は、あれから一生懸命走つた。あの大通りを通り抜け、嵐の中でも突切るような格構でもつて路次の人ごみの中をかき分け、そしてフランコ通りの出口で危くトラックにぶつかりそうになりながら、全く汗だくだくで道廳の玄關に到り着いた。

しかし僕が部屋に入つた時、そこにはもう先客が待つていた。朴醫師である。彼は白い手術衣を着、大きな手術刀の入つた箱を手にした看護婦を二人ばかり連れて來ていた。

僕は、彼が何をしに來たかゞわかつた。僕は彼の白い服を見ただけで、全身の血が一勢に退いてしまうような氣配を覺えた。僕は、彼が非常な興奮でもつて、直ぐものが言えず口元ばかり、ぴくぴくさせているのを見て、先づ彼に席を推めた。しかし彼は坐ろうともせずに、僕の顔ばかり見つめているのだ。

彼は自分にも預首手術を實施してくれと言うのだ。神に仕える者として、これ以上自分の犯した罪を默認している譯にはゆかないと言うのだ。だから、若し預首令と言う惡法を廢止し、あの預首令に掛つた人達の首を全部歸してやることが出來なければ、已むを得ないから自分を預首令にしてくれと言うのだ。僕は、氣が狂いそうだつた。何と返事していゝのか見當がつかなかつた。出來れば一層のこと、僕自身が預首令に掛りたい位だ。しかし預首令を廢止することは出來ない、預首令が惡法なもんか。たゞ預首令に該當する人が餘りにも多過ぎただけだ。供出を拒んだり小作料を拒んだりして、駐在所や警察を襲撃した人間が餘り多過ぎただけなのだ。

僕は、このクリスチヤンの醫者を、どう言う風にして歸らせばいゝのかわからなかつた。僕は、窓の外ばかり眺めた。こゝから見えるのは、森と空だけだつたので、幾分それらの物が、僕を落着かせた。

丁度その時、僕のところに電話が掛つて來た。郊外にある預首保管所に暴徒の一團が亂入して來たと言う知らせだつた。全く助かつた。僕は急な事件が起つたので、今そこに行かなければならないと斷つて、彼を部屋に待たせたまゝ其處を飛び出した。

（こゝに、二行空いて、又ペンに歸つている。しかし、妙に文字に力がなくなつていて、同じ日の日記とは思えない節もある）

僕はいま、僕の體の行方を探している。僕の、あの體だけが、あのアルミの首をつけて、ヒツトラー通りや、フランコ通りの人ごみの中で、電柱や電車やバスにぶつかつていることを考えると、憐れて仕様がない。僕はあの日の歸り途に、幾人かの暴漢に襲はれたことを別に遺憾とは思つてない。逆つて、あのクリスチヤンの醫者や、崖警部に會はなくて、せいせいしている。たゞ、僕の、最も愛する體と別れたことが氣になる。

だが、こうして、アルコールのガラス箱の中で、一人で靜かに坐つていると、色々新しい法令の構想が浮んで來る。今度は一つ、犯人の顔面から鼻だけを分離してしまう法を考えたいと思う。

（「續・新狂人日記」に續く）

傷痕

金達壽

1

聖珉兄

三日前に、ぼくは三浦半島のはずれのこの海岸にきていることをつげて、「自由民」十二月號の計畫を話した手紙をうけとつてくれただろうか。いや、まだうけとつていなくてもこの手紙を君がよんでくれるときには、もううけとつているはずだ。それから、三日經つている。三日、――うむ、三日前に手紙を出したことをいまいつているのだから、三日經つているなんて、あたり前なことだ。當り前なことを、……いや、待てよ、ぼくはいつたい何でこんなことを書き出したのだ。いつたいぼくは、君に向つて何を話そうとしているのだ。もう一行つけ加えてみよう。そして、昨晩と同じようにこのまゝ後ろへひつくり返つて、兩手を枕に、またべにや板のくすんだ天井をながめてみよう。また鼠が走ることだろう。……

聖珉兄

この三日の間、ぼくはこの自分の好きな風景の場所にきているにもかゝわらず、すこしも落着いた氣持をもつことができなく、始終、何かに追われてでもいるように、そわそわとしている。そしてなぜともなく君のことを思い出してはしきりと長い手紙を書くことを考えているのだ。いつたい何をぼくは話したいのだろう。――いや、率直にいおう、ぼくはいま死んだ妻のことを考えているのだ。そうだ、ぼくは妻のことを君に語ろうとしているのだ。

君はおぼえていてくれたか、どうか、二日前の九月二十九日は妻のボクスニが死んで丁度一年目にあたる日であつた。つまり一週忌日であつたのだ。しかしぼくたち一家——といつても、君も知つているように一家をなしている兄とぼくとは十丁ほど離れて別々に家をもつて住んでいるのだが——のすべての祭事のことは舊陰暦で行われているので、祭事行事としての一週忌はこの日ではない。たしか昨年か今年が閏年に當つたのであろう、こういう祭事の日は父をはじめ曾祖母にいたるまで後生大事に記憶のなかに入れている母も、このことについてはまだ何もいつてはいなかつた。この祭事（ジエサ）のことをいうと思うのだが、おそらく君は「お前のところではこんなところにいてまだそんなわれわれの舊式そのものである祭事などをやつているのか」というかも知れない。まつたくそうだ、いまとなつてはこれはまつたく古くさい、わが朝鮮の封建的形式、遺物の一つだ。異國の地でさすらう身でありながら、しかも明らかに舊文明の遺物である太陰暦を用いてそれを終生大事にとばかりに行つているとは。——だが、聖珉兄、解放されたいまだからぼくはこういえるのだ。この意味で「八・一五」のあの解放は外の無暴な支配からぼくらを解放したばかりではない。内からも、つまりもう遠くのむかしに打ち捨てられていなけばならなかつたはずの、あの儒教によつて練り上げられたわが朝鮮のあしくやかましい傳統からもぼくらを解放してくれた。たとえば解放以前のぼくたちはわが朝鮮の封建性とは何かなどと知つてみようともしなかつた。それればかりか、無暴な手によつては、あらゆるぼくらの新しい可能性とともに、それさえ押さえつけられることに反撥や、憤りを感じないではいられなかつた。人は自分の缺點を自分で氣ずいたときにこそ滿足にただすことができる。他人から指摘され、矯正されようとすると場合によつては反撥心をおこし、ますますその深みへおちいつてゆくものである。そしてまた、この意味でぼくら朝鮮人は外へも、内へも進むことができず二重の「負い目」を背負わされてきたわけだ。ともあれ、わが民族のあの運命の時代にあつて、その壓迫や無暴が重なれば重なると思うほどに、なるべく古く、傳統的に、朝鮮的に則つてと心を配つて行うぼくたちの祭事は感激的でさえあつた。空襲の夜でさえ、それは決して止めなかつた。密閉した部屋の外を駈けまわる警防團のヒステリツクな叫び聲をよそに、かえつてこんな夜は小さなローソクの灯にぼくたち兄弟は、ほのかに互の姿をみとめ合ひながら、遠く爆彈の落下で地響きがし、爆音が近ずいてすぐ近くで高射砲が射ち上げられるなかで祭壇にぬかずくぼくたちには、いつそう嚴肅さが加わるのだつた。しかしそれは本當の嚴肅さではなかつたであろう。それは「辭禮」がおわつて祭壇を「とりかたずけ」るときに、兄がその顔にうかべる虚無的な微笑をみて充分に分る。この兄がついに特高に検擧されたときは、ぼくは祭壇をしつらえる順序（この順序の面倒なことはまた「辭禮」のあのやかましい面倒さにおとらない）をよく知らなかつたが、このときはただ「心をこめて」なおいつそう「嚴肅」にとぼくはやつたものだ。

いま考えてみると、これらのことをすぐに中止し、打ち捨ててしまうということには實をいうとまだためらいを感じるというのが本當であるが、しかし大の男が二八、あの舊式な、儒教的な「大辭儀」をしている恰好を思うと、ちよつと滑稽も感じる。解放後にもその祭事がなかつたわけではない。二年の間、正月、秋夕を合わせて四度もあつた。しかし最初のときは、兄は旅行中であつたし、ぼくもまた多忙でそんなところでなかつたので、うやむやとなり、その次には母たちはやはり仕度をととのえて祭壇をしつらえたのであるが、ぼくたちはどちらからいい出すともなくあの事大的な「大辭儀」はやめることにして、ただ香をちよつと炊いただけで止めてしまつた。もちろんこのような、祖先の靈をないがしろにすることに對しては母は大反對であるが、しかし不思議なことに、解放後は母も以前のようにそう熱心でないといつていい態度がみえることである。聖珉兄、君は金眞三さんを知つているね。太平洋戰爭の末期頃にはついにぼくらにも知らせず、故國へ歸り、中國に渡つて義勇軍にもぐり込むことに成功したというあの金さんだ。あの金さんは、外出して電車にでも乘るときはわざとにんにくをたくさん食つて出掛けたものだ。それは下品な惡趣味といえば惡趣味であつた。しかし考えてみると、ぼくたち兄弟が一生けん命に嚴肅になつてやつてきた・わが朝鮮の傳統に則つた祭事行事が、この金さんのにんにくのようなものであつたのだ。ただ金さんのにんにくは自覺的であつたのにくらべて、兄は知らず、ぼくの祭事に對していたことは無自覺であつたということだ。

金さん、……いや、待てよ、話が大分横道にそれたようだ。祭事やにんにくのことなどはどうでもいいことであらう。無駄なお喋りをしたようだ。ぼくは話をぼくがこれから語ろうとする中心へもつてゆかなくてならない。ぼくは死んだ、二十二歳でその生涯を閉じてしまつたぼくの妻のことを語ろうとするのだ。ぼくは何だつて祭事のことなど長々と語り出したのだろう。ぼくがこれから語ろうとするぼくの不幸な妻のことと直接に何の關連もないことではないか。

2

聖珉兄　ぼくは、いま無限に語りたい。限りなく話してみたい。前にぼくは、この自分の好きな場所にきているにも拘らず落着くことができなくてそわそわしているといつた。

そうだ、そわそわしているのだ。しかし、落着くことができなくてではなかつた。いや、逆に落着きすぎたためだつたのだ。氣がついてみると、ぼくは解放以後のこの二年間というもの、まつたく落着いて「考える」というときがなかつた。日本におけるぼくたち民族の團體の結成（誰にも干渉されることなく堂々と民族團體をつくり得ることが、何だつてあんなに感激の連續であつたのだろう）とその運動、やがて雜誌「自由民」の發刊、經營、いくつものペンネームによる執筆、出講等々――まつたく眼まぐるしくて愛情の問題など考えてみる暇がなかつたのだ。

いまぼくは「愛情」といつた。そうだ、愛情だ。愛情、――聖珉兄、ぼくは愛していたのだ。そう、愛し、……いや待てよ、これはまだはつきりしない。正確にいうと愛していたのだ、というよりも愛されていたのだ、という方がいゝかも知れない。いやこれも適當ではない。どういつたらいゝか、――まずぼくは妻を愛していたのか？　愛していたかも知れない。いや愛してなどいなかつたのかも知れない！　聖珉兄、いまぼくの頭は混亂している、失敬、ゆるしてくれ。奇妙だ、ぼくは愛という言葉を、文字をいま書いただけでそのなまなましさに壓倒され、混亂する。これはいつたいどうしたことだ！　ぼくは愛というものを知らないのか、ぼくはいまいつたい幾歳だ、二十九だ。もう三十という、後期の青春をひつさげながらぼくは愛情というものに白痴なのではなかろうか。

こういうと君はもう笑い出しだか、信じかねるといつたときに君がよくする、唇の端をひらいて眼の球を小さくするあの複雜な顏つきをしているかどちらかだろう。何しろ死んだ妻とぼくとはいわゆる戀愛結婚であつたし、その前にもぼくはほかの女性と戀愛をしたこともある。

そんなぼくが今更のように女にたいする愛情云々など、――しかし聖珉兄、ぼくは眞面目なのだ。ぼくはいまになつてまでも妻に背負いかぶさるようではなはだ恥ずかしいのだが、何時も君が好意をもつてくれたぼくの妻のためにも、どうか最後まで讀んでくれることをぼくは願う。ぼくはいまこそこの妻とぼくとの生活を君の前に打ちひろげて語りたいのだ。語らずにはいられない。――

聖珉兄、その前にぼくはまず、ぼくがいまきているこの宿のことや海岸のことをすこし話しておかなくてはならない。これはなにもぼくがこれから語ろうとすることの中心を山として、よく或る人の作品のように連絡のない景品をつけて技巧的にぐるぐる遠まわりをしようとするのではない。またそんなことをしたくとも、作家である君には無駄なことだ。いたずらにぼくは疲れ、君に時間をかけさせるばかりであろう。

三浦半島のはずれのこゝは、北原白秋の詩で有名になつたあの三浦三崎の城ガ島に通じる途中の、津久井という海岸なのだが、ぼくは前からこの海岸が好きだつた。この海岸にはまたいろいろな思い出がつながつている。その思い出は十何年の前にものびて、ぼくの成長に直接つながつているのだ。そのころからぼくは全身の決意として「後に」かならずこうしてこの海岸にやつてくることを考えていた。ぼくが泊つているこの宿、これもそのころのそのままの宿である。

K氏の後援會の人たちがぼくにどうしても東京を離れなくてはと、いや待てよ、いくら話をかいつまんで簡單にするにしても突然こういつては君には何のことだかよく分るまい。聖珉兄、君はあの十月十日の喜びの一人であつたK氏を知つているね。實はK氏後援會の人々の手で、今後K氏の傳記――というよりもその闘爭記――が出版されることになつたのだ。K氏とともに苦闘してきた日本側の人々はそれぞれ亡命の記や、獄中の記が出版されている。この人々にもおとらずほぼ同じ年月を獄中にすごしてその信念とわが朝鮮の獨立のために苦闘してきたK氏の、その周圍の人々が日本側のこれらの出版に刺激されたというと誤りがあるけれども、その波らんに充ちた半生の記をまとめることになつて、これの執筆をぼくに依頼してきたのだ。

ぼくら朝鮮人のやりかたの一つで、諾も否もなかつた。或る日K氏の後援會の人が事務所にやつてきてぼくをつかまえ、ちよつと頼みたいことがあるからきてくれという。それでついてゆくと、そこに待つていたK氏とぼくを一室にとじこめて傳記の執筆に必要なノオトをとれという。ぼくも前に二、三度K氏に接する機會があつたので、その長身の、とてもぼくたちが普通考えているような闘士というものからは遠い感じの、むしろ藝術家といつた風貌の持主であるこのK氏には、その人となりにたいして深い敬意とともに興味をもつていたのでぼくはよろこんでノオトをとらしてもらつた。ぼくの考えではそのうちに暇をみて是非書きたいと考えながら。ところがノウトをとり総えると、後援會の人々は旅館で必要な食糧と費用とをすでに用意してあつて、東京にいてはほかの仕事に追われてとても渉らぬだろうから、どこか山か海岸へゆけというのだ。君もよく知つているようにぼくら朝鮮人、ことにK氏の故郷の人々が中心となつて構成している南鮮人はこういうことをユーモラスなうちにはこんでしまうことがとても上手なのだ。しかし、もつと材料も集めなくてはならぬから、といつてのがれてみようとしたが、それはここに揃うだけ揃つていると別の包みを差出す始末に、ぼくはもうどうか行き先を頭にのぼせてみなければならなかつた。しかもこの傳記は朝鮮語と日本語版を同時に出そうというかなりの仕事で、なるほど東京にいて萬遍なくぼく自身の仕事を進めながらではちよつと何時筆をとりおろせるかも知れぬ。こういう無理をしなくてはとても駄目だろう。突然でおおくまごつくこともあるにはあつたが、ぼくは笑つてしまうよりほかなかつた。

　それで行き先としてまず思ひ浮んだのが、三浦半島のはずれのこの海岸とこの宿であつた。ここなら近くもあるし、東京の事務所と電話でその日のうちに連絡もとれるし、それにここはさつきもいつた通り、ぼくにとつて深い思い出のつながつている場所なのだ。何年振りかでこの場所を訪れるぼくには、誰にもいい得ないような感慨がある。それは何年振りという、たゞ時間的な距離による感慨であるばかりではない。その感慨はやがてこういう仕事をもつてこの場所を訪れるという、ぼくという一人の人間の成長といおうか、かわりようといおうか、そのことに深く喰い入つたものである。

　この海岸――。

　いまは横須賀線を久里濱で降りるとそこから三崎行のバスが出ている。そのバスの發着所から行く手をみると、かなり高い山あいを急な白い坂道がくねつているのが見える。バスはこの坂をあえぎあえぎ登りつめると、今度は曲りくねつてはいるが緩い下り坂となつて、やがて野比というところに出るのであるが、ここから遙かに突出した劍崎の燈臺をのぞんで一本の海岸線が通つている。バスはこの海岸線を走つて、三崎へ出るためにはまた急な坂を登らなくてはならないのだが、この間が約三キロ餘り、ここを北下浦、津久井、南下浦といつて、半農半漁の日當りのいい町と村だ。そしていまぼくが、K氏の傳記を書きおろすために泊つている南海ホテル（ホテルなどと、決して名稱によつてうける感じほどの派手ないわゆるホテルではない）という旅館は丁度このまんなかほどのところにあつて、右と左にこの海岸線の風光を見わたし、青い波のこゝからみえる限りの東京灣を一眸のもと下に入れて、前には房總の山々がうねりならび、ことに鋸山のうねりがすぐそこにある。

　このホテルはもともとこの風光を利して建てられたものらしく、となりの横須賀やまたは横濱、東京などの都會から地曳網を曳きに來る人々がその主な客だという。昨日も二組、今日も一組の男女の團體が繰り込んできて、賑やかなかけ聲で網を曳き、ここでさかんな宴を張つた。それはまつたく賑やかで樂しそうな風景だ。まず網を積み込んだ船が波に向つて乘り出し、だいたい五、六十米四方くらいになるべく早い速力で網を落して濱にある一組の人々が兩方に分れてそれを端しから曳くのだが、この間隔がだんだん縮まつていよいよ魚を追いつめた最後の網が上る段取りになると、人々はもう飛んだり、跳ねたり、叫び聲をあげたり、こゝからながめるぼくらの眼ででもそれは充分に面白そうであり、樂しそうなしかも收獲のあるスポーツである。しかし、ぼくは實はそれをながめつゞけているのではない。

　ぼくはもはや數十分も、いや二時間近くも窓の手すりに寄りかゝつてこの海邊をみつめつづけているのであるが、ぼくの眼はその賑やかな樂しそうな人々のさざめきを離れて、遠く右左の海岸線に吸い寄せられ、ぼくの眼は白い濱邊のところどころにおかれた船や、乾し網の間を縫つて何かをさがし求めている。やがてぼくは魂を失つたもののように、ぼんやりと意識が一つに集注していつて、秋の陽光のなかから陽炎のような一つの動く像を描き出す、それは身すぼらしいなりをした十七、八の一人の少年である。彼は古いバナナの籠を背負つていて、しきりと彼はしやがみ込んでは何かを拾つてその籠のなかへ投げ込んでいる。この濱邊はまた海岸線に細長いこの町と村の塵芥捨場でもあつた。それは丁度、埋立てをでもする工合にところどころ小さな築山をつくつて突出している。籠を背負つた少年はその塵芥捨場の築山から築山へと、だんだんと向うへすゝみながら籠のなかをふやしてゆく。少年はある距離まですゝみ、籠の中が一杯になりかゝると上の道路の方へむかつててくてくと歩きだし、やがてぼくの視界からその像は消えてみえなくなる。しかし、ぼくはその少年がどこへいつたかよく知つている。

　少年は上の道路の脇に止めてある車の箱に籠のなかのものを空けにいつたのだ。少年は車にそれを空け足すと、手を加えてそれをならしながら何となく日の傾き加減をみてみる。もはや夕方だ。辨當を食べなくては、……腹も空いた。しかしもう少しさきへすゝんでからにしよう。少年は自分を勵まし籠をとつて背にすると、再び海邊へその姿をあらわす。そしてさつきとまつたく同じ動作をくり返しながらさきへ、さきへと進んでゆく。やがて急にその像はぼけて、くずれて何もみえなくなる。それはその像がさきへすゝんで距離が遠くなつたからではない。それをみているぼくの眼に涙が急激に湧き立つたからだ。

3

　聖珉兄、ぼくはいま君に告白しなくてはならない。君はすでにぼくが幼いときから困苦のなかで育つてきたことは知つている。この日本へ渡つてきたわれわれ朝鮮人で困苦や苦難と關係のないものがあろうか。しかし君はぼくが具體的にどういう恥じらいや、努力や、溜息やを經てきたかは知らない。だがこれはまた、この日本へ渡つてきたわれわれ朝鮮人で困苦や苦難と關係のないものがなかつたのと同じように、これは何もぼく一人に限つた特殊なわけのものでも何でもない。それはぼくたちの世代だけをみる意味で、ぼくのいたあのN大學の朝鮮人學生たちを思い起しただけでも充分にわかる。そこにいた學生でその何年間を講義や研究に打込んで學生らしい生活をしていたものが何人あつたであろうか。みんなそれぞれ牛乳配達だ、新聞配達だ、或いはキャバレーなどのボーイをしているものだたちなどであつた。どこかの國の學生たちのように國元からの仕送りをうけて、その青春にふさわしい下宿生活やアパート生活をしているものがなかつたわけではないが、それはほとんど稀であつたばかりか、それこそ本當に特殊なものであつた。しかしいまぼくはここで、これらの特殊なものだちとくらべて自分のすぎた環境を照らし出し、その困苦だつたさまざまをくどくどしく述べたててみようとするのではない。むしろそんなことには觸れたくもないし、そんなことは少しでも早く、すこしも殘さず忘れ去つてしまいたいものである。だが、ぼくはもうすこし語らせてもらはなくてはならない。

いつもならば見渡す海面はさほどにみえなくとも、波打際には高い波がうねりを返し、風も強いところであるが、それも季節にとけ込んだように靜かで向いの房總の山々もくつきりと浮き上り、劍崎のあたりが春の霞のように明るくけぶつている。白い砂濱と秋の陽光、そして地曳網の人々の戯れ、ぼくはいまこれまでぼくにとつては經驗をしたことのない申分のない環境と風光のなかにいる。

しかしながらなおも、ぼくの眼の前に浮んで止まぬあの少年の像、ぼくはその像を追いもとめている。そして、ぼくはこの少年の像のためにおしまぬ涙をながし、そして更に、ぼくはこの少年の像を憎まないではいられないのだ。

聖珉兄、君はもちろんもう氣がついていることと思うが、この少年の像、それは十年前のぼくの姿であつたのだ。

十年前、――ぼくはそのころこうしてこの海岸で屑拾いをしていたのだ。朝、未明に起き出ると横須賀から車を挽いてぼくは毎日この海岸にきた。そして入口である野比のさきからはじめて、順々に或る一定の距離をおいてつらなつている塵芥捨場の築山をすゝみながら、そこからボロ切れだとか、ブリキ屑、網の切れ端し、ガラスのかけら、減り切れたゴム長靴など（いちいち數えあげたら限りがないが）を拾い出しては遙かな突端まで進んでゆくのだつた。この突端までゆきつくと丁度いつも時間は午後三時ごろになつた。この突端というのはつまり海岸線に細長くなつているこの町と村の人家が切れたところである。そこまでくると車はいつぱいになるときもあれば、日によつては半分をちよつと上まわるときもあつた。もちろん五月の大掃除のころや年末などは途中でもうすでにいつぱいになることもあるが。そして單に車がいつぱいになるならぬのかさだけでその日の収獲がきまるわけでもない。いちいちその內容に立ち入つてまでいつたところが仕方のないことだが、たゞ、船の機械を拭つて捨てた油ボロよりも、キレイなボロ、それも色物よりも白、そして更にそれは細い靴下の切れたのや糸屑のようなものよりも、大切れであることによつてそれぞれ全然値段がちがうことはいうまでもなく、これを白、黒と分けて大ボロ、小ボロというのだが、鐵性のものの場合でも、——えゝい！ こんなことはどうでもいゝではないか。

とにかくいずれにしてもこの時間になるとぼくは、急いで車を挽いで歸り戻らなければならない。五時から夜學があるのだ。いくら急いで車を挽いても辨當を持つてゆかれない日などは坂を登る車がことに重く、三里からあるこゝから横須賀の家までの道程はどうしても一時間半以上はかゝつた。

しかし、日曜日とかそのほか夜學が休みの日などは例外である。この日はたいてい夜の九時か十時すぎにならなければ家へ歸らなかつた。夜學へゆく時間にしばられることがないから、それだけ一生けん命にはたらくからばかりではない。いや、むしろこの日はぼくはこの海岸で怠けた。夏は木陰によつて日が暮れるのも知らずに本を讀み耽つてしまつたり、或いは急に浮かれ立つたりして青い海にむかつて力いつぱい石を投げたり、一人で砂濱で徒競爭をしたりした。

聖珉兄、いまは夜であるが、ぼくは扉を押してこのホテルを出てゆきさえすれば、いたるところにぼくのこれらの思い出の場所をみることができる。いや、ゆかなくともぼくはありありと思い描く。このホテルの裏口から十米ばかりを左へいつたところに松が五、六本砂地に生えており、その下は雜草もまじつてやゝ荒いが芝生になつている。このホテルはこの海岸線の町の丁度まんなかあたりに位しているので、こゝまでくるとたいてい晝になつた。それでしぜんにおくこの芝生で辨當を開いてよくこのホテルから水をもらつた。そして貧しい辨當を使いおわつたあとのひとときを、ぼくはときにこの風光のなかに立つているこのホテルを見上げて感傷に陥るのだつた。こういうホテルに泊つて、こういう風光を樂しんでいる人々はどういう星の下に生れた人々であろうか。ステツキをついた若い男がホテルを出てぼくの傍を通り、瀟洒な後ろ姿をみせて濱邊へおりてゆく。しかし、ぼくは自分を勵まして籠をとつて立ち上る。

4

聖珉兄、君はこゝで或いは思うであろう。ぼくがいまこゝで感慨にとらえられていることを察するとともに、そしてそれは、みじめな過去をもつた一人の男の感傷である、そしてお前はその感傷に存分に耽るがよい。と、
なるほど、感傷であることにちがいはない。ぼくはそれから何年の後のいま、身には背廣の服をつけ、ステツキをふるまわすまじき恰好で、黒い大きな手提げの鞄には著述の仕事をつめてこのホテルを訪れた。そして女中がうたがわず持つてきた宿帳に、ぼくはためらわず著述業としるした。正確にいうとぼくの職業は記者、雜誌「自由民」の編

輯長なのだが、うすつぺらなものではあるけれども「朝鮮三十六年史」の著者であり、日本語譯「朝鮮文學史」小說「京釜線」等の著者であるぼくはあえて著述業としるすことに別にそう後めたさを感ずることもなかつた。事實、ぼくはいまこれらの著述行爲によつて生活をしているのだから。これが十年、いや數年前であつたならばぼくは何としるしたであろうか！　感傷、――なるほど感傷である。しかし君はぼくのこの感傷をゆしるてくれるだろう。そしてぼくもまた君のような寛大な聞き手さへあつてくれゝばこれはゆるされていい感傷だと思つている。

　だが、聖珉兄、君はぼくのこの手紙がここで最初のところに戻らなければならいことを知つている。そうだ、ぼくはこのみじめなものがたりをはじめた最初に戻らなくてはならない。なぜならば、ぼくはこのながながとした決して君にとつても面白くもないものがたりをはじめるにあたつて、のべておいた、いやつまりこの話の中心にはまだ一ことも觸れてはいないのだ。

　ぼくは不幸なぼくの死んだ妻のことを語るはずであり、それに伴うぼくという人間の愛というものの行爲について語るはずであつた。いかにも、ぼくは忘れているわけではない。ぼくはいまぼくの失えるもの、すべてを得るためにすべてを失つた男のことを語らなければならぬ。

聖珉兄

ぼくたちはいまこゝで一息いれよう。君はまつたく厄介な相手につかまつたものと思うであろう。いままではじめじめしたみじめなものがたりを聞かせたと思つたら、感傷におちがいつたり、そうかと思うとまた下手な飜譯の文句のようなものをつぶやく。すこしもわけが分らぬではないか。

　何時になるかは知らぬが、もうちかく朝になるだろう。朝になればこの東京灣のむこう、劍崎のあたりからどんぶりと燃え立つ太陽が上つてくる。それはまつたく輝かしい朝の訪れなのだ。とにかくぼくは幸福であつたろう。すくなくも女性を對象とした愛情のかんけいにおいてはぼくは惠まれた男であつた。

　ぼくが宿帳にしるすことも知らないようなあの職業をもつたのはいつからのことであつたか。ぼくがこの日本へ渡てきたのは十二歳の年であつた。そして最初にやらされたのがあの大きなバナナの籠をかつぐことであつた。そして印刷屋の見習弟子から風呂屋のカマ炊き、乾電池工場の見習、ガラス工場、電球染め工場などを轉々としながら一年に二年ずつ進級する夜間小學校を出て、一年には必ず一年ずつしか進級しないあたり前な中學校へも入つたり、そしてまた夜學へ轉じたりしながら、後に小さな屑物問屋をもつ芝浦の勞働運動からしめ出された兄にこれをつがせてぼくはいわなる大學、N大學の專門部を出るとK縣の新聞社の記者になつた。

ぼくがあの忌わしい（忌わしいという）屑拾いや屑買いの經驗から完全に離別したのはこのときであつた。屑屋から新聞記者、もちろん地方の小さな新聞社ではあつたが、これはぼくにとつては大きな出世であつた。しかもぼくには大きな希望がある。それはだいたい小學校の四年生のころからであると思うが、ぼくは自分の將來を著述家においていた。その手はじめとしての新聞記者になれたこと、それはまずあのじめじめとしたみじめな過去との完全な訣別であつた點でぼくには充分に滿足すべきことであつた。

ぼくは颯爽としていた。戰爭、そうだ、太平洋戰爭が勃發したのはこの年の前年であつた。だが、この戰爭でさえもぼくの颯爽とした喜びをそう妨げるものではなかつたのだ、しかもこのときぼくの眼前に川上瑛子が現れたのだ。

瑛子はいわゆる日本人のいう意味での完全な美人というものではなかつた。彼女はこの前々年にこの地方の一番優秀な女學校である縣立の高女を卒業し、きれいな達筆な字をかいた。この地方は東京と接しているにもかゝわらず、こゝにいる人々、ことに女は地方的にどこかくすんで（これはまた日本の地方というものの特徴であるが）いるが、彼女はまつたくその天性というものを感じさせる。明るい、背いのすらりとした女であつた。

ぼくがこのとき戰爭とわれわれの民族への重壓を感じていたといつたら、それは完全に噓である。ぼくは幸福であつた。ぼくは幸福というものの實態をはじめて感じて、もはや二十四歳のぼくの青春は喜びの頂上にあつてふるえた。彼女は純心で積極的であつた。ぼくは東京にいるRや、そしてN大でぼくに眼をかけてくれたN助教授たちにまでこの喜びを手紙に書いたり、ぼくの推薦でやはりぼくの新聞社にそのころ入つて一緒にいたTには、每日のようにこの喜びの實態を語つてきかせた。

5

だが、聖珉兄、あゝ、ぼくはこゝでがつくりと首をうなだれる。ぼくは、うむ、ぼくは、……聖珉兄、こゝで奇妙なことが起つたのだ！　聖珉兄、これは痛ましい記憶ではない。これはいまもなほありありとぼくの體內ににじみつき、そしてぐるぐると巡つていることをぼくははつきりと感じることができる。これだ、これが……

聖珉兄、ほかでもない、ぼくと瑛子とのあいだがすゝんでそれが接近すればするほど、ぼくは彼女の愛情に懷疑をもちはじめるのだ。いや、彼女が決してそういう態度をみせるのではない。さつきもいつた通り彼女の愛行爲は純心でますます積極的であつた。そしてぼくには彼女の暗い翳のすこしもない明るい性格の深さと、その美しさがますます堀り下げられて、どのような女にしてもこれ以上うつくしい女はない、つまりぼくにとつては唯一無二のものとなつていつた。そしてぼくは有頂天であつた。だがしかし、彼女が完全無缺なものとして理想的にぼくにうつつてくればくるほど、ぼくは一方のこの懐疑を深めないではいられない。彼女は本當にぼくの知つている概念の愛をもつてぼくを愛しているのだろうか？　いつたい愛とは、戀愛とは何か？　それはぼくがあの屑拾う濱邊で、讀み、そして知つた、このぼくのようなものには考えてみることもできない遠い深いあれではなかつたか。そしてぼくはそれを考えてみようともしなかつた。ぼくの前にあるすべては、一日も早く人間らしい生活へ、この幾層をも降つて突き當つたこの境遇に訣別をつけることだ。人間らしい生活とは？　そのときのぼくにとつての人間らしい生活という概念のすべては、塵芥に汚れぬ服を身につけ、ちゃんとした職業をもつて社會へ出てゆくことであり、そしてそこでまず社會人としての取扱いをうけることだつた。愛、戀愛など考へてみる暇がどこにあつたか！

　川上瑛子との交際ははじめから愼重であつた。それは一緒に活動をみたり、市内からずつと離れて新開の道を歩いて暗い隧道をこしたところにある、彼女の家へ彼女を送つていつたりすることからはじめられ、ときには辨當をもつて湘南の海岸へいつたり、山へいつたりというきわめて平凡な動作ではあつたが、しかし深さにおいてはこの平凡と必ずしも正比例するものではないのである。

「あたし今度ほら、飜譯されて出た李光洙という人の『愛』を讀んでよ。そうしたらそのなかにこんなことが書いてあつたわ。この世で相識るものは前世のどこかで相識つていて、この世でそれをまたくりかえすようになつているのですつて。」

　彼女の家の方へまわる暗い急な坂を下るときに、はじめて二人は腕を組み合つた、そのとき彼女はとつぜんこういつた。

　ぼくは彼女が李光洙の作品を讀んでいることに、或る感動をもつて内心おどろいた。そしてそれをぼくは讀んではいなかつたが、佛敎くさいところのある李光洙ならばそういうことをいいそうだと思ひ、そして……

「ふむ、そうかね。」といつた。

　そしてぼくはもだえはじめた。何という莫迦げた間の抜けた返事であつたろう。ぼくはよく知つていた。李光洙が佛敎くさかろうが、バタくさかろうがそんなことはどうでもいいことを。それを强いてぼくはそんなことを考えようとして、考える。

　彼女は默つてしまつた。それをきつかけに李光洙という作家についてぼくは語つてみたりするのだが、それははじめからむなむなしいことをまたぼくはよく知つている。彼女は默つたまゞである。腕にからみついた彼女の衣服を通して感じられる肉體の觸感もいまや冷えようとしているが、ぼくは徒らに一人で愼重に焦れるばかりである。

要するにぼくは彼女を外延的につゝんで、彼女の愛行爲を示唆し、仕向け、そして要求するが、ぼくは固く或る一點に踏み止まつてそこから決して踏み出すことをしない。卑怯といえば卑怯だ。臆病といえば臆病だ。その他なんとでもいえるであろう。しかしぼくは頑强に、いや、自分の力ではない力をもつてこの一線から出ようとはしないのである。それでいてぼくは彼女を愛しもだえる。考える。限らぬ。女の積極さには限りがある。それもぼくはよく知つている。しかし、聖珉兄、ぼくははつきりいおう。

つまりぼくは計算しているのだ。何を？　ぼくは、――ええい、何をぼくは持つてまわつているのだ。計算も何もない、ぼくは失戀の場合を豫想に入れているのだ！　しかも愼重に相手に對して自尊心を傷つけられないように。ぼくは自分からすゝみ出ていつて、そこからうつちやられたときのことを考えるのだ。これでまた彼女の愛情に對する疑信はいよいよ募る。

こんな莫迦な戀愛がどこにある。愛は盲目だそうだ。何が盲目なものか、それは眼が開きすぎるほど開いている。しかもこの上ない愼重さでだ！　こんな戀に破局がこないであろうか。間もなくその破局はやつてきた。

二年の間それでも彼女はその天性の純心さから、「前世からのちぎり」ででもあつたかのようにぼくを一途に愛しつづけた。ぼくたちは接吻した。そしてぼくはもうその幸福の絶頂に上つた。ぼくたちは彼女の發言で結婚を約束した。しかしながらなお一抹の不安を殘す ことを忘れない ことを、忘れないで。

彼女の母はもう彼女の口からぼくたちのことを知つていて、ぼくが朝鮮人であるということも諒解してい、そして彼女の父も娘には直接しらぬ風を装つていたが、母の知つていることを父が知るということは當然なことであつた。この一家はまた彼女の性格に似てめずらしく解放的で、あの狂熱の時代に民族の別をも考えないということはよほどであつたといつていい。彼女は或る晩、父の前に正座してぼくとの結婚の意思を卒直に話した。彼女はこの卒直さがまたその美しさの一つであつた。以下は翌日、彼女がぼくに至急逢いたいという電話をかけてきて逢つて語つたことであるが、そしてこれが彼女とぼくとの破局の日であつた。

父はしずかに煙草をくゆらしながら娘をみた。

「その人はお前を愛しているのかね。」

「えゝ、愛していらつしやると思います。」

「お前はその人がどういう人なのかよく知つているかね。」

「えゝそれはよく分つておりますわ。」

「いや、もちろん獨身の青年であろうが、どういう育ちの、どういう環境の家庭の人かということなのだが、こういうこともお前にとつて重要なことだとお父さんは思うのだが。」

「………」

彼女はうなだれてしまつた。こゝではたと彼女は大きな岩にでも突つかつたように、そのさきが眞暗で頬がほてつてきたというのだ。

彼女はぼくから話されたさまざまのことを一度に思い返した。しかしそれはほとんど或る文學作品の斷片的な解説であつたり、人生に對する自分の感想へのぼくの複雑な意見であつたりはするが、この父の問いに對して答え得るどの一つの言葉もないのだつた。それよりも彼女がそこでなほおどろいたのは、ぼくがほとんど何ものをも語つていないということであつた。彼女はがたがたと音を立てるように自信がくずれた。態度、表示、そして歩き方や、笑い聲、それらのことはいま父への答えに役に立つわけのものではなく、自分がいままで唯一のよりどころとしていたものがそれだけでしかなかつた。

「その人はお前を本當に愛するといつたかね、本當にその人がお前を深く愛しているのならばお父さんとしてはそう餘りいうことはないのだが――」

父は重ねていつた。

「………」

彼女は父の前でますます頬がほてつた。彼女はすべてを知つているような氣もするが、またすべてを知らない。彼女はこの寛容ですべてを知つているような父の前で自問した。「あの人は本當にあたしを愛しているのだろうか。そういつただろうか。いえ！　いわなかつた、聞いたことがない！」「その人はどういう人だかよく知らぬが、本當にお前を愛しているのならば自分を語らぬはずがないと思う。愛する人に自分を語れないということはその愛する熱と力とに欠けているのだと思はれる。お父さんの返事はもうすこし待つたらどうかね。」

ぼくは秋の日が暮れおちた土堤を歩きながら、ついに來るべきときがきたことを知つた。

「ふうむ、ふうむ、そうかね。」

ぼくはこう生返事をしながら、一刻も早く彼女を離れてゆくことを考えていた。そして心内は破裂し、どきまきし、失われようとするものへの愛惜、疑惑にぼくは混亂した。

しかし同時にぼくは一方に冷性な心をもつて固く一つのことを隱しおおせる決意をかため、しめつけるのだつた。それはありありと明瞭な姿をもつて浮かび上つた。あの海岸線につらなり突出した塵芥捨の山々、そしてそれらの山々を掻きくずしてはそこからボロ屑や鐵屑などを拾い出す或る孤獨な少年。そして、そして屑を買出しにいつて、いきなり臺所から汚水を浴びせかけられてすごすごと立戻つてゆく或る夜學生。——それらの具像がありつたけの迫力をもつて次から次と襲つてきた。ぼくはそれを受けとめ支えながら愼重に混亂した。

「ふうむ。愛する熱と力か」しやれたことをいう。——だがぼくはこの父に尊敬の氣持を持たないではいられなかつた。負けたと思つた。ぼくはあわてた。しかしぼくはそれを押し返した。ぼくはもはや彼女を失うということよりもこれを押し返すことに努力を集注した。

「ふうむ、なるほど、しかし君はそんなことを僕にむかつて一度だつてきいたことがあるかね。ないだろう。僕が何か、君にとつて非常に具合のわるいことでもあつてどうしても隱さなければならないことがあるならともかく。そうでもないものを訊かれもしないのに何をべらべら喋つていたらいいのかね。訊きたいことがあつたら何んでも訊いて下さい。今でもいい、何でも訊いてくれ、そしたら僕はそれについて正直に答えられるだけ何でも答える。それから『僕はあなたを愛します』『あなたなしでは生きてゆかれません』などと西洋映畫のタイトルのようなことを僕はいちいちいわなくてはならないのかね。君はそんなことをいつて欲しいのですか。」

ぼくは逆襲に出た。見事なものであつた！　この僞善にはぼくはわれながら感心した。

彼女は默つてうなだれたまま、三、四步はなれたところからすごすごとついてきていた。と、とつぜん彼女は立ち止ると、わつと駈けてきてぼくの胸ぐらをつかんだ。

「あたしがわるかつたわ。あたしがわるかつたのです！　あたしをぶつて下さい。ぶつて下さい。ぶつて下さい。」

と叫んで白い頰をつき出した。

「うむ。——よし。」

といつて、ぼくはさむざむとした心で手をひらいて彼女の頰をなぐりつけた。

（未完）

編輯後記

（一）

奈良の天理外語の學生達が、大阪で「春香傳」を上演したと言う。いま編輯子はこの話を聞いて妙な氣持におそわれている。

天理外語の學生達が「春香傳」をやつたのは、彼等が朝鮮語を專攻しているからであつて、彼等が蒙古語やアラビア語で芝居をするのと同樣、考えて見れば少しも不思議なことではない。至極當然あり得べき話なのである。しかし、何故、この至極當然あり得べき彼等よりも、一層當然な位置にありながらも、われわれ朝鮮の青年達によつては、これが試みられないのか。問題はこゝらあたりにもありそうである。

（二）

「春香傳」が絕對にいゝから「春香傳」をやれと言うのでも、「春香傳」をやらなければ文化運動にならないとかと言うのでもない。要はわれわれが餘りにも貴重な解放後の三年間を無爲に過したと言うことであり、今日なおまた無爲に過していると言うことである。

（三）

朝鮮ではその間民主主義民族文化の大幹が確立され、數多くの優秀な文學作品が産出されている。そしてわれわれが現に住んでいるこの日本に於いても、新しい民主文化は人民大衆の中に廣汎な根を擴げているのである。

われわれ日本に住んでいる朝鮮人だけが、安閑としていてこの空氣の中で無爲徒食をくりかえしていていゝ筈がない。われわれは、遲ればせながらも、全力量を網羅して日本に於けるわれわれの民主主義民族文化の基礎工事をしなければならない年を迎えたのである。

（四）

本誌は、そう言し文化工作の幾らかの鋒齒にでもなりはしないかと思い、今月號から姉妹誌として「朝鮮國文版・朝鮮文藝」を刊行する、十六頁B6判の貧弱な體裁ではあるが、われわれは、こういう低いところから朝鮮文話を出發させることによつて、活字の問題とそれに伴ういろいろな難關を一つ一つ切りぬけ、永い生命を與えてゆくつもりでいる。

（五）

本號は許南麒氏の小說「新狂人日記」と、金達壽氏の小說「傷痕」の、二篇をもつて創作欄を飾り、十一月號の本誌に「文藝時評」を書かれた宋車影氏の、永年かけた勞作である「春香傳と李朝末期の庶民精神」の第一回分をのせた。これは後二回にわけて連載される筈である。

（六）

次號でわれわれは、「日本語で書かれる朝鮮文學について」のアンケートを試み、その是非を糺すつもりである。（N・K）

朝鮮文藝　二月號

一九四八年一月廿五日印刷
一九四八年二月一日發行

定價　十五圓

編輯兼發行人　朴三文
東京都新宿區大京町二八

印刷人　大寺一郎

東京都文京區大塚坂下町五七
發行所　朝鮮文藝社
電話大塚一八七三番

配給元　日本出版株式會社

一九四八年一月二十日印刷納本　一九四八年二月一日發行　朝鮮文藝　定價十五圓

1948 年 3 月 20 日印刷納本
1948 年 4 月 1 日發 行

朝鮮文藝

4月號

朝鮮文藝 四月號目次

春香傳と李朝末期の庶民精神（二）

宋　車　影

しかも王が與へられた返答は王を取卷く、所謂兩班たちの姑息な非難の聲であつた。或者は王のこの行爲を、中華に對する反逆だと言ひ、更に新奇を好むもの丶一藝だといひ、無用の長物だといひ、我等は漢文だけで充分だと嘯いた。さすがの王も憤激やる方なく、その幾人かを捉えて、一夜監禁せしめたもの丶、如何なる手段をもつてしても彼等の蒙を啓くことは到底不可能であることを悟るほかなかつた。

王は、その身邊に一人も、朝鮮人らしき朝鮮人を見出すことが出來なかつた。全部が中國崇拜者である。世宗の祖

二十八字のこの文字こそは、王が自ら擔當者となり數十名の學者を動員して、三年の日時を費して研究し工夫した結果、王自らこれを創案したといはれる。この科學的に完璧な文字は、何人も簡易に學び得られるものであり、無知蒙昧であることを强ひられた大衆も、こ丶にはじめて學びの途が拓けた。わが人民を敎へることの喜びに氣負ひ立つた王は、この諺文をもつて各種の敎科書を作り、これを全國に配布するとともに、直接人民に示すべき法令や書式はすべて諺文によつて書かれることを希望した。

父たる李成桂にしても、この貴族階級の機嫌をとるために卑屈な手段をもつて明の宮廷に臣屬の禮をとつたではないか。その身邊に朝鮮人らしき朝鮮人を見出し得ない王は、その煩悶の捌け場を佛門に求めるほかなかつた。かつては父王の政策に從ひ、頽廢せる佛教を抑へるべく、種々の抑佛政策を實施した王が、禪僧の行事のなかにわづかに安心の據を見出さねばならぬとは何といふ皮肉であらう。

王は自分の身と人民との間を逆る兩班なるものゝ存在のために、無數の歎息をもらしたことであらう。しかし王とてやはり專制者としての君主にほかならない。正一品より九品に到るまでの文武百官を從へないことには、君主としての存在價値はあり得ない。專制者としての君主の地位が、何物にも增して强大なものであるとともに、ときには一平民にも劣る無力な傀儡でしかないことを、名君たる名に恥ぢず、世宗は自覺してゐたのであつた。

人民の聲をきかんとする、王の熱意は、あるひは人民にも通じたことであらう。しかし王は窮極において王でしかなかつた。王として、專制者として、人民に爲し得ることは、數限りなくなしはしたが、王自身が一個の人民に成り下ることはできなかつた。人民にとつても同樣なことが云へたであらう。兩班は所詮兩班であり、國王は所詮國王であつた。

人民のためのこの訓民正音が、世宗の熱心な奬勵に拘らず、兩班たちの妨害によつて人民に用ひられなかつたが、それがやうやく人民の文字として流布されるやうになつたのは、世宗より二百年を經過した肅宗の時であつた。この間、かの壬辰、丙子の兩亂が相續き、その上、兩班は全階級をあげて黨派爭ひに沒入してゐたのである。隨つて人民はこの二百年間、塗炭の苦しみを經て、全く自らの力によつてこの文字を獲得したのである。これはとりもなほさず人民の勃興を意味するものであり、兩班の來るべき沒落を豫言するものである。

世宗の歿後百餘年間は、李朝貴族文化の爛熟期であり、兩班は太平の夢を貪りつゞけたのであるが、高麗末期の不平分子である兩班の一派が、李朝初期の不遇時代における勉學の賜によつて、その勢力を得るに到り、朝鮮の天下は學閥の對立によつて紛亂を釀しはじめ、その權力爭ひは、

詩

灯

康珉哲

重苦しい夜の闇が

足元から波のように
音立てゝくずれ去り
露に濡れた玻瑠窓から
新しい朝の陽光が
さわやかに射しのぞくと
孤獨な部屋にともされた
赤い燭盞の灯が消え
わたしの裡に　それはともる
やがて　わたしが
雪の上に貝殼のように
白骨を横たえたとき
見知らぬ童たちが
その火をともし續けるだろう
強い雨や風の中でも
灯はもえ續けるだろう。

途に外敵の乘ずるところとなつた。兩班の黨爭は人民の關知せぬところであるか、この外敵襲來は國民生活の基盤を破壞し、深刻な影響をあたへずにはおかなかつたのである。

崇祖二十五年、豊臣秀吉麾下の日軍が大擧來襲するや、宮廷の内外は周章狼狽なすところを知らず、賊を防ぐべき將軍は、戰ふことなく旗を捲いて敗走し、僅々三ケ月を出でざる間に朝鮮全道は日本の侵略するところとなつた。數百年にわたる戰國の世に、たゞ戰ふことのみは生命としてきた日本の武士は、秀吉の天下統一により戰ふ場所を失ひ血に飢えてゐたのである。侵略者秀吉は、この血に飢えた狼共を朝鮮の野に放つたのである。戰らしい戰さを交へることなく全鮮を侵略した彼等は、彼等の軍紀に從ひ、切取強盜勝手たるべきことを、身をもつて實踐した。彼等は人民の財を奪ひ家を燒き、古墳を暴き、婦女を掠奪し、幼兒と老人を虐殺し、靑壯年の男は捕虜とし、奴隷買ひの西洋人に鐵砲代として支拂つた。かくて朝鮮の一切の文化と傳統は根こそぎにされ、貴重にして有用なるものは、人たると物たるとを問はず、持去られた。

恃みとした爲政者の無力と無能を目前にみせつけられ、侵略者の惡鬼の如き振舞を觀察した人民は、最後の線に立ち上つて、自己保身の爲に蹶起した。己を救ふ者は己以外にないことを自覺した民衆は、その全智全能を傾けて武器をつくり、人垣を城塞として戰つた。そして武器をもつた兩班の戰士が戰はずして走るとき、この武器なき民衆の義軍は、文字通り最後の一人となつて倒れるまで戰つた。晋州城における六萬の府民の壯烈な討死ば、そのよき例證の一つである。日軍は人民軍のゲリラ戰のために長期戰を餘儀なくされ、遂に敗戰のやむなきに到つた。もとよりその最大の戰功は、海軍における李舜臣提督のもたらせるものであつたが、人民の民族精神の自覺こそは、窮極の勝利への大きな原動力となつたのである。

まさに人民は國家意識、民族意識に眼覺め憂國の至誠を披歷したのだつた。しかも戰ひ終つて、平和が甦つたとき、國民に與へられたものは、前日の連續である虐待であり、それにもまさる重税の賦課であつた。そして人民はさらに、援軍として朝鮮にきてゐる數十萬の明軍を養ひ、彼等の暴行の犧牲とならねばならなかつた。切角意識された國家觀念は再び切り崩され、人民の義軍は、爲政者に反抗する盜賊軍に轉化した。人民軍は暴虐な地方官を襲撃して、人民より搾取した官の財を奪ひ、それを細民に配つて、自ら救濟事業をなした。

この事態を收拾する程の名君は既になく、意志薄弱な國王のもと、舊態依然として黨爭に寧日なき兩班共は、再び三度、北邊よりする胡軍の暴虐下に國民を陷しこんだ。しかもこの度は完全なる無條件降伏であつた。國王は敵王の前に頭を垂れ、臣屬の禮を行つたのである。外冠が途絶えるや、專制者はまたまた猛威をふるひはじめた。組織なき人民軍は討伐され、反抗者は容赦なく處刑された。一切を奪はれた人民は、天に向つて慟哭する以外になす術もなく、身動ならぬ重税に縛られて、たゞ支配階級に奉仕するために默々とはたらくほかなかつた。

されど一度眼覺まされた人民は、進むべき方向を朧氣ながら摑んでゐた。先づ學ぶことが必要であつた。紙や筆を持たぬ人民は、河原の砂の上に諺文を書いて、これを學んだ。勇猛な反抗的英雄洪吉童傳等が、大衆の喝采をあびて讀まれて行つた。無數の諺文小說が書かれ、非常な人氣を呼んでそれが流布した。春香傳は、かゝる時代を背景としかゝる民族精神の基盤のもとにつくり出されたものである。

偏愛

荒正人

久保田正文の「山峡」（近代文學・一）はわたくし個人にとつても感懐のふかい作品である。『山河』といふ長編の一部をなしてゐるこの作品の主人公群三はすでに初對面ではないからでもある。たしか昭和十四年の初夏だつたと思ふが、わたくしは佐々木基一の紹介で平野謙にはじめてあつた。場所は東大正門前の郁文堂二階の喫茶店の一隅だつたかと思ふ。いまはこの喫茶店はない。あたらしくでる『構想』といふ文藝同人雜誌の相談のためであつた。この雜誌には埴谷雄高がすでに『怨靈』の片鱗を想はせるやうな「洞窟」といふ短篇をかいたりしてゐたが、いちばんまとまつた仕事をしてゐたのは久保田正文で、「三四郎たち」とか「すとれい・しいぷ」などといつた題で『山河』の序章ともいふべき群三物を發表してゐた。わたくしはたしか共感と讃辭をこめた便りをだしたやうに記憶してゐる。かれはその頃、郷國の信州で教師をしてゐたのであつた。ついでにかいておけばかれを紹介したのも佐々木基一で、「文藝學研究會」で一緒になつたのであつた。かれはその後東京にでてきたこともあつたが、學生時代の思想事件のため檢擧されたり、前後して召集されたり、またそのあとで強制的に軍需工場につとめさせられたりしてほとんどわたくしたちと直接的な交際はなかつたが、かれ自身の自畫像である群三のことはわたくしの胸裡をたえず去來してゐた。戰後三年にして、すなはち、最初の群三が登場してからほとんど十年をへてふたたびおなじ人物がわたくしたちのまへに姿を現はしたことはいつたいなにを意味するのであらうか。もはや個人的感懷の域を脱してゐる。

それはたんなる青春への郷愁ではない。感傷ではない。ファシズムと戰爭がもたらした「暗い谷間」での未完の青春にプンクトを打ちたいといふ意志からなのである。わたくしたちは屈伏した、敗北した、そして自己を喪失した。この故にわたくしたちの青春は完了することがなかつた。八・一五以後、いはゆる戰後世代が戰後現實よりもむしろ戰爭中の青春をかたることによつて發足をはじめたのはかれらの青春が終止符をもつてゐなかつたことによるのである。そのやうな落丁を埋める情熱を「第二の青春」とわたくしは名付けてみた。戰後の世代はいま「第二の青春」のなかにあつて、第一の青春を造型しようとしてゐるのである。

　第一の青春は屈伏であり、敗北であり、自も喪失であるとわたしはいつた。はたしてそれのみであつたらうか。なるほど『世代の告白』（近代文學同人編、眞善美社刊）などには戰爭責任の問題としてその點が强調されてゐた。それはこの座談會がもたされた四六年春の一部の非文學的風潮へのプロテストとしてたしかに意味があつた。けれどもわたくしたちが戰爭にたいして飜弄され、押し流されるがままになつてゐたといふならば、それは一種の僞惡的僞善のひびきをともなはぬでもない。青春の抵抗はやはり存したのだ。「山峽」の詠嘆調や、いくらかあまい自己陶醉のなかに敗北の青春だけをよみとるやうな批評の眼をわたくしは信じたくない。『構想』にはじめて姿をみせた群像の抵抗を記憶してゐるからである。『構想』の群三と『近代文學』の群三のちがひ、その若干の變貌から、作者の敗北だけに眼をむける精神は不潔だと思ふ。それは自分の第一の青春を自分に都合のいいやうに忘れてしまつてゐるからだ。第一の青春には敗北と抵抗（それは文學的な意味では勝利とよんでもいい）のふたつの側面があつたのだ。それが八・一五を契機として、斷絶し、連續してゐるのだ。第二の青春はここにはじまる。『山河』はその意味で『構想』時代の群三よりもはるかに成長、脫皮した第二の青春の群三が間接法で描かれてゐるのだ。

　――青春の抵抗とわたくしは假によんでみた。敗北が一色の敗北でなかつたといふ反證をいひたかつたまでだ。渡邊一夫の『空しい祈禱』や竹山道雄の『失はれた青春』にはそのやうな抵抗がでてゐる。池田浩平の『運命と攝理』や千野敏子の『葦折れぬ』もそのやうな抵抗のなかに滅んでいつた青春の記錄である。原口統三の『二十歳のエチュード』のなかにさへ敗北だけが存するのではない。そしてまた東大戰歿學生の手記である『はるかなる山河に』（東大協同組合出版部刊）などをよむときいかに若い世代が青春の抵抗を試みたかを知り、生き殘つたわたくしたちを複雑な心理に誘ひこむのである。このやうな抵抗が戰後文學のひとつの特徴として定着されかかつてゐることはもはや疑ふことのできない現象である。梅崎春生の「櫻島」「堤」「日の果て」をつらぬく齒ぎしりと冷たく苦い笑ひのなかに青春の抵抗を發見する。野間宏の「暗い繪」はもつと正面からその抵抗と取組んでゐる。椎名麟三にさへ抵抗のネガを見出したいのである。中村眞一郎の『死の影の下に』(眞善美社刊)をエスケイピズムの産物とよぶことはむしろ容易であつて、ここでは逆に抵抗の面を相對的に押しだしてみたくなる。

いふまでもなく以上は逆説である。一面の强調である。浮彫りではなく丸彫りをもとめるひとは、第一の青春を抵抗の青春とのみよぶことはできない。それでは、敗北の青春か。然らず、抵抗の青春なり。抵抗の青春か、然らず、抵抗と敗北の青春なり。わたくしたちは敗北しつつ抵抗してゐたのであり、抵抗しつつ敗北してゐたのである。この二重の論理以外にわたくしは表現することばをもつてはゐない。このためにこそ第一の青春は完結できなかつたのである――第二の青春がもとめられる所以であらう。わたくしは第二の青春の特徴として二重感覺を强調した。花田清輝はこれをアンビヴアレンツとよんでゐる。野間宏の「顏の中の赤い目」にはそのやうな二重感覺が手法的にも巧みに活かされてをり、わたくしなりの表現でいへば、エゴイズムからヒューマニズムへの飛躍への模索が凝固して造型され、それは「地獄篇第二十八歌」などにつづき、戰後の課題と眞正面から取組み、さらにその後も複雑な前進をみせてゐる。

「山峡」が文學的發足の點からみて野間宏に遲れてゐるなどといつてゐるのではない。わたくしは野間宏が必死に格闘してゐるもの――エゴイズムよりの脱却を、「山峡」の作者は案外苦もなく成功するのではないかとさへ豫感してゐる。野間が觀念的で、久保田が現實的であるから、などといつた論據ではなく、もつとそれは微妙な資質的なものだ。「しづかな霊」(近代文學 四七・一〇)などをよむとこの作者の幼少年時代一種のダブによつてインフェリオリティ・コムプレックスをえたことが記録されてゐるが、このことが明日への内面的發展のための手掛りになるのではないかとひそかに考へてゐる。ふるくは德富蘆花(「負け犬」といふ一文で粗描を試みたことがあるが)、ちかくは宮内寒彌などにいづれもこのコンプレックスをはつきり指摘することができるのだが、郁達夫の傑作「自傳」(岡崎俊夫、『わが夢、わが青春』寶雲社刊)なども個人と民族の相重つたインフェリオリエィ・コムプレックスを斷乎として青春自畫像が描かれてゐる。優越感の漲つてゐる『一九四六年』の中村眞一郎、加藤周一、福永武彦なども、また野性的な自信につらぬかれてゐる野間宏なども いちぢるしく對蹠的である。いふまでもなくこの差は心理的なものとしてのみ掬ひ切れるものではない。結論的にそれを概括することはいまは避けたい。ただし「山峽」の作者がさういつたなかば資質的な特徴を文學的パタンとしてこの第二の青春の試みのなかでうつくしく生かすことはできるし、のぞましいことでもあると思ふ。敗北のインフェリオリティ・コムプレックスを描きつくす（したがつてそれを解散する）ことのできるのは青春の抵抗を體驗したひとだけであらう。わたくしは『構想』の群三を信じてゐる。このやうなコムプレックス解縛のなかにこの作者が羽搏く日を泡立つ氣持ちでまちのぞんでゐる。わたくしもまた二重感覺など斷念し、清澄な重量感に支へられた單一の焦點を獲得するであらう。佐々木基一のいふメタモルフォーゼと自在わがこのやうな文學的過程であることを期待するのは同時代人への偏愛にすぎぬであらうか。久保田正文の「山峽」にもわたしはそのやうな遠近法を無視した偏愛を禁じえないのである。

特輯・用語問題について……

朝鮮人たる私は何故日本語で書くか

李　殷　直

朝鮮人が日本語で詩や小説を書いてゐることについて、いろいろな觀點から論ぜられてゐるが、私は、自分が日本語で書いてゐる朝鮮人の一人として、率直に自分のことをいつてみたい。

私は、鄉里で普通（小）學校に通つてゐるとき、その頃朝鮮語と呼ばれた國語の作文の方が、日本語のそれよりはるかにうまかつた。ところが、私は、普通學校を出たゞけで、すぐ日本語にとりまかれた生活をはじめた。

すなはち私は日本人の家で暮すことになつたのである。それから日本へ渡つてきて、今度は自分の國の文字を書くことは殆んどなくなつてしまつた。私はたゞ環境にひきずられて、いつの間にか自分の國の言葉さへ忘れかけてしまつたのである。私は、多少苛責の念に驅られることもあつたが、實際は、殆んど我を忘れて日本語だけで生きてゐた。

やうやく勉强をはじめるやうになつたとき、私は好きなことをやる氣になり、原稿用紙に向ひはじめた。私は、自分のやつてゐることの意義を深く考へることもなく、たゞ書きたいもの、また書かずにゐられないものを書いた。自然私の書いた文章は、私たちを蔑すむ日本人に對する怒りと、日本人全體に對する訴へになつてゐた。つまり私は日本の文字をもつて日本人に向つて演說をしてゐたのである。

戰爭といふ雰圍氣が、私といふ個人にも書いて發表することを封じてしまつてゐた。私はこの雰圍氣のなかで生きてゐた。

解放がきたとき、私は、どうしてよいかわからなかつた。といふのは、私はすぐ解き放たれた故國へ歸つて、役立つ仕事をやりたくてたまらなかつたが、話すことも書くことも忘れてしまつた自分を顧るとき、恥辱と苛責の念で、とても祖國の土を踏むだけの勇氣が出なかつた。私は、ぼんやりしてしまつてゐた。國語を、我等の文字を、すらすら使ひこなせるやうに、一生懸命勉强しなくてはならないと焦りながら、私は、やはり習慣的に、ぼんやり日本語で、なにかと書いてゐた。

日本において、朝鮮人の運動がさかんになり、私もそのなかに飛びこんでゐながら、活字も活字を拾ふ人もない現實のために、朝鮮語の文學出版物は殆んど出ないで、日本語の出版物の方がかへつて威勢よく我等のなかゝらとび出した。私は深い自覺もなく、いくつかの短篇を發表した。たゞ書けるから書いて出したといはれても仕方のない態度であつた。

この頃になつて、私は、自分の國語と文字で、やうやく文章の書けるうれしさに、やはり我を忘れて書いてゐる。そして、やうやくむかしのあのはげしい怒りと、訴へを、日本文で書かずにはゐられない氣持になつた。私は、朝鮮人といふものを、眞實にわかつてくれようとしない多くの日本人に向つて、うんと書かずにはゐられない氣持になつた。

日本語による朝鮮文學に就て

魚塘

この問題に就ては、先般朝鮮新報紙上に於て、論譯されたことであるが、問題は簡單でとやかく云謂されるのがどうかと思ふ。

第一に編集の方が提示した「日本語による朝鮮文學」と云ふテーマが、不思議である。

文學が言語藝術である以上、その民族の文學はその民族語に從屬すべきであると云ふことは、常識であるからだ、言換すると、朝鮮語なしに朝鮮文學は、なりたゝないからである。

かつて、我等の先輩姜鏞訖氏が、米國に於て小說草堂(The grass roof, by Yong Hill Kang)を公刊するや、忽ち歐羅巴各國語に飜譯され英米文壇にデビューして、朝鮮民族の名をなさしめた事實を想起すべきである。

この草堂は、朝鮮の農村の素朴な風景を描寫した內容をもち英語で書かれた小說で、朝鮮文壇にとつては、何等裨益するところがなかつた事も周知の通りである。

日本帝國主義下の朝鮮で、彼等が一視同仁と云ふ美名にかくれて、如何に隷化政策を斷行したであらう、くどいと云はれやうが、朝起きて東方の宮城に遙拜させた、戶每に薄暗い溫突へ、朝鮮神宮の神符を貼らせ每日拜めさせた、金や李と云ふ姓が、金本や國本と云ふ描字になつた、又特高共は、戶每に朝鮮語の書物を漁ると云ふより盜んでいつた。一一例をあげるときりがないが、これらの凡ての仕業が、朝鮮語を抹殺せんとする所以であつたし、ひいては朝鮮文學を葬らんとする企でなくなんであらう、このことは、日本の文學者間に於ても、特に佐藤春夫の如きは、『正に廢滅せんとする言葉』であると、罵言を吐いたのである。

故に八・一五解放は、朝鮮文學の新しいスタートであると共に、朝鮮民族の過去の葬られた人間性の恢復と云ふ新しきヒューマニズムの運動が、朝鮮文學者に課せられた至上使命であらねばならない譯である。これはとりもなほさず祖國の民主革命運動に繋がる。

それは安閑として、机上に向つてペンを取ると云ふ生やさしいものではないのだ。例へば、今朝鮮語の純文藝誌を出したとしよう、在留六〇萬同胞の中に、どれ位消化され讀まれ理解されるであらうか、恐らく一％もなからう、これで文藝復興を成遂げ得るか、眞に朝鮮文學を愛しこれに携はるものであれば、有史以來の祖國民主革命の、文學者に擔はれた使命を感じなければならない筈である。

現に朝鮮文學であると、日本語による文藝運動が展開されてゐるが、再三云ふ迄もなく朝鮮文學の一つの畸形であつて、先に例をとつたやうに、日本文學の一ジャンルであらう。これらの文藝誌も又朝鮮作家の日本文壇への登用門に過ぎず、朝鮮文學運動の一助とも半助ともならないのである。

要するに、これらの文學者は、朝鮮文學者であると云ふ自負心を、かなぐり捨てゝ取掛つて貰いたいのである。そうでなかつたら正に朝鮮文學の傳統を汚す者である。

若しこれらの能力（朝鮮語による文藝活動）のないものであれば、今迄習得され熟練された才能によつて、日本文壇に限らず英米文壇へでも名乘つて出るならば問題は別だ。（八、一二、四七）

日本語の積極的利用

德永直

朝鮮作家には朝鮮民族固有の文學があり、これが基本であることは勿論であらう。日本資本主義の侵略によつて强制的に日本語を學習させられ、朝鮮語の虐げられた歴史が、この深刻な課題をうみ出したのであるけれど、日本に生れ、或は朝鮮語より日本語の方が自由であるという朝鮮人が非常に多數である場合、少くとも朝鮮民族の立場からして、これを積極的に利用することが大切と思う。

私は朝鮮語を知らないので、日本語との優劣を比較することは出來ぬが、優劣は別にして、朝鮮語の回復は、本國及び日本在住の朝鮮民族のなかでも行はるべきであらう。そのために在日朝鮮作家が朝鮮語作品を書くことも當然あつてよい。私たちのような日本人も、その朝鮮語作品によつて、充分よめなくても何かしら馴染むことが出來よう。言葉というものはその民族の特徴やニュアンスをもつともよく表現するものだから、朝鮮人に對する日本人の、理解を深めるに役だつ。朝鮮人經營の食堂や喫茶店などの看板を、朝鮮語で書いてある方が、私たち日本人には好ましい。

そしてそれがそのようであるように、日本語の方が自由な朝鮮人のために、次に日本人のために、日本語の作品が、在日朝鮮作家によつて書かれることは絶對必要である。その作が朝鮮語に飜譯されて朝鮮本國にも讀まれるようにすればいい。そして在日朝鮮作家は朝鮮人名によつて、日本文壇に覇を争うべきである。たとへば古くは金龍濟が、張赫宙が、金史良が、現在では金達壽や李殷直が、そうであるように、あればいいのだ。金(龍)や張や金(史)の場合、個々の作家作品への批判は一應べつにして、一般的に非常に苦しい立場におかれていたのだということを、本國の朝鮮文壇も考慮していいだらう。今日の日本文壇ではそれはない。同時に、日本の侵略主義が日本文壇にも反映して、植民地作家に對する一種の綏和ないし利用政策、とくに戰時になつて志願兵を巧言でおびきだしたような、ああいう意味でのものもなくなつている。その點では日本文壇のブルジョア派はむしろ顔をしかめ反つぽむきになつている。しかしそんなことは少しも怖いことではない。日本の民主々義的文學者たちは、昔も今もかはりなく歡迎してをり、作家として同じスタートラインで競爭している。元々朝鮮作家が日本文壇に現れたとき、それが日本の勤勞大衆と共通する立場にたつて出現したのだということを思いだして貰いたい。金、張、いま一人の金、みなそうだつた。そして現在新日本文學會員には澤山の朝鮮作家がをり、現に金達壽は常任中央委員である。

日本語による朝鮮作品の如何の問題も、階級的な民主主義的な見解にたたぬ限り解決はないし、それがまた朝鮮、日本兩民族の發展の道である。私は將來、兩民族もふくめて共通する世界文學が出來、終局的に解決すると思うが、そのためには朝鮮語にかぎらず、その民族語をできるだけ徹底普及させ、民族文化が昂揚し、その言葉と文學のもつ本來的缺陷が、民族交流の上に露呈されたとき、はじめてそこへゆくのであつて、現在では日本の侵略主義が與へた禍を、逆に福にしてゆく方向、在日朝鮮作家は日本語の作をドシドシ書き、在日同胞と日本人に讀ませ、日本語の長所（があるならば）によつて朝鮮語を豊富にし、日本語作によつて朝鮮語への日本人の心を拓く橋頭堡となつてもらいたいと考へる。

（十二月八日）

一つの可能性

金達壽

日本語で書かれる朝鮮文學――おかしなことはいうまでもないであろう。この設問についてぼくがかくのはこれで二度目である。それは何度でもかまわぬが、さいしよは「朝鮮新報」で、早速、魚塘氏に手ひどく反駁された。日本語で書かれる朝鮮文學、それはただしいわが朝鮮文學であるということはできぬ。それは畸型的な朝鮮文學である。それはしかじか斯様々々でとわが朝鮮文學の發生から、その發展、埋沒、そして解放後のわが民族文學運動の意義にも舌足ずではあつたがふれて、くわしく論證されたが、これはその答においてもいつたとおり、これは何もわが朝鮮文學の發生にまでさかのぼつて說きおこすまでもなく自明すぎるほど自明なことである。それが畸型的であれ、何であれ、そしてそれが日本語でなされる限り日本文學として扱われるにしても、これはこのような理由と意義（これはまたこれからのべる）によつて意味あること（つまり「日本語で書かれる朝鮮文學」）であるが、これをもつてぼくは正當な中心的朝鮮文學であるとはかつていつたことはない。

「文學の國籍は言語に從屬する。コンラツトはポーランド人であるが、英語で書いたのでその文學はポーランド文學ではなく、英文學であり、慕夏堂は日本人であるが、朝鮮式漢文をもつて書いたから「慕夏堂集」は日本文學でもなく、中國文學でもなく朝鮮文學のなかの漢學であろう。朝鮮文學者という唯一な條件は朝鮮語で書くということで規定されるであろう。」これは「朝鮮新報」で魚塘氏も引用した李泰俊氏の文學讀本のなかの「文學と言語」におけるきわめて當然なことばである。ただ生れが朝鮮人であるということで、日本語で書かれるその小說や詩がただちに「朝鮮文學」でないということは當り前なことだ。もしこれをもつてただしいわが朝鮮文學なぞであるといふならば、魚氏やその他ならずとも、李泰俊氏とともにそれはまずこちらからお斷りする。元來、外國でしかもその外國語によつて自國のただしい文學が成立したためしがない。これは將來においても同じことである。

そこで日本語で書かれる朝鮮文學であるが、問題は、それが不幸きわまる原因からではあつたにしろ、過去にも、そして現在でもなおこの日本に「朝鮮人とその生活」があるということ、つまりいまわれわれがこの日本に留つているということと、「日本語で書かれる朝鮮文學」という設問そのものにある。これがただしいわが朝鮮の文學であり、そしてまた、これをもつてただちに「不連續殺人事件」その他と同じ日本文學であるとするならば、はじめからこんな設問などは成り立たぬ。したがつてこれに對するぼくの意見も、また魚氏等の意見も全せん無意味なこととなるだろう。

しかしながらこれは充分に問題にしていい事柄である。

まず、これをもつてそれは朝鮮文學ではないと、ただそれだけでは自明なことをわざわざいわなくてはならないところには、本當は次のような意味と問題がそこに微妙にいやはげしくからんでいるのである。

第一にわれわれは、ここでいう「日本語」とは、過去においてわが朝鮮文學の存立と發展を破壞し、それが不幸であつたすべての原因そのものであつたことを知らなければならぬ。つまりわれわれが今日英語やロシア語で文學をするのとはその動機や態度の底において根本的に異るものがあるというのである。過去においては、われわれが日本語で文學をするということは、わが朝鮮文學、つまり不幸であつたわが朝鮮文學をなお一そう自分でその不幸の泥沼へ押し入れることであつた。そしてわれわれはこの泥沼へ落ち込んだことで今日のこの日本語をしうとくし（させられ）たのである！

設問に對するこの議論の端緒は、いや、むしろその焦點はここにある。それが朝鮮文學であるか、また「不連續殺人事件」その他と同じ日本文學であるかの問題は一應別にして、議論の焦點をここへ向けることではこれは充分に問題にしてよいことであり、日本語で文學をしている一人としてぼくもまた嚴肅な心持をもつてこの議論に贊成である。

われわれが今日こうして使用している日本語は、過去におけるわれわれのドレイ的境遇をものがたるものである。ぼくが（或いはわれわれが）今日、この過去におけるドレイ的境遇に馴致させられて、日本語を使用することが安易であるということで、失われた自己、失われた自己の言語の回復もはからなければその熱情もなしに、ただその安易の上にあぐらをかいてそれで小說を書き、詩をつくつてこれが「私の文學」でございとすずしくなるならば、それは過去のドレイ的根性がまだ淸算のすじみちにも立たぬ證據であるばかりか、その淸算に氣ずきもしないことでそれはすでに文學主體としても成立しないであろう。まずその文學主體としての自己確立のないところからは本當の意味での文學などは生れてきわしないことをぼくはらかごろ特に痛感している。——したがつてそこから生れるものは小說にしても詩にしても、それはもはやもちろん朝鮮文學でもなければ、また日本文學でもない。わが朝鮮文學はもちろんのこと、日本文學もまたそんな甘いものではないのがある。

八・一五以後の解放を契期としてにわかに「朝鮮人」がふえた。昨日までのドレイ的境遇＝泥沼から急にあたりを見まわして、上つ側の泥だけこつこつとはたいて、その境遇にあつたと見られることはなるべく押しかくすようにし、口をつぐんで昨日までの泥沼から九十度ばかり顏を反け、たとえばそのもろもろのたたかいの場において日本人に向つてはまだ日本語をつかわなければならぬ現實に（つまり日本に）ありながら、ただ單に日本語を嫌惡してみせることでそのドレイ的境遇＝泥沼から解放されたと錯覺している朝鮮人があるとすれば、これもまた大きな誤りである。この過去の、一應時間的には過去のこととはなつたが、呪われた境遇からわれわれはまだ決して解放されたのでもなければ、この境遇はまだ淸算される課題としては橫たわつているが、決してまだ淸算されたとはいえぬ。これが淸算されないことには、これの淸算のためのたたかいがないことにはその文學主體も成立しないことはさつきもいつたとおりであるが、もしこれが淸算されたとすれば、われわれがここで問題にしている日本語もまた英語や、ロシア語と同じように問題の焦點が別な方向をむくであろう。そのときはこの「文學」は朝鮮人の、朝鮮文學のあたらしい一つの可能性として問題がとり上げられなくてはならぬ。

そこで問題は、過去のドレイ的境遇＝泥沼からしうとくし（させられ）た日本語を使用するしないのことではなく、まずわれわれはこのあらゆる問題のもととしてその底に横たわつている過去の境遇を清算して、そこから實質的に解放されることが先決であり、これがまたわれわれの擔つている歴史的使命である。このためには、それがたとえドレイ的境遇からであろうが、何でからであろうがしうとくした日本語が役に立つものであつたならば、大いにそれを役立てようと思う。強い兵隊は必ずしも自分の武器をもつてしか敵を倒すことしか知らないものではない。敵の武器、それが昨日まで自分を傷つけた敵の武器をもつてでも敵を倒せることを知つている。われわれの當面の敵は、われわれが自己の言語を回復することをあえて不自然に感じ、外的な力によつてしぶしぶとわれわれをそのドレイ的境遇――鐵鎖から解き放さなければならなかつたもの、機あらば再びわれわれをあの境遇へ引き戻そうとするものであることはいうまでもない。

このたたかい、この清算のすじみちはどこに立てられるべきか。それは自己の歴史的任務からであるとぼくは信じている。それではその任務とは？今日このような愚問を發する朝鮮人はおらぬと思うが、それはいうまでもなくわが朝鮮の獨立である。それではまた、われわれがいま日本にあるという現實に立つて、わが朝鮮の獨立のための自己の任務をどこに見出すべきであろうか。これも愚問たることを失わぬが、この日本にあるという現實に立つては、この日本の民主革命、すなわちそれが文學者の場合ならば日本の民主主義文學運動に參加することであるとぼくは信じる。日本の民主革命がどうしてわが朝鮮の獨立につながるかなどという愚問を發するものはもういないだろう。

われわれはこの任務に忠實であり、この任務の遂行のためにたたかい、このたたかいを實質的に深くし、これを押し擴げることによつてわれわれははじめて過去の呪われた境遇＝泥沼から脱却することができ、それを徐々にではあるが清算に到達させるだろう。問題はこのことを知ることだ。

かくてこのたたかいのための文學、（これをぼくはさきの「朝鮮新報」ではこういうふうにいつた。――われわれ朝鮮がどのようにして生きてきたか、そして如何に生きてゆこうとしているかを特に日本人に知らせたい。このためには論文を書き、講演會を開催してはなすこともよいが、人間的感動をもつて告げるその文學を提出することが、……これは獨立途上にあるわれわれの一つの大きな任務であり、日本人に對するこの任務の遂行は現在日本に留つているわれわれ朝鮮人の大きな義務であろう。不幸なわが歴史にあつて强制されたわれわれの日本語＝こゝで思ひ出したが、このわれわれの日本語ということばは朝鮮語で、ウリウイ日本語といい、このウリウイは日本語でわれわれのとか、わがとか譯すのであるが魚塘氏はさいしよにいつたようにこの一文に對して反駁を試み、更に朝聯の最高幹部のぼくと親しい某氏にむかつて、「日本語をとらえて『わが日本語』とは何事ですか」と憤慨したそうであるが、これはもう文章やことばを知らないそれ以前のことである。といわなければならない。バカバカしいことだがちよつと斷つておく＝はここにおいてその正當な役割を見出すのであるが、だが文學においては自然的にここに文學的問題がうまれる。――はまだその緒についたばかりである。したがつてこれが日本民主主義文學の一翼としての成立をみせるか、解放とともにかつてない規模と深さとをもつて展開されたわが朝鮮文學の一環とよばれて成立するかはまだ未知數なことといわなければならない。

しかしこの端緒の上に立つてその展望をすこしのべることを許されるならば、いまあらゆる惡條件がかさなり合いつつあるこのたたかいのなかに身をすえて、われわれがそのたたかいを押し進めることによつてまず朝鮮人としての自己の民族的主體を確立しつつなされるこの文學は、それが日本語で書かれる限りもちろん日本民主主義文學の一翼というべきが當然であろう。しかしながらぼくは、これはむろん日本民主主義文學の一翼ではあるが、日本における朝鮮人のこれはソヴィエトにおける朝鮮人のこれとともに、朝鮮文學の獨特な一環としての可能性を建設すると思われる。

なぜならばこの日本においてはその歴史的地理的條件からわれわれ朝鮮人の「生活」があるからである。一人や二人の個人がどういう事情でか外國にいつて、その外國の民族生活にとけこんで文學をはじめるのとはちがい日本における朝鮮人は朝鮮人としての集團的生活をもちその生活のなかから大多數の日本人の生活にうつたえ、結符し、刺戟しようとする表現の運動が行われるであろうからである。これは朝鮮民族文學と日本民主主義文學の養分を間斷なくとり入れて、それ自身また獨特な成立を見せるであろう。これを具體的にいえば、それは日本語で朝鮮人の生活を描くであろうが、そこにはまた日本の社會的條件、民族的條件が何等かのかたちで反映し、必ずまた日本人が登場しないではいないだろう。つまりわれわれ朝鮮人の百萬近い民族がこの日本においてどくい、とくな朝鮮人としての生活を營む限り、それは朝鮮文學を故國から輸入し、日本文字をただ購入して靜止することなく、或いは日本の文學環境にしげきされてどくとくなそれ自身のなかから「朝鮮文學」が生れないではいないだろう。これをぼくは朝鮮文學の一つの可能性といいたいのであるが、それはしかし、われわれがその歷史的階級性に目ざめ、日本のこの階級と協力し、たたかうことによつて可能である。これ以外のもの（そんなものがもしあるとすれば）は、それはもはや自己の歷史的階級性にも目ざめぬことで、それは自己の民族性にも目ざめぬものでもちろんわが朝鮮文學の一つの可能性とはいえぬばかりか、それはまたあたらしい日本文學のなかにも入つてゆくことはできぬ。

　國際情勢の進展とともに將來、朝鮮からも直接に優秀なわが朝鮮文學作品がこの日本にもどしどし飜譯されて入つてくることであろうが、そしてこの在日本朝鮮人の生活を描いた朝鮮語の作品（つまり畸型的でない、可能性の上に立たぬ）も故國へ送られて逆に飜譯されてくるということもあり得ると思われるが、しかしながら日本民主主義文學の一翼としての、朝鮮文學のこの可能性の文學（織田作之助のとはちがう）はそう變更をうけないであろう。ぼくはこの可能性の文學をまた朝鮮人の一つの可能性とみて、健康な達成をいのりたいのだ。

　そしてまた、われわれは現在、在日本朝鮮人を土臺として、それによつて許される限り範圍を擴大し、自己の言語を回復し、これを發展させるためにも國語による、可能性の上に立たぬ本すじの文學運動をも展開しようとしているが、これはこれでまたもつとも重要なことであることはいうまでもない。しかしこれはここでは別の問題である。

　日本語で書かれる朝鮮文學、思わず長口說となつてしまつたが、さいごにぼくはさきに引用した李泰俊氏の文學讀本のなかの「文學と言語」からさらにつづいていることばを飜譯引用してこの稿をおしまいにする。

『そうだ八・一五以前とはちがい、朝鮮語に對する感傷的氣分をささえ上げるわけではない。いまは朝鮮とともに朝鮮語も解放された。不遇であつたときとはちがい、白日の下に立つた自由朝鮮語にわれわれはなお感傷的となる必要はない。今日にきては朝鮮語よりも、ほかの外國語によく通じて外國文學を製作する作家が朝鮮のなかにあつても妨げないばかりか、いい外國文學作家が出るということは世界文學のためにわが民族の光榮であろう。』

（三三へ續く）

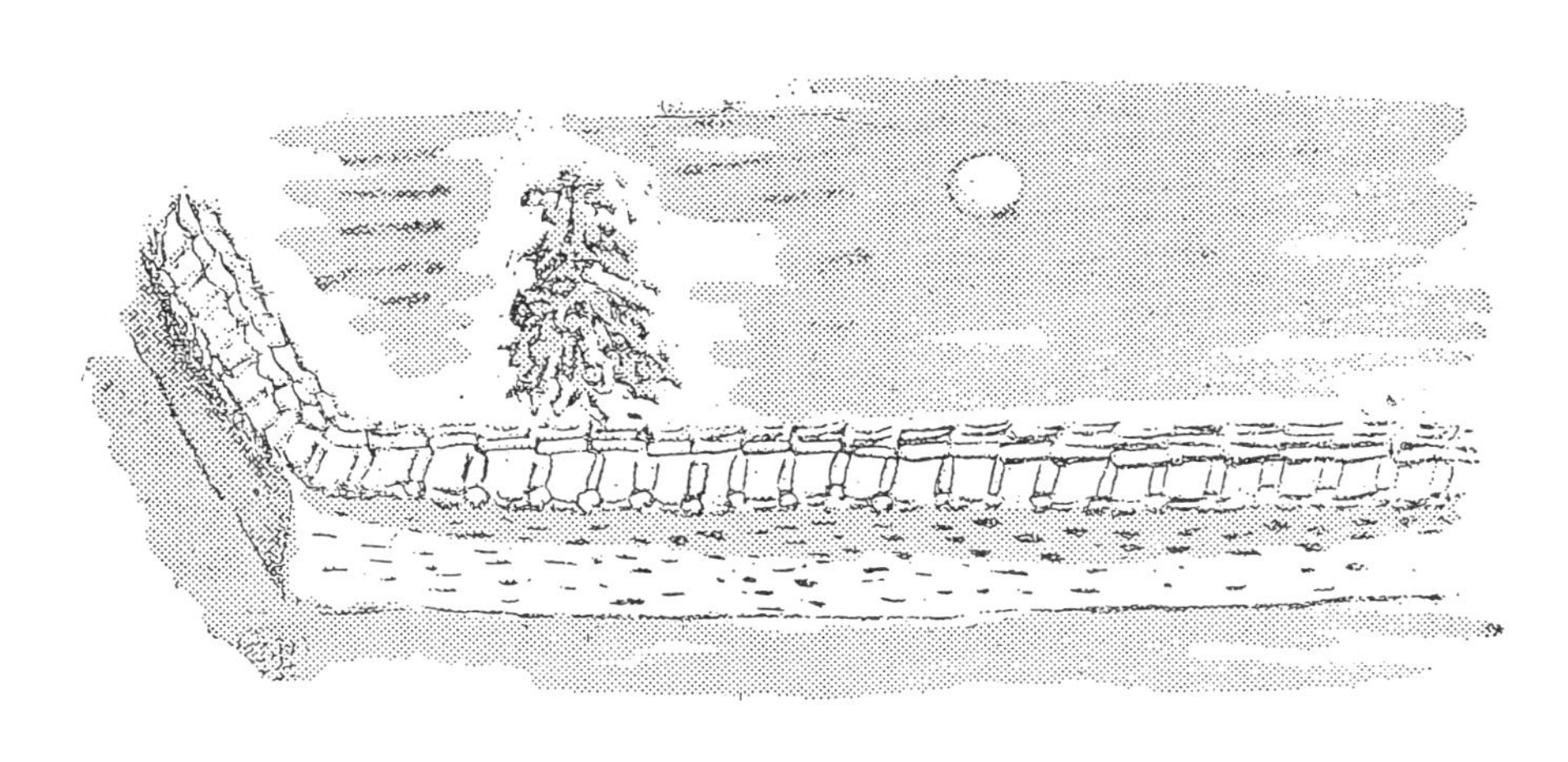

年代記

『解放えの道』第壹章

朴元俊

一

憂愁が人生の姿だとしても、チエーホフが「シベリヤの旅」で述懐しているように、世の中は結構住めるものである。世が世なれば誰だつて少し位は不幸だらうし、私は幸福ですといいきれる人もまづ〳〵少ないだらうが、おしなべて人生はどうなりと住めるものである。ふさぎの虫が私のこころをむしばんだとしても、植民地に生れて、生れながらに抑壓される運命にめぐりあつた私になんの不思議があらう。

私が生れた年は獨立萬歳事件として有名な、三一革命がおこり、村に町に、自由獨立を叫ぶあまたの群を、日本帝國主義は劍をもつて、銃をもつて、捕繩をもつて、或はこれを切り、或はこれを打ち、検束されるもの實に五十八萬、これが私の生れた翌月の出來事であつた。

父は當時まだ學生であつた。事件が平壌のまちをおぼうや、母は筐を下げて田舎へ逃げてきた。それを家でどのように迎えたのかは知らない。やがて騒動は鎮まり、父は學業を了へて、總督府の公吏になり、官吏になつた。

これまでの生活は、私の記憶にはくわしくは殘つていない。父は夜晩く酔拂つて歸ることが多かつた。そしてよく母を罵つた。私はこの騒ぎで目を醒し、こんなとき初めのうちは飛び起きて、片隅に小さくなつて、泣きもせずにぶる〳〵ふるえたが、度が重なるにつれて馴れてくると、目を醒しても、ぢつとそのまゝ息を殺して寢たふりをした。母は愚直な女であつたから、ことが自分に有利であつても、結局頭から叱りとばされ、彼女はまたそれを満足しているようであつた。母は父を非常に尊敬していた。なにかしらえらいものに思はれたのであらう。どちらかと云えば愚鈍な素朴さが、また母のただ一つの長所でもあつた。

母の感化は小學校に行くようになつてから、私は彼女にならつて父を畏敬した。彼女はいつも父のようなえらい人になれと云いきかしてくれた。

だが父の品行は決してよくなかつた。酒をのむし、女をこしらえては母を泣かせた。

ところが彼は急に役人をやめて、ある田舎町で酒造りを始めた。どうして役人をやめたか、依願退職ではあるが、實際には不品行がたたつたと云う噂さが強かつた。とにかく役人をやめて、かえつてせい〳〵した氣持で、新しい仕事に精を出した。そういうところを見ると、彼が官吏に大して望みをかけていなかつたことは事實であらう。後でも述べるであらうが、父は最初醫者になるつもりであつた。勿論官吏の魅力は大きかつたが、彼は植民地の悲哀を知つていた。官吏になつて見たところで、日本人でない限り、所詮「鮮人」では先きが知れていた。彼の體内に民族の血がどれだけ流れていたかは知らないが、日本人の下で官吏になつて卑屈になるよりは、金儲けのいい醫者の方が望ましかつたのは確である。

醫者になりそこね、官吏を捨てての彼の金儲けは、しかし、決してうまい方ではなかつた。珠の大きいソロバンを置いて帳簿を繰るよりは、自分で造つた酒に酔拂つて、田舎町の町人どもと、口汚く罵り合う日が多かつた。

この町にきてからの生活は急激に氣が荒んできた。町と云つても名ばかりで、戸數にして二百ばかり、住民の殆どが、町人というよりは百姓で、それでも平壌と鎮南浦を結ぶ交通の要所に當り、面事務所、駐在所、學校などがあつて、五の日に市が立ち、公醫や、郵便所、代書屋、學用品販賣店、小間物屋、飲食店などであり、父は先づ駐在所の巡査部長と親しくなつた。やがて學校でも面事務所でも顔がきくようになると、町では一應彼を畏敬するようにたつた。讀み書きは達者だし、酒席でもよく漢籍からの文句を引張り出しては皆を煙にまいた。

やがてここでもまたぞろ女遊びを始めた。それも平壌での如く商賣女でなく、素人娘や町の女房どもを相手としての火遊びであつた。丁度私の家との向い合せに婚期を逸した娘があつたが、この女がいろ〳〵と私を可愛がつてくれた。家が酒場で、店先きに駄菓子などを並べてあつたが、内緒でよく包んでくれた。母も最初は「いつも濟まないね」などと愛想をいつていたが、やがて私の物貰いを非道く叱るようになり
「あれはオトッチアンを誘惑する惡いあまだ」

と罵つた。

母は娘の面前でも同じ惡口を叩いた。それを娘はどうしてか默つて畏んできいていた。

「子供でも出來たらどうするんです」

と父にも毒づくが
「くだらんことを云うな」

彼は一喝で母を默らせた。

「あなたはいつもそれです」

小波瀾は毎日のようにあつた。それでも母の父に對する尊敬の念は變らなかつた。彼女には父が惡いのでなく、誘惑する女が惡かつた。さういう母を私はやがて氣の毒に思つた。

やがて私も遊びざかりの子供に成長した。だが父は私に對して嚴格であつた。自分の不品行は棚に上げておいて、町の子供との交遊を禁じた。仕方なく學校から借りた童話の本を讀んではひとり無聊を慰めた。町の子供達は市が立つと市場をふざけ廻つた。その歡聲をよそに、童話の小さい主人公達に涙をそゝいだ。

私は父の生活を理解することが出來なかつた。彼の學識と、家での嚴格さと、實際に行う不品行とが、その矛盾をつくだけの能力をもたない私は、ただ實際に家での權力者としての彼の影に小さくなり、子供なりの親に對する一つの考へ方をもつようになつた。親というものは怖いものである。親というものは勝手な眞似が出來る。そして、なにかしらえらいものである。かういう考へ方には批判が缺けるであらうが、それとは別に、自分が大人になつても勝手な眞似だけはしない信念を大事に胸にかくまつた。育ちゆく年の感傷はさまざまな形で現實を受取るであらうが、天性のいかんはともかく、私の感情敎育には、既に親和を希うこころが出來ていたのであらうか。

この頃、この地方にまた不穩な狀勢が出來た。滿洲から所謂共産匪が侵入したとのことで、ピストルを下げた警官が町をうろつき、デマが亂れ飛んで、共産匪の英雄的行動が、ひそ〳〵と語り傳へられた。學校では匪賊についての訓戒があつた。しかし私達にはうす〳〵それが民族解放運動であることがわかつた。いつとはなく間島での彼等の英

雄的闘争が傳わり、金日成将軍が満洲の虎として、一種の恐怖物語までに發展していた。

　秋も深まり、不安も一掃したころ、家の中がざわつき始めた。父が頻繁に平壌へ出かけて、いく日も家をあけた。田舎から祖母がやつてきて、父を責めた。

「もうこれ以上出す金は一文だつてありやしないから、よいか、いまに祖父さん本當に怒るよ」

「三年もしたら倍にして歸えしますよ。事業はどうしても擴張しなければ、齊藤の奴に負けるんですから」

「倭奴には勝てないよ。やめておき」

「あともう一萬圓だけ」

「とにかく祖父さんは一文も出さんから」

　祖父さんと云うのは曾祖父のことである。彼はこの商賣には最初から反對であつた。第一商人を輕蔑した。枯れても兩班として彼のプライドが許さなかつた。

　事業の行詰りは、しかし、切抜けていかねばならなかつた。齊藤と云ふ韓日合併當初に流れてきたこの成上りもの相手に競争することは、恐怖であつた。齊藤は清酒を専門に、上海あたりまで進出して數百萬圓の資本を擁し、それがいも焼酎製造に成功して、單價の安い焼酎を大量にばらまいて、小規模の朝鮮人焼酎製造を片端から叩きつぶしにかゝつた。

　既に苦境に立たさてれいた。自家製の焼酎にとぐろを巻いている間に、企業の危機がやつてきた。やがて満洲へ進出する準備期にあつた日本帝國主義は、朝鮮における植民地政策を强化し、歐洲大戰後に於ける好景氣は、漸くデイフレの傾向をたどつていた。

　決損の穴埋めは容易でなかつた。馬りがきた。女遊びなどの騒ぎでなく、家の内外が沈うつになつてきた。やがて曾祖父がくるようになつた。彼がわざ〳〵自分で出かけてくるには、よく〳〵のことと思われた。もう年が年だし、かつての狀勢に引返え、いまの不遇な身を引きずつて歩くことは、彼には確かに苦痛だつたに違いない。

　私はこの曾祖父が好きであつた。彼はなによりも私にやさしかつた。それに父よりもえらかつた。私を叱る父でも彼の前では顏色がなかつた。だから曾祖父こそが本當にえらかつた。家では彼にそむくものもなく、酒を飲まない、女遊びをしない、いつも舍廊（きやくま）で漢籍をひもとく人格者であり、誰もが彼の前では慇ぎんであつた。

「永協は大きくなつたらなにになるかね」

　よくこんなことをきいた。

　私は彼の膝にもたれて、見事な白髯をなぶりながら「官吏」と答へた。

「ほほう、永協は官吏かね」

　私はこの答が彼をよろこばすことを知つていた。彼自身は舊韓國時代の官吏であつた。若くて科擧に及第し、地方長官として權勢をほしいまゝにした。しかしそれもつかの間で、韓國は日本に併合され、彼はおちぶれて竹山書院にとぢこもつた。

とにかく曾祖父はやさしかつた。髯を引張つても怒らぬし、彼の前では好き勝手なことが出來た。愛情と云うものを、私は彼の胸に抱かれてほのかに感じたのであらう。このことが私にとつて幸だつたのか不幸だつたのかは知らない。父をただ怖いものと思い。その父に隷屬する母を愚直な、あわれな女として受取つていた少年が、やさしきものにあこがれたのは自然の理であつただらう。

といつても、その頃とりわけ不幸であつたのでもない。私は自分なりの世界をもつていた。とにかく衣食の心配なく、學校では一樣に先生にほめられ、やがて中學へ行ける樂しみで、普通の子供並に朗らかで、明るさをもつていた。親しい友達はなかつたが、仲のいい女友達をもつて、皆からかくれて、ふたりは親しく遊んだ。よく山にいつては若菜を摘み、小鳥の巢を探した。小春雨のそば降るなかで、おなじ雨覆ひのなかで唄つた記憶は私にとつては尊いものである。

そんなわけで私は腕白を知らなかつた。孤獨の中で、ぢつと、こころにかざすあかりを見つめた。

學校の成績がよかつただけに、學業はいくぶん過重だつたかも知れない。父は忙しいなかでも毎日の豫習と復習を自分で指導した。休暇には曾祖父が漢文の素讀や習字を敎えた。

毎休暇を私はいつも田舍で暮した。

田舍での私の地位は惡くなかつた。誰もが私にやさしく親切で、古い封建性がそのまゝ殘つているこの村では、檀家の長男に生れた私は、おちぶれかけた門閥ではあるが、曾祖父につぐ村の王者であつた。彼はこの近隣では學者として尊敬され、その哆ばらいが聞える範圍内ではいざこざもなく、裏山に彼の開いた書院があつて、庭に欅の老木がこんもりと繁つて、夏には蟬がないた。

「永協を官吏にしなければ……」

これが曾祖父の口癖であつた。

「曾祖父さんはどうして官吏をやめたの?」

「わしか、そらあ仕えるところがないからぢや」

「どうして?」

「どうしてつて、お前、韓國は亡んぢまつたがな」

「ぢや僕もなれないやね」

「困つた奴ぢやね、いまは世の中が違うからお前にはなれる」

彼は苦笑した。

「官吏ていいもんなの?」

「ああ、出世だよ」

官吏がなんであるかは知らないが、それが出世であることを教えこまれた。彼の場合官吏がどう云うように理解されていたのか、彼の國家意識がどんなものであつたか知らないが、革命意識はなかつたものと見え、ただ權勢の權化である官吏の幻影が彼をとらえて放さなかつたのであろう。韓國末期の官吏の實體が理解されなければならないのであるが、官吏を私はただ曾祖父の口から素晴しいことであり、曾祖父の好きなものだとして理解した。

「僕官吏になるよ」

「よし〳〵」

彼は上氣嫌であつた。

「どうだか、父のようにまた商賣でもするんだろ、この頃の若いものは信用が出來ないよ」

祖母が冗談半分こんなことを云つたりするが
「永協はわしの子だからね、お前の出來損ひとは違う。永協はなんになるだつたけね？」

「僕官吏だよ」

「そうれ見ろ」

彼はつとめて愉快げに笑つた。

「まあね、曾祖父さんをがつかりさせるものでないよ。しつかりおやり」

「僕勉强してきつとなるよ」

不平がましく祖母に叩きつけた。

冬がきて父の事業は行詰りの打開策がなかつた。急激にばた〳〵倒れてゆく中小企業の中で、彼も八方ふさがり、曾祖父の印鑑まで僞造して借金し、立ちなおりを講じて見たが、却つて損失が大きかつた。結局三萬の決損を殘した。

曾祖父の怒りは大きかつた。なにより嫌いな商人になり下がつて、印鑑を僞造する不孝者を孫にもつたことの不幸を、彼はこの年になつて。その悲しみに堪えなければならなかつた。

破局は序々にやつてきていた。

「たわけもの奴！」

激怒する彼の見事な白髯が一本々々震え上るように思はれた。胡坐をくんで端坐したまゝ、煙管を片手に、顏も蒼白に、眼光を爛々として怒りにふるえる恐しい形相を、私はこのとき始めて經驗した。父は平伏したまゝ小半時間言葉なく、やがて曾祖父は案外にやわらかい聲で
「下れ」

と云つた。

沈默は恐しかつた。父がさがつてから、彼は傍へよる私を默つて輕く膝の上に抱いてくれた。そしてたばこ入れを出してすぱり〳〵煙を出した。見ると、彼は靜かに泣いていた。私は義憤にふるえた。思わず胸にすがりつき、すゝりあげながら
「僕きつと官吏になるよ」

と云つた。

三萬の缺損は大きかつた。土地が賣りに出された。

「先祖傳來の地所を賣るなんつて」

祖母は泣きわめいた。

仲買人が毎日のようにやつてくるが、値は坪五十錢以上には出なかつた。

「いくら物價が下落しても、半値ぢやね」

流石に手放すのが惜しまれた。

「父さんに地所賣るのやめさせなさいよ」

祖母は良人に話させて、賣りたくなかつた。

「云つたつてきくもんか」

「いくぢなしが」

祖父は確かにいくぢがなかつた。性格の弱い質で、漢籍の素養をひと一倍もつていながら、時勢の急變は彼を一個の凡夫にしてしまつた、韓國がもし日本に併合されなかつたら、彼の敎養はまた使いみちがあつたかも知れないが、使いみちのない、半端な田夫として、發言權のない、寄生的存在に過ぎなかつた。曾祖父は彼を全く無視していた。父の場合はそれでも基本的人權を實踐もしたが、祖父は酒さえ曾祖父の存命中大ぴらに飮めなかつた。

「朱進士は頑固だでのう」

封建的實權者を周圍ではかう批評した。土地をどのように處理するかは曾祖父次第であつた。値が出ないまゝに、地所をいくつも出して値ぶみさせた。

「進士も氣の毒でさ」

「自慢だつた孫は破産するしよ」

おちぶれかけると同情よりもまづ冷笑をうける。

曾祖父が父を自慢したのは事實である。息子が自分同様使いものにならず、役人をやめるまでは確かに自慢した。息子が自分同様使いものにならず、家の立てなおしを若い世代に望み、また事實父は小さいとき明敏であつた。曾祖父は彼に小さいときから漢學を詰めこんだ。十六の年まで朱文學を敎え、時代が新知識を必要とするにつれて、日語學校えやつて日本語を習い、中學までやつたが、日本に留學するというのを叱つて、すぐ官廳勤めをさせた。

父は醫者になることを主張した。曾祖父はそれを新學問の迷いだと叱つた。

その時代の靑年は官吏と醫者とこの二つの中いづれを選擇するかには夫々迷つた。父は官吏の前途に疑惑を抱いた。出世することよりも金を儲けることを考えた。既に二人の時代認識が相反していた。權勢に對する幻影と、世俗的な自由を求める二つの對立が、時代の流れに沿うて溝をつくつた。

暮も迫つてごたくした中で曾祖父は病氣になつた。例年の氣管支炎で、自分では大して氣にもかけなかつた。だが寄る年波はこの冬には氣力が衰えていた。

「せめて八十錢は出せよ」

床に坐つて仲買人相手に地所の値ぶみをつゞけた。

「旦那、これでも氣張つた方ですぜ。それにかういつちゃなんですが、敗家(はさん)の賣物はなんとかケチをつけるもんでしてね」

「敗家？」

この言葉は決定的なひびきをもつていた。おちぶれゆく姿が實感をもつて迫つたのであらう。

「競賣で叩き賣ればいいのね」

祖母が口をとんがらした。

「もうよい……」

「でも、あんまりです」

「もうよいというのに……」

曾祖父は祖母をたしなめて仲買人にむかい
「いや、よくわかりました。なるほどうちは敗家(はさん)したに違いありません。こちらがうかつでした。」

「いえ〳〵とんでもねえ……」

「いや、感謝しますよ。正直におつしやつて頂いて有難う……」

仲買人はあわてて歸つていつた。

「敗家……」

曾祖父は低くつぶやいた。

「世間ではさぞかし評判だらうね」

「先だつての市では白川家までが一緒になつて笑ひものにするほどですから」

「白川家までがね……」

「日頃の恩は素知らぬ顔で、朱進士も早くたばれやよかつたになんて……」

「その通りだよ。わしも長生きしすぎたよ」

曇つた顔がさびしい微笑をうかべた。

父は工場設備を一束三文で整理し、背に腹はかえられないものと、齊藤の製品を暫くおろして見たが、もちろん大して儲けにならなかつた。

意氣悄沈したなかで、やつと自分の半生が後悔された。世間の噂さが彼の耳にはいらない筈がなく、町での彼に對する冷笑も耐えかねた。

かういう中で私の縁談の話が進んでいた。父は大して關心を示さなかつたが、曾祖父の存命中にというので祖母と伯母達が乘氣だし、殊に祖母は迷信からどうしても今年中にと物色した。私は別段これに興味をもたなかつた。十二三にもなれば結婚することを常識として知つている程度で、結婚に對する實感などありようがなく、別にどうでもいいことだつた。

「來年は大厄だからね」

祖母は占ひが悪いから、近々他人に知られるような大きな出來事が必要だと主張した。

「迷信だよ」

「そんなこと云つて、お前は死ぬかも知れないんだよ」

「おばあさんはばかだな」

　祖母は私のいうことなど取りあわなかつた。

　正月もあと數日に迫つた。

　朝父は食膳を下げてから
「お前百姓出來るか」

と出抜けに母に云つた。

「百姓て？」

「お前と俺とで百姓をするんだよ。明日は永協の緣談もきまるし、二人で百姓して借金を返さう」

　母は急な話で合點がいかないらしかつた。

「いろ〳〵計算してみたが、下男をもう一人ふやして年百石の增收さえ出來れば、五年で借金はきれいに返えせる」

「さう……」

「出來るだろ？」

「百姓ですか？　わたしはなんだつて出來ますよ」

「着物を出してくれ。永協、お前もいかう」

「永協の明日きる着物をどうしませう」

　母は百姓のことよりも、明日の緣組のことを心配した。

「祖母さんとこにいけばなんかあるだらう」

「だつて祖母さんも明日だということは知らないでせう。なんでまた急に……」

　母は伯母のことをぶつ〳〵云つた。

「むかうの都合もあることだらうから、まあいいさ」

「うれしいかい」

　母はうれしさうに私をからかつた。少してれくさかつた。

　外は非道い寒さだつた。この地方獨特の北東の風が唸りを立てて、存分に野づらの雪を吹いていた。凍てついた道がすべり、空風ばかり强くて、空は晴れていた。柳や白楊木の枝が白く咲いて、あさ陽が爽やかにきらめいた。

　道々父は默つていた。恐らく百姓になる思ひつきで一杯であつたのだらう。確かに事業の失敗は彼の性格を變えていた。力一杯ふんばつて自らまねいた難關を切抜けようとする努力を見せていた。

　曠野はただ雪ばかりである。默つて父の後をついていきながら私は彼を怖いものに思つた。ひとを寄せつけない重々しさが感ぜられた。かう云う父に愛情を感じなかつたとしても、その罪を誰に求められようか？　いつの世でも親は子供の教育方針乃至は態度についてそれなりの自信をもつているだらう。それが放任主義だらうがスパルタ式だらうが、それを行使する本人にとつては嚴肅な氣持からであるだらうし、義務として、たがわずに規則正しく行使されることを心かけるであらう。それによつて受ける子供の感情教育がどういうものであらうと構うところでなからうし、またご本人は結構自分の教育の仕方に自信をもち、それを行使することが親の役目と信じているだらう。

だがそれは愛情とは別である。

私は父の訓戒をはねつけなかつた。親が子に對して絶對者であり、子が親を畏敬している限りでは、父は常に勝利者である。

心の餘裕が出來たのであらう。大成金を過ぎてから父はぽつり〳〵話しかけた。結婚の話から糟糠の妻の大事さを話し、來春の受験準備にふれた。

「要するに立身出世だ。大學まで出してやるから役人になれ。高文でもとれば郡守位にはなれるだらう」

糟糠の妻を理解しなかつたが、役人になれという言葉はうれしかつた、私はこの頃官吏になることしか考へなかつた。誰もがすすめる官吏をえらいものと信じ、天皇を知ることよりも朝鮮總督のえらさを身近かに感じた。父が百姓になると云ひだし、世間では破産したといつていることが少年のこころに自然に義俠心を起させ、立身出世が功名心からではなく、犠牲心にも似た思いやりから考えるようになつた。私は父の思いがかなえられることを望んだ。

田舎では私の歸えりをよろこんだ。

父はすぐ舍廊え曾祖父に會いにいつた。私が挨拶に出たときは既に話があつたとみえて、曾祖父は氣嫌を損ねていた。

「でしやばつた眞似をするな。お前の差圖は受けん」

床の上に起きているが、顔色が悪かつた。

「もう一度だけ我儘を許して下さい」

哀願する父が可哀さうに見えた。

「破産して百姓をしたらさぞいい様だらう」

「すみません」

「たわけものが……」

「さうむげに怒りなさんな」珍らしく見えていた外戚にあたる龍庵老人がなかに立つた。「で、なんぢやね、お前のいう通り百姓をやつて目算はあるのかね」

「はあ、自信があります」

「商賣の方は實はわしも聞いて驚いているが、まあ、凡てが時世だね。わしは聞いていてお前が裸になつて働くという氣持が嬉しいよ」

「恐縮です」父は頭を下げた。

「わしに謝ることはない。お前のいう通り若さだ。だがもう間もなく不惑の年だ。いつまでも人に笑はれる行ひも出來まいし、しつかりするんだね。のうご老人、若いものにまかせるんだね」

曾祖父は憔悴した顔を默つていた。

「相變らず頑固ぢやのう。」龍庵は人のいい笑ひをうかべてたばこ盆を叩いた。「お互に金には餘り縁がない方だて。は、は、は……」

彼の冗談に曾祖父もつい苦笑した。

「ほれ、永協がもうこんなに大きくなつて、もう嫁を貰う年ぢや」

そこえ祖母が出て來て明日女の方で見合に來ることが話された。

「ほほう、それ〳〵、もう明日は嫁が決まるかの。どれ總角の中に抱いて見るかな」

彼はとんきような聲で私を抱いて笑つた。

祖母は今朝の母同様明日着せる着物のことを心配した。

「せめてもう二日早く知らせてくれたら、せんの市ではやりの着物一つも見立てられたのに」

「なあにぼろを着せたつて構わぬ。着物に迷はされるような先方ぢやこつちが拒わる。永協はふりのまゝの明敏さが玉ぢや」

曾祖父は氣嫌をなおしたらしく冗談をいつたが急にせきこんだ。その咳が苦しさうで、不安であつた。

二

朝からいい天氣だつた。からりと晴れた空が風もなく、三寒四溫のあざやかなかわり目が、すが〳〵しい日和だつた。

曾祖父は朝から氣分がすぐれていた。

「起きたりして大丈夫かい?」

「いい氣持だ。おいで」

私は嬉しかつた。きのう父は結論をえずに歸つたが、曾祖父はどういうつもりなのか、ただ最後にもう一度勝手な眞似は許さんぞとだめを押したが、今朝の彼は氣嫌がよかつた。

母屋では、お客を迎える準備に忙殺されていた。なにかしらみな浮き浮きしていた。

曾祖父は明らかに相好を崩していた。事實彼は感慨深かつただらう。曾孫の嫁を見て死ぬことは確かに慶事である。ながかつた一生を回想すれば、あわただしい時流が、幸も不幸も、その一齣々々が明滅し、この世の榮耀が、そして權勢が心がしびれる思ひであらう。

思えば彼の一生は見果てぬ夢の如く、思いおこす毎に斷腸の思いであらう。二十臺で國亡び、めまぐるしくうつりゆく時勢に、これに抗するだけの實力と氣力を持たず、日一日とあらぬ方え押し流されて、おちぶれゆく己の姿をぢつと見つめることは並大抵の努力ではない。恐らく彼の民族の血は暫くさわいだことだらう。それが少しづつ削りとられて去勢され、やがて受身の態勢が榮耀えの幻想となり、實質なき兩班のしつけだけが變にしやちこばつて、いまはただ死期を待つばかりにさせたのかも知れない。

不幸はいうまでもなくそれぞれの形で不幸である。それが意識されるとしても人生にまた望みなきにしも非ずであらう。それはくちゆく肉體は當然に若き世代に向けられる。

父に己の幻影を失つた曾祖父が望みを私に向けたのは極くありふれた自然のなりゆきかも知れない。

「養親の道に養體、養目、養耳、養口、養志。これを五道という。目を樂しませ口に糊することは凡夫の孝行だ。親の志を志とし、それにそい奉ることそ君子の道である」

彼の說く道は一つである。老人の愚痴とも云えようか。

「養志の道をいつてごらん」

「身を立て道を行い名を後世に揚げ以て父母を顯すは孝の終りなり」

得意滿面である。

「永協はえらい」

「だつておぢいさんが僕にさう云つただらう。それから名を後世に揚げる道が官吏になることだらう」

「こいつ……」

彼は力强く私を抱いた。

「昨日お父さんもいつてたよ。大學までやるから官吏になれつて。高文がうかつたら郡守位にはなれるつて。僕一生懸命に勉强するよ」

「韓國が健在だつたら永協は大臣になれるぞ」

一ぱい笑つた顔が目をしよぼ〳〵させていた。あるいは彼は泣いていたのかも知れない。

彼は私がどんなにかたのもしかつたことだらう。この子こそは親の志を養つてくれる。きつと養つてくれるだらうと涙を流したのだらう。また私も出鱈目をいつたのではない。たとえそれが後で裏切られたとても無邪氣な子供を信じ、その言葉に望みをかけることになんの罪があらう。またたとえ十三の子供が希望通り官吏になるとしても彼はそれまで到底生きながらえることは出來ないだらう。彼はこの瞬間を信じ、子供の私を愛撫することだけで、結果を見ずにすむ氣安さもあつた。慾をいえば切りがない。十三のまだ小學生の私が調子よく大學を出て官吏になるまでには十數年を要することである。十數年後のことを誰が知るものか。


晝がすぎても見合いにくるお客が見えなかつた。さきほど母もやつてきて家中がお祭りのようなそわ〳〵した氣持だつた。自然なにかしら私までが次第に浮き浮きした氣持で、緣の羽二重を着せられ、周圍でちやほやされると、結婚とは別に、丁度お正月を迎えるような子供ごころを誘われた。

「遊んでくるよ」

祖母や母のおちよつかいが少々うるさく私は外へ飛び出した。

「遠くへ行くんぢやないよ」

「子供だね」

後で母たちが笑つていた。

雪に反射する太陽がまぶしく、軒先にはつららがきれいに光つていた。それを落してがり〳〵囓つた。田圃では氷滑りをしている子供たちの歡聲がにぎやかだつた。

「え〻着物だね」

遊びにゆく子供が羨ましさうに私の着物を見た。

「ぼくんとこ今日お客さんが來るんだよ。ぼくを見にくるんだ。ぼく結婚するんだよ」

「なあんだ、嫁さん貰うのけ。別賓かい?」

「そんなこと知らないよ。ぼく見たことないんだもの」

「なあんだ、見てないのか」

「だつてぼくだけぢやないよ。曾祖父さんもお母さんも、誰も知らないんだよ。見たのは伯母さんだけだよ」

「貰つたら一晩かせや、ね、いいだらう」

「知らないよ」

私はそのま〻走り出した。

田圃は見渡すかぎり輝くばかりの雪だつた。

「おーい」呼ぶと「おーい」とこたえる。

橇に乘つた。着物のよごれはもはや忘れていた。ただ歡聲のるつぼに溶けこんだ。スケートが橇を追越し、上氣した頬が火照り、息を切らして胸がふくらむ。嬉々として踊り潑剌として跳び、雪も氷も椋鳥の胸毛のように暖い。乘り手と押し手が交替する。ぴー、汽笛がなる。發車――橇の上は心地がよい。橇よ走れ、走つてくれ。足並も揃う。二の驛三の驛を無停車で突走る。樂しいひとときを歡聲で顔を崩し、背のびをして橇をはげます。

いくほどしてか私は土手をやつてくる人影に氣がつき、急いで橇を捨てた。田圃を突つきり、家まで夢中で走つた
「安聲里の伯母さんだよ」

私は息をはあ〳〵切らしていた。

「まあ、その袴(バヂ)は」

祖母が奇聲を上げた。氣がついて見ると私の着物は膝といわず臀といわず、ずぶ濡れであり、はねが一ぱいかかつていた。

「お嫁を貰うというのにこれをごらんよ」

「困つた子ね」

「本當にねんねだね」

大笑ひしながら母たちは大騒ぎで着物を着替えさせた。

「行儀よくするんだよ。この様を見たらお嫁さんが笑うよ」

「眞直ぐにして」

後から横から着物をきちんと合せながら祖母はもうおろ〳〵していた。

「お客さんが來たら行儀よく、はきはきものを云うんだよ。よいかい。お前はお嫁を貰うんだよ」

「しつかりね」

彼女たちは感激で聲をふるわせていた。

伯母の連れてきた先方の人は四十四五位の婦人であつた。端正で感じのよさそうな女だつた。

「まだほんの子供でこれの親などは時勢が違うから早過ぎるともいわれますが、でもねえ……」

祖母は言譯ともつかぬことをべら〳〵しやべつていた。

「お坊ちやん、おいくつ？」

「十三歲です」

「大きいのね」

相手の女は無遠慮に私を眺めていた。いささかへいロした。

「この春中學ですつてね」

「一生けんめいやつてはいるようですが、なにしろ試驗が試驗ですから、どうですか」

「坊ちやんはよく出來るさうですから、大丈夫ね？」

私は返答に困つた。氣まりが惡いので俯いたまま默つていた。

「學校ではいつも優等で、中にはずい分年をとつた生徒もいるさうですがこの子が級長ですつて。さうだろ？」

伯母が話しかけるのを、私はいつもの氣安さで「うん」といいかけたが、すぐ「はい」といいなおした。

婦人はその間ぢゆうも、間斷なく私をぢろ〳〵眺めて、體中直視された感じで、顏が上げられなかつた。彼女はそれから舍廊え曾祖父にあいさつに出た。

曾祖父は寢ていた。額に汗をかいて、顏色が惡かつた。やつと起き上ると病體をわびた。

「不思議な緣であなたのお父さんの金進士とは科擧のとき一緒でしてね、今度の緣談はわしも喜んでおります。ただこいつめがお氣に召しますか……」

「いいえ、もうもつたいなくて。こつちがあまり不釣合なのが心配ですが、暮向きもお話になりませんし、それに舊式なもんですから娘を小學校えもやらない始末で、どんなもんですか……」

「滅相もない、わしは新學問は嫌いですぢや。髮を短く切つたり、へんな靴をはいてぢや、兩班の娘は學校えはやりませぬ。とんでもないことですぢや」

「新しいことはしらないものですから、それでも世間ではとやかく新しいことがやかましいでせう?」

「女は家庭の躾が第一、婦德の道は孔孟の敎えですぢや。あなたのお父さまは見あげたお方だで、閔子騫ですぢや。その孫娘ならわしは安心して貰います」

「お言葉もつたいのうございます。弟もそれを聞けば安心でせう。この頃の若いものは、大きくなればとかく離婚だとか騷ぐものですから、娘をもつた親の苦勞もねえ……」

「躾ですぢや」

「さうでございますね。ねえ、お坊ちやん、ほ、ほ、ほ…」

　女は滿足していた。その場で結納の日取りをきめて歸つた。

　なたちはほつとしていた。曾祖父は相當苦しいようであつたが横になつて女のことを讃めていた。

「嬉しいかい?」

　嫁を貰うことをどう思つたかは知らないが、にこやかな空氣の中で私は嬉しかつたのであらう、その嫁がどんな顔をしていようと、年がいくつであらうと、名前など知る必要もない。たとえそれを知つたにしてもなんのかかわりもない。凡てを親まかせであり、親が凡てを處理する中で私はただ喜んでいればよかつた。


（一八頁より）

だがぼくはここに反對がある。むろん比諭ではあろうが、わが朝鮮のなかにあつて外國語で外國文學を製作する朝鮮人があることは反對である。もちろんまたこれが可能であるはずもないが、しかし外國、つまり日本にあつては日本語で文學を製作する作家があつても妨げられないであろう。そしてそれは外國文學、つまり日本民主主義文學の一翼でありながら、朝鮮民族文學の一環としての可能性にまで高められなくてはならぬ。

（一九四八、一）

編輯後記

文學に於けるヒューマニズムと政治のと關聯について最近幾人かの友人と語ることを得た。

つまり、文學は政治の絕對的影響下にあるものであり、文學者たりといえども、政治のよしあしの如何によつて、直接影響を蒙らないわけにゆかないものであるから、文學それ自身も、一種の政治的役割を果さなければ、ならないというのが結論だつた。そして、「しかし、文學はその根底に、ヒューマニズムをもつてしているから、全面的に政治とは、一致しがたい或る限界がある」との附言が、それに追加された。

編輯子は、この附言に對して一言したい。僕は、こういう附言のつく政治を信じたくないのだ。政治に使われるヒューマニズムと、文學に使われるヒューマニズムとが、異質のものでなければならないという使い分けがあるようでは、それはヒューマニズムでもあり得ないし、政治とも言えなかろう。「政治」が何時までも、三十六計や四十八手によつて動かされるものであり、又、そういう手管手腕のうまさが「政治」だというふうな考えが殘つている以上、そしてそういう政治が標傍するヒューマニズムが、何時までも純粹なヒューマニズムとは、若干の間隔を置かなければならぬものだという考えが通用する以上、それは本當に人民大衆のためになる政治ではなかろう。政治も、文學も、共に、眞正のヒューマニズムから出發したものであり何時見てもそれが脈々と流れているのが、わきからでも見分けられるものでない限り、それが例えどれだけの理由があり辯明が用意されている筋合のものであつても、それは所詮、政治のための政治であり、文學のための文學にしか、過ぎないものだろう。

○

當節は、あまりにも、說明や辯解の多過ぎる時代だ。

○

そして、こういう議論や辯明の過剩というものは似而非者の跳梁を招く溫床ともなるのだ。

玄海灘のこつち側に於いてもあつち側に於いても、ファシストの勢力が强くなつて來それにつれて、戰犯、叛逆者達の返り咲きも、ぼつぼつ見られるようになつて來たことも、その現象の一つだろうか。

○

文學するということは、議論の上に議論を積み重ねるということではなく、こういう議論のからくりを、直接、人民大衆に示すことによつて、民主主義の本當のコースを誤らせないことだろう。

○

本號は、朴元俊氏の「年代記」を載せ得た。朝鮮語版「朝鮮文藝」も、豫定より大部、遲れたが、漸く出來た。

（牛）

朝鮮文藝 四月號

一九四八年三月廿日印刷
一九四八年四月一日發行

定價 二十圓

編輯兼發行人 朴三文
東京都新宿區大京町二八

印刷人 大寺一郎

發行所 朝鮮文藝社
東京都文京區大塚坂下町五七
電話大塚一八七三番

配給元 日本出版株式會社

一九四八年三月二十日印刷納本　一九四八年四月一日發行　朝鮮文藝

定價二十圓

1948 年 6 月 20 日 印刷納本
1948 年 7 月 1 日 發 行

7月號

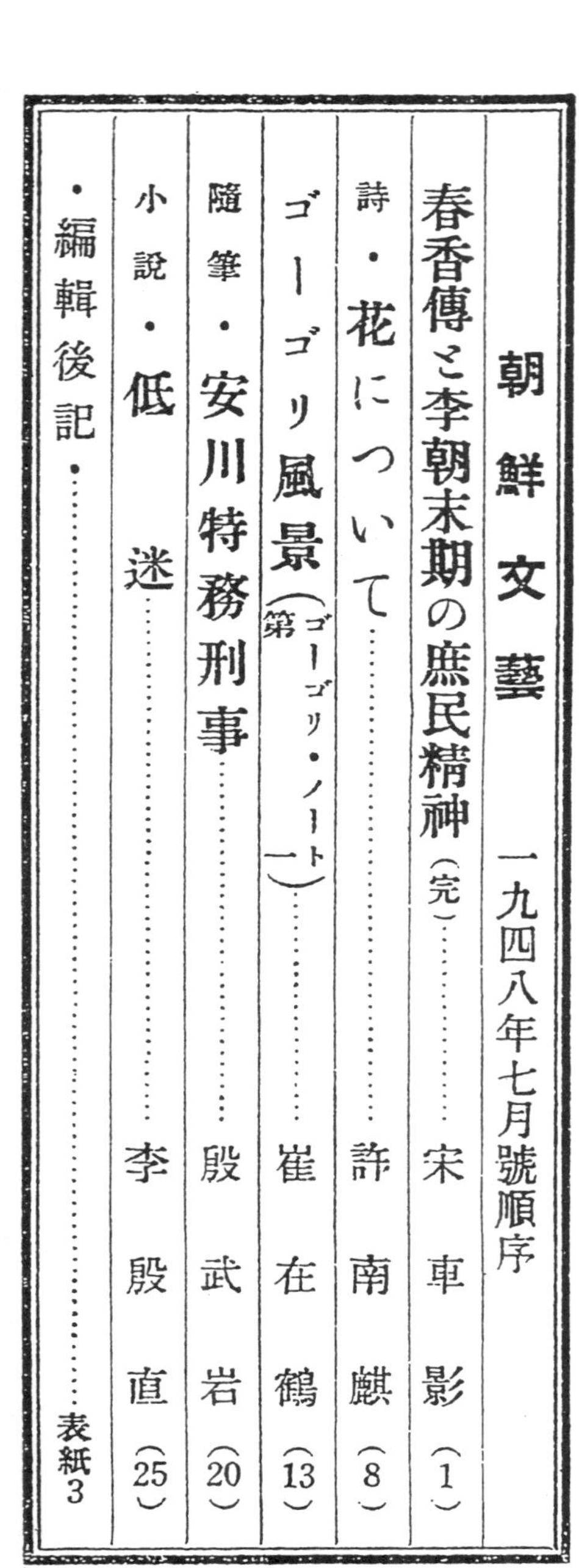

朝鮮文藝

一九四八年七月號順序

春香傳と李朝末期の庶民精神（完）

宋車影

春香傳の人物

春香傳の藝術的價値は、その獨創性にある。春香傳が、朝鮮の代表的古典と賞讃される最大の理由は、それが全く朝鮮以外にはあり得ない物語であるばかりでなく、春香傳の登場人物がすべて、朝鮮人の個性を强烈に具へてゐて、端役の一人一人までが、鄕土の色彩を濃厚に見せてゐることである。

春香傳以前の小說は、多かれすくなかれ、外國の影響（特に中國の）を受け、その物語も中國のものを飜案したものが多かつた。しかしこのなかには、中國的なものは全くなく、きはめて寫實的な物語が展開されてゐる。

とはいふものゝ、偉大なる藝術は、必ず世界性をそなへてゐなくてはならない筈である。そこには如何なる國の人をも感動させずにはおかない人間性の共感があるからだ。かゝる意味において、春香傳のなかにある普遍的なもの、あるひは世界的なものを探究するとき春香自體が世界的人格の具現であることに氣づかざるを得ない。

成春香は、南原地方の官妓月梅の娘として生れた。その父は、南原の府使をしたことのある兩班だつた。月梅は府使の傍女となつてゐたのである。これを守廳といふ。妾であると同時に小間使を兼ねてゐるのである。春香の父は小心で善良な官吏であつたやうだ。月梅の氣質を愛し、生れる子供のために、月梅の生涯の生活保證の途を講じてやつた程の好人物である。もつともこれは月梅の手腕といつた方が妥當かもしれない。春香の父は、この物語の發生する前に既に死んでゐる。したがつてそれがどういふ人間であつたかは知るに由ないが、月梅の口をとほして語られるその面影は、惡事をはたらかぬ平凡な兩班である。

月梅はこの父親の名にかけて、春香を立派な娘に育て上げた。文學・技藝・一つとして缺けるところのない、しかも南原一の小町娘とさせたのである。これもまた月梅の男まさりな膠氣さの手柄である。月梅は古い型の妓生ではあつたが、ある限度だけは守り通すといふ律氣さがあつた。女手一つで世帯をつくり上げた彼女は名利にさとい。しかしそれは狡猾さを意味するのではなく、彼女が健全な生活力の持主たることを證明するものである。

妓生上りであるだけに彼女は粋と不粋をかみわけてゐる。しかし彼女の生活は崩れないだけの秩序をたもつてゐた。その秩序が、彼女の意氣と張りのためにみだされることはあつても、彼女はそのために己を失つて頽廢のなかに溺れこむやうなことはない。だが、何といつても彼女は千軍萬馬のつはものだ。權勢張る兩班に揉まれつゝ、寄生虫のやうな衙前の群を泳ぎわたつて、ときには派手な芝居の一つもやれるやうな度胸がそなはつてゐた。

春香をいつくしみ育てたのは、母性愛の本能に加へて彼女の意氣と張りが手傳つてゐたとみるべきであらう。兩班の娘などに負けてたまるか、といふ彼女の見栄が、春香の精神に兩班の娘以上の自尊心を植えつけたのである。兩班らしい品のある育て方が彼女の理想であつたが、彼女自身には深い教養があるわけではなく、貴族のやうな教育を受けたのでもない。彼女は生れつきの庶民の子である。したがつて折にふれると、彼女は猛烈な野性を發揮する。その野性を發揮するときこそ、彼女の個性は生き生きと輝く。そのときほとばしる彼女の痛烈な罵詈は、そのまゝ人民の聲となつて叫ばれるのだ。もとより彼女に意識はない。彼女の願ひは、やはり娘が仕合せな結婚をして、自分の面倒が見て貰へればよいといふ、平凡な母親の心である。

この母親のもとで、詩をつくる術を教へられた春香は、善と惡とを一目で見分けられるやうな直觀力をもつてゐる。彼女の容貌は美しいが、その心の美しさの故に、さらに光り輝く。しかし美しい女が持ちやすい驕慢さを彼女は教養の力で抑へ得てゐる。兩班の血を受繼いだ彼女は、典雅なものを愛し、品のあるものを喜ぶ。だが、彼女の血は母親の氣質をより多く受けてゐる。人民が虐げられるといふ事實が、彼女には承知できない。兩班の暴虐に對して、彼女は命を的に抗争する。それは感情的な對抗ではなく、不正を憎み、正義を愛する彼女の信條から出發したものだ。彼女は體驗を持たぬ生娘でしかない。しかし彼女が支へる純粋な信條は、母親の血を經た民衆の純粋な理想である。

美しさのために、彼女は周圍のすべての人に甘美ならるほひをあたへる。そしてまた多くの人に慾望を湧き立たせる。彼女の視線を受けた男といふ男は、恍惚として一切を忘れる。そして彼女の檎にならざるを得ない。しかし、彼女にそなはる氣品のために、彼女の身近にある者は敢て慾望の手をのべることができない。いなむしろ彼女を眺めることによつて、弱い彼等の邪心は淨化されてしまふ。彼女の周圍の一切の男は、たゞ彼女を愛の女神のやうにあがめる。それだけで彼等は充分幸福であつた。そして彼女がまた彼等と同等な平民であることに、いひしれぬよろこびと誇りを感ずるのである。

香丹は春香の小間使ひであり、友達であり、時には代辯者である。彼女はその美しさを、春香を飾るために悄氣なく奉仕する。目立たぬやうに春香につきそふ彼女が、時には春香をかばふために、その存在を明確にする。彼女の心には春香の氣持が鏡のやうに撮つてくる。仕へるものとして生れついた彼女は、全く封建的な女である。彼女には嫉妬といふ感情がない。春香の愛するものをすべて自分も愛し、それで滿足してゐられるのである。悩むことと、爭ふことを知らぬこの娘は、この物語に缺けてはならない存在である。にも拘らず彼女は誰の注目をひくこともなく置き忘られてゐる。平民の子がすべてさうであるやうに――。

李夢龍は名門貴族の子だ。この世における、幸といふ幸を一身にあつめて生れた人間である。彼の父は、堂上貴族で信望の厚い人格者だ。南原府使を二年勤めてゐる間に、管轄内から罪人といふものを一掃してしまつた。街路の辻々には「善政頌德碑」が立並んだ。それはこの人の謹嚴さからくるものである。彼は儒教の殻を背負つて歩くやうな人間だ。夜明け前には必ず起出て、官家の中を一巡して廻るといふ行事を一日も缺かしたことがない。息子が夜遊びをし、召使共がふしだらをすれば、忽ち露見となる。はかりのやうな規律正しさが、生活の根本を貫いてゐる。その窮屈で厳しい暮しは、とても平民の眞似のできることではない。かくあれかしといふ貴族の一つの典型である。

その令夫人は、どんな人であるか一度も舞臺面に現はれない。兩班の内房は平民の窺ひ知るところではないのだ。すだれをとほし、障子をとほして、ほのかにその人の雰圍氣を嗅ぐばかりである。その息子の口からもれる母親の氣質は、夫に從順で息子にやさしい良妻賢母である。

特色をそなへた春香傳の登場人物のうち、この兩班夫婦は、全く類型的で個性がない。結局これは描かれた人でなく、つくられた人であるからだ。したがつて、この夫婦はかく存在した人物ではなく、かくあらんといふ理想型の人物である。

　この偶像的な兩班の子が夢龍である。才氣渙發な美少年で、きはめて理智的であるとともに、ゆたかな感情の持主である。特權に惠まれ過ぎたこの若者には、自己の周圍が退屈でならない。世の常の若者と同樣彼は冒險にあこがれてゐる。貴族の子弟といふものが、ひどく意氣地なしで傲慢なのにひきかへ、彼は未知の世界へとびこみ、ふりかゝる苦難と戰ふ勇氣をもつてゐる。退屈なあまり、彼は時折、お坊ちやんらしい我儘ぶりを發揮する。そして周圍を困らせてみるものゝ、きまりきつたやうなお叱りと、慰めと、追從をみせつけられ、少し憂鬱になる。彼には適當な友人が居ない。家僕は無智で狡猾で論ずるに足らぬ人間と思ひ、これを輕蔑してゐる。朝起きると、何か素晴しい出來事はないかと期待にをのゝく。しかし平穩無事な、彼にとつては息のつまりさうな退屈な日課がつゞく。彼は官吏になるために、難しい漢文を澤山讀まねばならない。かびのはえたやうな匂ひのするそれらの文字や言葉は死んだもので、彼の若さはたゞ反感を抱くばかりである。上の空で讀んでゐると、本の間から幻想的な美人の顔が浮び上つたりして、彼を刺戟する。何故こんなに人生が味氣ないのか、彼にはわからない。何かに缺けた生活であることは感づいてゐるが、暗中模索をするだけで徒に神經を疲らせる。憂愁といふ程深刻なものではないが、哀愁をたゞよはせて、未智の世界を戀ひ焦れてゐる。ところが彼の父は彼に規則一點張の生活を强ひる。城外への外出も法度だ。青春の血はさういふ一切の拘束を呪咀する。彼は周圍を呪ひ惱んでゐる。しかし、自己の立場を反省する程成長はしてゐない。沸り立つ情熱をやむなく抑へてゐるのだ。

　房子は夢龍つきの下僕である。彼は生粋の奴隷の子である。先祖代々の訓練によつて、彼は主人といふものゝ扱ひ方に妙を得てゐる。どんな眞面目なことでも茶化して、滑稽なものとする。彼は道化役を自任してゐる。主人を笑はせ、主人から輕い蔑みの言葉を投げられ、いくらかの酒代にありつくことが仕事だ。彼は一切物事に執着しない。また深刻に考へることがない。人生とはたゞ浮世の流れにもまれて行くものと思ひこんでゐる。だから絶望といふことがない。その場その場を面白くおかしくとりつくろつていけばそれでよいのだ。だが、彼の言葉は、ときには痛烈な皮肉となる。自分が道化役であることを意識しながら、ありとあらゆるものを道化役にさせかねまじき毒舌をふるふ。兩班であらうが、府使であらうが、そんなものに權威など認めてゐない。

　まさに彼は平民の子である。平民の子としての血が、彼の精神や肉體を超えて、世の一切の不合理なものへ、痛烈な揶揄をとばしてゐるのだ。作者は房子のかげにかくれ、彼を縦横無盡にとびまはらせながら、兩班を嘲弄し、社會を批判する。そして房子が疲れたとき、彼の口から出る詠歎は、作者自身の慟哭の聲である。數多い春香傳の作者、わけても生れながら賤民階級として、兩班のなぐさめ者として、しがない藝事に身を託してゐる、唱劇の語り手たちは、房子の中に、おのれの悲しみと歎きをこめてゐるのである。

ときには白痴のやうに、ときには狂人のやうに、おろかな仕草の數々を演じつゝ、彼は人を笑せながら、何もないうつろな自分といふものをまぎらはせてゐる。

卞學道こそは問題の人物だ。前府使の夢龍の父が類型的であるのに對し、これはきはめて寫實的な生きた人間である。彼もまた兩班であるために、左程の學問をしたわけではなかつたが、とんとん拍子に出世街道を驀進した。彼はいろいろな地位についたが、それは政治家たらんとする理想のためではなく、權力を持つやうになるための必要からであつた。したがつて彼は赴任先の統治などについてはまるで關心がなかつた。自己のために利益になり、賄賂が入りさへすれば、人民などのやうな境遇にはまりこまうと、それは知つたことではなかつた。彼が南原府使になることを希望したのは、美人郷だといふ噂に惚れこんだからである。獵色家である彼の血は美人といふ言葉をきいただけで沸騰するのである。それが妓生であらうと、市民の娘であらうと、商家の妾女であらうと、美人でさへあればよかつた。彼の命令によつて、平民の道徳はどのやうにもかへられたのである。

彼は兩班のすべてがさうであるやうに、形式を尊重した。威厳をつくろふことが、平民に對して一番効果的であるかを知つてゐるからである。無智な彼はすべてのしきたりを、人眞似で片づけた。獨創性といふものが缺けてゐるために、傲慢な態度をもつて部下をどなり散らし、人民を怖れをのゝかしめた。意氣地がなく、その癖、弱い者に對しては非常に執拗な攻撃を加へるが、權力者の前には平身低頭する、陰險で狡猾な衙前たちの阿諛追從のなかに、この空虚な兩班は、肩をいからし、胸をはつて、おさまりかへつてゐるのである。

權力の中に育つた無能者の通弊を、あますところなくそなへた彼は、反省といふことを全く知らない人間であつた。そのため彼は、自己がどういふ立場にあるかを意識できない。

春香傳の悲劇は、かゝる尊大で滑稽至極な權力者の横暴によつてくり擴げられるのである。しかし、これはひとり卞學道の性格に限つたものではない。當時の兩班、いな、如何なる時代の專制者も、これと同様な滑稽な悲劇的性格の所有者だつたのである。こゝに春香傳の普遍的な社會性があり、また永遠の眞實性がある。

このほか、農民、僧侶、吏房（府廳の胥吏）、使令（同じく下吏）、驛卒、妓生、級唱、通引（給仕）等、各種の職業をもつた平民が、群衆として登場する。彼等の織りなす諸謔のために、ともすれば、讀者や觀客は、彼等の深刻な叫びを聞きのがしてしまふ。彼等は決して率直な口をきかない。歌の中に、冗談の中に彼等の眞面目な言葉がある。正しいことを正しくいへば、彼等は、謀叛の嫌疑をかけられ、首枷をかけられた。表現を歪めることによつて、やうやく彼等は目的を遂し得てゐるのである。

春香傳の展開

退屈しきつた貴公子李夢龍が、房子をそゝのかして、府外の廣寒樓へ清遊に出たことから、物語がはじまる。面白おかしい問答を交はしながら酒を汲み合ふうちに、夢龍は、小川のへりの柳にぶらんこをつけて、飛びはねてゐる春香をみつけた。はけ口を見出した若者の情熱は火と燃えた。散々腕白ぶりを發揮して、夢龍はつひに房子を戀の使者として春香に逢ふことができた。房子の毒舌が、こゝで貴族の子である夢龍に雨と注がれる。そして道化役である彼は、おのれの讚美してやまぬ美の女神を、兩班の子にわたさねばならなかつた。悲劇の萌芽は既にこゝに根差した。戀に狂ふ若様を、毎夜、驢馬にのせてその愛人のもとへ運びながら、酒に己を忘れる房子の悲劇はこの日にはじまつた。

戀しりそめた若様に、書院生活の如何に苦痛であることか。孔孟の教へも、處女の花はづかしき微笑のかげに色褪せて、およそ無意味なものとなつた。人生の甘美な謎が、やうやく解けかけた。父の教へに背くこともいまはたのしきことの一つとなつたのである。

春香は若様を待ちわびてゐた。しかし若様は、先づ春香の母の前で、結婚誓約書を書かねばならなかつた。なんと長閑な人生であることか。兩班の名にかけて、天地神靈にかけて、必ず妻にすることを、若様は十回ばかり繰返させられ、たかが妓生上りの老婆に、母上様といふ稱號をつける羽目になつた。

今日にしてみれば、これは如何にも間のびしたことであるが、兩班の專制下にある時代、妓生がその娘を府使の息子に渡すとき、堂々結婚誓約書を書かせることは、まさに革命的な平民の人權の主張であつた。與へることなく、奪ふことのみを知る專制者に、對等の人間として、約束の履行を要求したのである。と同時に、所謂兩班といふものゝ誓約がどんなに危險なものであるかを、作者は暗に諷刺してゐるのである。

世間を知らぬ若様にとつても、これはたしかに興覚めなことであり、屈辱を感ずることであつた。しかし彼は易々として従つた。それがどんなに滑稽で愚かな仕草であるかを意識する餘裕はなかつた。春香のためならあへて水火を辭さなかつたであらう。戀せる若者は常に愚かな勇氣を發するものである。そして貴公子は平民の仲間に入つた。

甘美な夢が結ばれた。夥しい愛の囁きが交はされ、若者たちは、天國の花園へ旅立つてゐた。彼等はたがひに、身にそなはるすべてを與へ合ひかつ奪ひ合つた。

そして時が流れた。美の女神が戀に醉ひしれてゐるとき、その信者たちは酒に醉ひ潰れてゐた。平民の誇りは、貴公子の手にあえなく摘みとられた。彼等にとつて神聖であつたものが、いまは無慙に打ち碎かれた。愚かな男子よ、慚愧するがいゝ。裏切者の春香よ、呪れてあれ。

みるがいゝ。若様は、意氣地のない若様は、春香を捨て置いて、兩親の後に從ひ、都へ歸るといひ出したではないか。春香の母の、僞はられた老妓の、野性的な怒りが、どんなものであつても、別離は決定的であつた。所詮、兩班と平民は融け合はぬものであつた。

名譽慾を捨て切れぬ貴公子は、戀愛より更に重要なものを見詰めはじめたのだつた。もはや彼は感情によつて理性を曇らすことはできない。彼には大きな任務があつた。傳統を擔ひ、家門と系圖を守らねばならなかつた。蛙の子は蛙であることを、彼自身も意識してきたのである。

夢龍がその氣になれたら、破門になつて、土を耕す、愛の設計ができたはずであつた。しかし、平民の子たる春香が、如何にそれを願はうとも、それは無駄な夢でしかない。いまはたゞすべてを諦め、彼の言葉を信ずるのみであつた。

愛の絆がまことに强烈なものであるなら、別離もあながち悲しむべきことではあるまい。そしてこの試錬に堪へかねるものなら、それは惜しみなく捨て去るがいゝ。この非情の中にこそ、眞の生活の目標があることを、夢龍と春香は悟り得たのであつた。涙と苦惱と絶望を經て、彼等が辿りついたこの信條を胸にして、再び相廻り合ふ日まで、堪へ抜かうといふのである。

これはたゞこの若人たちの戀のかなしみのみをさすものではない。

われらの祖國の運命がまたここにつながることを、われらは忘れてよいであらうか。輝かしき祖國を建設するためなら、すべての私情を投げ捨て、最も愛するものをも振り切れ。そして男子が祖國の難に赴いてゐる間、女は忍從の道を生き拔くがよいと敎へた、古い倫理を、われらはこゝに再び分析して、この東洋の美德の精髓といふものを、掘り返してみるべきである。

五千年の生命が無駄なものでなかつたなら、われらはその傳統を尊重しよう。しかし、それが我等の糧を奪ふ野の雜草であるなら、われは假借なくぬき捨てるべきである。

詩

花について

許南麒

花の下を歩いてゐる
はら〳〵と
葉渡る微風にも散り
羽翅打つ蝶の一時(ひととき)にも落ちる
花びらの間を歩いてゐる
蕾のまゝで落ちるのもあり
たまゆらの生命(いのち)永らへ
今日この日暮を
凋み色さめて散るのもあり
皆　靜かに落ちて行く
また　蕾が落ち
また　朽花(くちはな)が散る音がする
――これは悲しい音だらうか
だが　その響きは

春香傳の作者は今日の祖國の立場までを豫想したのではなかつたであらう。しかし別離の後にくる春香の苦難は、祖國の前途を豫言したものではなかつたか。

あらたな專制者は、權力ですべてを解決しようとする暴漢であつた。着任當日の彼の第一の仕事は、妓生の點呼をとることゝ、第一の美人を選び出すことであつた。それが所謂兩班であり人民の保護者であつた。彼等にとつて唯一の哲學である儒教が、最も不倫な行爲として戒めたものを、恥を知らざる兩班は衆人環視の中で强要するのである。

自尊心を傷つけられたことより、人權蹂躙の甚しさに、春香の平民の子としての意識は覺醒された。彼女の人道に立脚した怒りは、また、虐げられたものゝ本然のものである。彼女の專制者への叫びは、すべて人民を代表する聲であつた。專制者の無道、邪惡、奸策、その數々の惡行が、あやしいほどに美しい春香の口から暴き立てられたのである。

おそらく彼女が、我身のみを救ふ氣持なら、他にいくらも方法はあつたであらう。しかし彼女は、自己を含めて、人民といふものが如何に慘めなものであるかを知るとともに、命を捨てて、專制者と闘ふ決心を固めたのである。それは單に貞操問答にとゞまるものではなく、熾烈な階級闘爭への火ぶたをきつた。彼女はすでに娼家の一少女ではな

極く輕い波のそれに似て
寧ろ　あたりを仄かに明るくし
心持ち、香はしくさへもして消える
今　僕は激しい生活の街から出て
ならく／＼と
地に落ちる花びらに打たれてゐる

（舊作）

く、人民を代表した鬪士であつた。

　自我意識に眼覺めた人民は、これ以上專制者の横暴に服從できなかつた。兩班階級の打倒以外に人民の幸福はなく、更に祖國朝鮮を救ふ道がないことを、すべての人民は、壬辰の亂において、丙子の亂において、つぶさに體驗したことであつた。

　人民のための施政を怠り、人民のための財物を横領し、國庫を濫りに開いて國財を盜み、あまつさへ、人民に重税を課して、搾取を恣にし、罪なき者を拷問にかけ、感情の赴くままに殺戮を敢てし、婦女子に暴行を加へ、人民の生活を根底から破壞し盡した彼等であつた。

　外敵の侵入に際しては、國土を死守すべき己が任務を忘れ、國民の犧牲において餘命を保つた彼等が、荒廢した國土の再建は捨て置き、黨論に貴重な歳月を空費して、數萬の生靈を飢死せしめ、恬として恥づることをしない。

　この暴虐の下に喘ぎつゝも、力なき人民は、戰ふ術を知らなかつた。忍辱と詠歎に明け暮れ、絶望的な日々を、虚無的に送り迎へた。

　かゝるとき、春香傳の作者は、藝術といふ武器をもつて、專制上の面上に鋭い刃を立てたのである。

　二十五の棍杖を打たれつゝ、二十五の數へ唄をもつて、兩班の罪狀を列擧する、春香の悲壯な氣魄に、肌寒い鬼氣を催すのを、卞學徒は堪へきれなかつた。殘忍なその血も、恐怖に打ち慄へ、眼を覆ふて、瀕死の美女を獄に投げこみ、重い首枷をかけさせたのである。

　獵色家の血は凍結した。春香への野望は消え失せたものゝ、傷つけられた兩班の體面をつくろふためには、この强情な女を降伏させる必要があつた。

　しかし、春香は命を惜しむ女ではなかつた。不正なものへの屈服は、おのが操の破滅を意味するものである。夢龍との別離に際して與へたものはかたくまるい指輪であつた。始まりなく終りなき、この不變の貞操の象徵が、この美女の身と心を貫き通した信條であつた。

　この不屈の信條は、人民の鬪爭における第一の要諦であり、ひいては民族精神の根源をなすものである。

　されど彼女は弱者ではない。彼女は己の行爲を自負するものでもない。絶望的な境涯にたいする彼女の詠歎は、鬼神をもかなしませて、彼女を夢幻の世界へいざなふのである。彼女は其處で夥しい同性の受難者をみた。また彼女は孤獨な母親に思ひをはせる。儒教にたいして反逆兒である彼女も、肉身への愛情を斷ちきれない。一人の孝行娘であつた。

夢龍の夢は實現した。彼は數多の進士のなかに混つて、美事科擧に登第し、その稀なる詞藻の冴えは、國王をも感嘆させて、第一等の榮冠を獲ち得た。國王は親しく彼を招き寄せ、手づから錦衣をさづけて、南行湖南御使の大命を與へたのである。

國王はいふ。「國土の隅々まで探索して、正と不正を糺し、刻時に復命せよ」と。それはたゞちに國民の國王にたいする要求の聲でもあつた。國家の施政に責任を擔ふ國王は、一體、この憐むべき人民の生活狀態を認識してゐるのであらうか。若しその認識があつたとするなら、國王の責任において、一切の不正行爲を撲滅させ、人民の生活を保證すべきではないか。また國王がかゝる現狀を知らざるものとすれば、その無智は國王たるの資格を消滅させるものである。さらに國王がすべてを承知しつゝもこれを放任するとするなら、國王は卽ち人民の敵でなくてはならない。

弱輩の暗行御使をつくり出すことは、人民の國王にたいする不信の表明でなくて何であらう。すべての兩班に愛想をつかした人民は、人民自らの手によつて、おのれの欲する政治家を選び出さうとするのである。

夢龍は貴族の子ではある。しかし春香をとほして、彼は平民と結ばれた人間であつた。彼の任務は、おのれの門地を守るための仕官ではなく、人民を救ふための權力の行使にあつた。彼は、好むと好まざるとに拘らず、人民の衆望に應へて立ち上らねばならないのである。

かくて彼は五百の驛卒を從へて野に下つたのである。しかし彼は錦衣を着飾るわけには行かなかつた。冷落した兩班の乞食の姿こそが、人民の願はしい服裝であつた。それは人民が兩班に要求する聲の一つである。先づ乞食の地位に身を置き、心靜かに天地自然の聲をきくがよい。その謙虛さなくして、眞實の聲は永遠につかみ得ぬことである。

乞食となつた夢龍がきいた最初の聲は、僧侶の祈禱であつた。かつての日、兩班はその地位の擴張のために僧侶を八賤の中へおとし込んだのであつたが、信仰に生きる僧侶は、當面の敵たる兩班の子に、高位高官の榮譽の授けられることを祈願してゐるのである。しかもそれは春香の名をとほしての祈願ではないか。

自己の力量によつて獲ち得た地位であるといふ、自己滿足と、驕慢な自負心が、もろくも崩れ去ることを、夢龍は靜かに意識した。かつてない感謝の念といふ心理の經驗が、夢龍の人間性を徐々に色づけてくれるのである。

次にきいたのは農民の聲であつた。搾取の對象となり、奴隷狀態を强ひられてゐる農民の悲痛な告白は、貴公子の心を震はせずにはおかない。絶望の淵へ追ひつめられたとき、彼等は結束して暴動を起すであらう。それが解放への唯一の途であることを、農民は自覺しはじめたのである。

そして人民の春香にたいする愛情と、讃美の聲に、夢龍はいひしれぬ慚愧の情に驅られた。何故なら、彼は農民の怒りをこめた手によつて制裁を加へられたからである。肉體的苦痛を經驗することによつて、はじめて自己の過誤を自認するのは、謙虚さのない人間の共通の弱點である。その弱點のために夢龍とて泣かされる日がきたのである。

なつかしの南原に歸つていく夢龍の前に、過ぎし日彼の下僕をつとめた房子が、いとしい春香の便りを持つて現はれたのである。

便りはなつかしさにみちあふれたものであつた。それが男の無情な仕打に對する攻擊であつたなら、夢龍の胸はこれ程のかなしみに襲はれはしなかつたであらう。

だが、その涙が何の足しになるといふのだ。房子の嘲笑も、いまの夢龍は、權威あるものとして受取るほかないではないか。春香の苦難は誰の責任であることか。彼女の死を賭しての抗爭は誰がためのものか。

御使といふ地位が何をさすものか。
いとしき者の肉と骨を削つた日々に、彼夢龍は何を夢見てゐたことか。

夢龍よきくがよい。かつて結婚誓約書を書かせ、胸倉を捉へて背信を責め立てた老婆が、涙に汚れた老眼をしばたきながら、七星壇に祈るその聲を。かつての花園は荒れ果て、かつての瀟洒な建築は、醜くゆがみ、塀までが崩されて、見るかげもないではないか。

この家庭を破壞した者は誰か。その元兇は誰か。心なき犬よ、吠えるでない。

義母、許せ、放蕩息子が歸つてきたのだ。
乞食よ消え失せるがいい。悶絶して果てるがよい。生きて野晒しにならうより、潔よく自決するがよい。

庶民の倫理が、如何に尊く、氣高いものであるかを、作者は獄中の春香にしめした。彼が乞食であることは、彼女には問題となるものでない。たゞ彼が信義を重んじ、はるばる訪ねてきたといふことだけで、彼女は充ち足りてゐるのだ。

貴族社會には、求め得べきもない、高潔な人間性の發露を、乞食としての夢龍がみせられるのは、なんたる皮肉であることか。おそらく彼が錦衣をまとふて現はれたとすれば、彼をとりまくものは、こんな純粹なものではなかつたであらう。

眞實なるものは、常に貧しく、みすぼらしきもの丶なかにあることを、何故人は氣づかないのか。穢れなき民族精神は、庶民の乏しい生活のなかに保ちつゞけられてきたのではないか。兩班は、無責任な專制者は、人民の敵であり、寄生虫であり、民族叛逆者であることを、いまぞ誤りなく觀察すべきであらう。

專制者の沒落の日はきた。愚かな府使の誕生祝ひの滑稽さをみるがいゝ。靑天の霹靂の如く降り注ぐであらう、鐵棒の雨に氣もつかず、馬鹿な兩班共は、最後の饗宴を展開してゐるのだ。

乞食姿の夢龍の活躍は、喜劇的なものを狙ふのみである。物語はすでに終つた。兩班共の宴會場が修羅場に化したとて、それはもはや問題ではない。

たゞ夢龍の詩として殘る、最後の一節が、人民のかなしみを痛切にえぐり出したものであることを記憶さるべきである。

金樽美酒千人血　玉盤佳肴萬姓膏
燭淚落時民淚落　歌聲高處怨聲高

長い苦難の道は、此處に盡きた。無道な專制者は驅逐され、正義は勝利の榮光に輝いた。しかしこれは人民のはかない願望であり夢であつたのである。

ゴーゴリ風景

—ゴーゴリ・ノート第一—

崔在鶴

ニコライ・ヴアシリエヴツチ・ゴーゴリのお話をしたいと思います。一八〇九年三月十二日、ロシアはあのウクライナの、ミルゴロツキイ郡、ソロチンツイ町の片田舎の座付作者と舞臺監督と役者とを一人で兼ねた器用貧棒な小ロシア人ヴシリイの小倅として生れ、一八五二年二月二十二日の朝、「なんと悪魔の力の強いことだろう！ わたしは前から處分するつもりでいた書類を焼こうと思つていたのに、死後の記念として友人に殘そうと思つた原稿を焼いてしまつた」とわめきながら、一切の飲食を拒絶し、饑餓と衰弱の中で「梯子を、梯子を」と叫んでこの世を去つたというあのゴーゴリをお話ししたいと思います。

しかし、わたくしは、そのゴーゴリの、文學とか思想とかという六ヶ敷しいお話をするのではなくて、彼の顔の話、特に、その全顔面に中心的點景を與えている、あの壯大なる鼻について、お話から申上げ、わたくしが彼の鼻について日頃感じたこと、そして、それに對するわたくしなりの雜感を少々添付して、ゴーゴリの容貌見聞記と言つたものを申上げたいと思うのであります。

わたくしは、いままで幾枚かの彼の肖像畫を見ました。一八四〇年Ch・P・マゼールと言う人の筆になるというのも見ましたし、それから小說『死せる魂』の卷頭に出ている彼の自署入りの肖像も見ましたが、そのどれを見ても、先づ彼の顔面で眼につくのは、その特異な形象を示した鼻でした。

これは、唯單に彼の顔面だけの特長ではなく、これは、實に彼の全身から受ける印象なのですが、先づ彼の場合、その鼻を語らすには、他に語るものがないと言う程、それは強熱な鼻なのです。

兩方の鼻翼がつんと鋭く吊り上り、鼻陵は、いとも長く、そしていとも高く、眉間と鼻尖との中央部あたりで、こゝが鼻の頂點で御座るぞとでも言はんばかりに、一つの山頂を作りあげて、そして悠々となだらかな傾斜をなして鼻翼のあたりまで來て、さて、こゝらあたりで、もうひとふんばりせねば申し譯が立たないわいとでも言う如く、ずうつとその陵骨を海中に突き出し、さあ如何なる嵐でも波濤でもわが鼻岩に打ち向う者は出でよと、兩方の鼻翼に四股踏み固め、待ち構えていると言つた、正に特異な鼻です。

正しく、これこそは鼻、しかも、まがう方なきニコライ・ヴアシルイエヴイツチ・ゴーゴリの顔上を飾る『鼻』であつて、これは決して、斯のペテルブルグのヴオズネセンスキイ通りに住む理髪師イワン・ヤコヴレヴイチの鼻でもなければ、立襟の金ぴかの禮服に羚羊皮（かもしか）のズボンを穿き、腰に劍を附けてペテルブルグの街を練り歩く、五等官の格好をした斯の『鼻』でもなく、ましてや『狂人日記』の最後の行を飾る、アルジエリアの總督の鼻でもないことは、今更詮議するまでもなく明らかなことでありまして、かのヒツトラーとか、フランコ將軍の鼻でないことは申すに及ばず、シエクスピアやゲーテの鼻とも違うことも明らかな鼻であります。

わたくしは、彼が一八三四年の七月、ペテルブルグ大學の萬國史講座の助教授に任命され、イヴン・ツルゲエネフや、その他後日ロシアの文壇や學界を背負つて立つ錚々（そう）たる秀才達を前にして試みた講義を思い出すのです。後世の文藝史家の言うところによりますと、彼は歴史という學問に就いて何の經驗もなく、たゞ一種の英雄崇拜と、中世紀の封建制度に對する漠然とした情熱を抱いていただけで、つまり甚だ漠然としたロマンテイツクな歴史の概念だけで講議を試みたようです。彼は、中世紀に關する極く少量の知識以外には、一切の人類の歴史を知らず、彼の生れ故郷であるウクライナの繪の如きコサック全盛時代以外にはロシアの歴史を知らず、ギリシヤやローマさえも彼の頭には存在しなかつたということです。そして、最初の二三回の中世の講義が彼の藝術的才能でもつて成功したに止まり、彼が最初のように熱心でなくなると、學生達は、退屈し、彼の講義は極度に人氣が落ちていつたそうです。

それは、實に、滑稽な講義ぶりであり、不可思議な講義內容であつただろうと言うことは、想像するに六ケ敷くありません。彼の教え子、イヴン・ツルゲーネフの回想記によると、

「正直にいうと、彼の講義は奇妙な講義であつた。第一にゴーゴリはいつも三つの講義を一つしかしなかつた。第二に、彼は、教室に出てもはつきり物を言つたことがな

く、パレスチナや東方諸國の風景や地圖の銅版畫を私たちに見せながら、少しも筋道を立てずに、然も口の中で、何か譯の分らない事を喋つているだけだつた。それから、絶えずそはそはして落着きがなかつた。私たちは彼が歴史に就いて何の知識もないことを知らねばならなかつた。(然もそれが間違つていなかつた。)そうして、私たちの教授ゴーゴリと、あの有名な『ディカニカ近郷夜話』の作家とが、どうしても同じ人のような氣がしないのだつた。彼の科目の最後の試驗の時、彼は、頭のまはりをハンカチで卷いて、齒痛らしい樣子をしながら教室に現れた。その顏は何とも言えぬ辛そうな表情をしていて、一言も口をきかなかつた。そこでテ・ペ・シルコルギン教授がゴーゴリの代りに試驗をした。私は、長い鼻の頭を卷いた黑いハンカチの端が耳のように見えた、痩せたゴーゴリの姿を、あたかも昨日見たようにありありと思ひ浮べる。そのうち、彼は、自分の喜劇的な無樣(ぶざま)さに氣が附いて堪らなくなつたのだろう、その年に職を退いた。」

と、書いてありまして、長い鼻の頭に黑いハンカチを卷きつけて、假病を使いながら教室に現はれるゴーゴリの姿がありありと眼に浮ぶのです。

教える種がなくなり、齒痛だと假病を使はなければならなくなつたことも、笑えない喜劇ではありますが、彼の場合、長い鼻の頭に黑いハンカチを卷きつけたら、なおその端が白く、耳のように見え殘つていたと言うところになお一層の笑つては濟まされない喜劇がかくれていそうです。

わたしは、さつきから、彼の『鼻』のことばかりを述べて來ました。しかし、わたくしはこゝで、彼の實在の『鼻』と、彼の作品の『鼻』とを一緒くたにして、そこらあたりからぬるりと拔けてしまつて、『つまり、ゴーゴリの文學とは鼻の文學である』などと、逃げを打とうとするのでありません。わたくしは、彼の鼻の並はづれた巨大さ、その特異さ、強熱さから來る悲しさと可笑しさと、皮肉とを調べ、それが彼の作家的行跡の上にどういうふうに影響したか、どれだけ影響を與えたかを述べたいと思うのです。なるほど、ゴーゴリは『鼻』については人一倍、氣を配りました。彼の小説には、どの小説にも『鼻』に對して強調されてない小説はありません。特に鼻の大きい人間とか、始終鼻を氣に病んでいる人間とか、『鼻』は、彼の全作品にその姿を表はします。

しかし、これは、唯單なる一連鎖的現象に過ぎません。ゴーゴリが、事實雄大なる鼻を持つていたことが、彼をして『鼻』に興味を持たしめ、それが、彼をして病理學の書物を愛讀させて、人間の體の中で、『鼻』に關する寄譚や洒落に對して非常な執着を持たしめ、それが彼の全小説に少しづゝ、或いは多量に、表はれたことに他ならぬものなのです。

わたくしは、こういう被相的な連鎖心理の探求よりも、もつと本質的な、彼の物の見方に對する『鼻』の影響というものを考えたいのです。つまり、彼のリアリズムに於ける『鼻』の影響とでもいうものをこゝで述べたいのです。

ゴーゴリが出て來るまでのロシアの文壇では、專ら上流の貴族的な環境が藝術の對象とされ、プーシキン流の調和に充ちた朗らかな文學、レールモントフのバイロン的な浪漫主義、クルイロフやグリボエードフの雄渾なる國民主義のみが文學が持つすべての良さとされていました。ゴーゴリは、この眞只中に、今までは誰からも顧られなかつた『おなかをすかして一生懸命に出來るだけ早く歩こうとしている九等官や七等官』の如き貧しい官吏や『古ぼけた外套と、野暮つたい着物とで包まれた陋巷の畫師や、倫落の女や、小地主などを持込み、そしてその上、これらの下賤な人生達の、醜惡な、卑賤な、滑稽な面だけを、特別濃厚な色彩でもつて描き出したのです。彼は、いはば、紳士淑女群れ集う貴族達の宴席に肥桶（こえおけ）を擔いて入り込んだようなものでした。「多數者は、最初は斷然とゴーゴリに反對した」とベリンスキイはいつています。そして「それは極めて自然なこと」であつて、それは甚だ革命的な出現でさえあつたのです。

しかし、彼が革命的であつたのは、その題材範圍が貴族でなかつたという點からだけではなく、彼の人物の描き方、その特別濃厚な色彩の使い方のほうに、より意義が深かつたのです。

彼は或る現實の中から、最も惡劣なもの、最も醜惡なもの、最も卑賤なもののみを、彼獨得の見方で强調し、それを彼一流の誇張に近いとさえ思はれる諷刺的な手法で書き上げるのです。彼の小說には、うるわしい戀物語も、忠義譚も、人道美談も見當らず、たゞあるのは、ベリンスキイの言によれば「偏愛によつて曇らせられず、美學的感覺を失つていない人々の間にさえも、どう考えてよいかわからないような」ものばかりであり、「疑惑の餘り、彼等の頭で考えられたのは、これは、あまりに善すぎるか、そうでなければあまりに惡すぎるもの」だろうという判定に價するものだけだつたということです。

「ゴーゴリには、ロシア文學に於いて先行者がないのみではなく、諸外國の文學に於いても、粉本がなかつた（またあり得なかつた）」し、又、「彼の詩は、突然に、思いがけない他の何人の詩にも似てもつかないものとして現はれた」のであります。

わたくしは、こゝに、ゴーゴリの本當の姿があり、又、ゴーゴリの『鼻』の影響力も考えられると思うのです。

ゴーゴリの作品が、全く「思いがけない」、「今までのどれとも似てもつかない」代物として評價され、それが、餘程「偏愛によつて曇らされず、美學的感覺を失つていない人々の間に於いても、どう考えてよいものか見當がつかないような」作品とされている理由は、彼のアブノーマルなものの堆積が、たゞ單なるアブノーマルなものの堆積ではなく、何か一貫した社會觀が働いているからです。

　この、一貫した社會觀というものは、事實ゴーゴリにとつては、漠然とした觀念でしかなかつたのです。しかし、彼が一度、作品に向うとき、この態度は始終一貫して彼に主題を與え、彼にその作品の方向を決めてくれたのです。

　今日、われわれがこゝに於いて、彼の行跡を顧るとき、彼の創作的發展とか、彼の藝術の基本的な主題が、封建貴族社會の危機と、資本主義の侵入に裏打ちされたリアリズムであり、この方面においてこそ、彼のリアリストとしての眞價が遺憾なく發揮されたということをわかることが出來ますが、彼が作家として活動していたその當時に於いては、彼にはこのような自覺はなかつた筈であります。

　しかし、彼は何物かを追驅け、それに向けて猛烈な彼獨得の手法を試みるのです。これは、確かに「反俗精神」とでも名付けるべき筋合のものです。それが、猛烈に彼を追いやつたに違いありません。しかし、その「反俗」と言うことばは、今日使はれ過ぎて、その語意が、大部、本來の意味とはかけ離れている樣子なので、何か、別の言葉を見付けなければなりません。

　しかし、その「反俗」的精神は、わたくしがその名前を見付ける、見付けないに拘らず、彼の中で、一番大きく作用しているのです。わたくしは、これを、彼の場合、その鼻と、切り離して考えることが出來ないのです。これは、甚だ漠然としていて、何かゴーゴリ的な思考方法に影響された考え方かも知りませんが、わたくしは、その鼻と、彼の「反俗」的精神とを別々には考えたくないのです。わたくしは、その鼻から、すべての彼の「反俗」的思考方法が出發するのではないかと思うのです。

　彼の場合、巨大な鼻は、世間のもの嘲いの對象になつたに違いありません。いや、直接世人が彼に對して嘲笑（わら）はなかつたにしても、彼にとつては、それは苦にならなかつた筈はありません。そして、彼の鼻に、嘲笑をあびせ通り過ぎる人々に對して、彼は内心、有りつたけの應酬を準備し、それを彼獨特の手法で唯單に、彼の鼻に挨拶した相手の脛や口だけではなく、その本質的な人間性までも剝り拔いてやることを躊躇した筈はないと思うのです。

　わたくしは、斯う言う意味で、彼、ゴーゴリのリアリズムが、一種獨特のリアリズムであり、それの與える印象が、いままでのリアリズムと甚だしい相違があるために、當時の批評家は、レアリズムといふ名稱の代りに、自然主義（ナチユラリズム）という名をもつて呼んだということを理解し、納得するものであります。

　わたくしは、ゴーゴリが、何故か、始終誰かを鋭く諷刺しなくてはいられない人のような氣がしました。わたくしは、彼の幾枚かの肖像を見ながら、彼の容貌から來る、何か宿命的なものを受けるのです。

彼の素顔に浮ぶのは『ディカーニカ近郷夜話』や『ミルゴロド』にみられる、あの抒情的な要素です。しかし、あの强烈な鼻から來るものは、あれは完全な、あの『檢察官』や『外套』に表はれた諷刺的要素なのです。彼は、この鼻のために『隊長ブリーバ』の作家で終らずに濟みました。しかし、彼は、その鼻のために、『死せる魂』の第二部の原稿を火中に投ぜしめ、又一八四六年『友人と往復したる書信の拔萃』の如き本を書かしめ、そして一八四八年、エルサレムの聖地巡禮を行はしめ、そして二度も『死せる魂』の尨大なる第二部の原稿を火中に焚かせて、絕食により死んだのです。

勿論、この不幸な晩年は、彼の世界觀の不統一から來るものだとも言えます。ゴーゴリは、封建貴族の崩壞、沒落だけを描いて來ました。しかし、この封建社會に侵入して來た資本主義に對しては、ゴーゴリは何等確固たる態度を決めることが出來ませんでした。この新らしい資本主義の要素は、ゴーゴリの眼には、これまでの人間生活にはまつたく緣のない、赤の他人の侵入としか見えませんでした。この封建社會への資本主義の侵入が、一方に於いては封建貴族制度をにくみながらも、一面に於いては封建的なものに對する愛着を感ずるという妙な矛盾の中に、彼自身を追込んだのです。これが昂じて、やがては彼の創作危機を作り、それよりの、自己救濟の道として彼が求めたのが、やがて晩年の反動的な神祕主義にまでおちこんだのです。

しかし、わたくしは、彼のこういう結果えの進展の中に、所謂『デフォルマション』の强烈化がもたらす、一種の貧血痲痺狀態を見出すのです。

ゴーゴリの生涯は、その初期の作品から、意識した誇張の——つまり、今日流行の言葉で言えば、度を外したデフオルメの連續だつたのです。それなくしては、もはやゴーゴリはあり得ず、ゴーゴリの、あの獨得なリアリズムも存在し得なかつたのです。

ゴーゴリは、プーシキンを除いては誰一人援助する者のないロシア帝國の中で、全力を擧げてロシア的傀儡達を埋むるためにデフォルメを續けて來ました。そして、それが輕蕩な騙兒フレスタコーフを借りて行はれた、一切の不具な行政と政治狀態の醜惡さの暴露と、進んで、それら一切の奥底に橫たはるあらゆる禍根との鬪爭を目的した『檢察官』全五幕を書きあげ、人々をして「全く、『死せる魂』一卷は、封建ロシアの化物であり、社會的畸形兒たちの展覽會であるといつてい〻」と言はせ、プーシキンをして「何と我がロシアは憂鬱な國だろう」と言はせた、彼の抒情的な要素と諷刺的な要素との渾然たる集大成『死せる魂』の

第一部のデフォルメが終る頃から、既に彼は、彼自身の强度なデフォルマションの連續のために、一種の精神的虚脱狀態に陷つてしまつたと見たいのです。

勿論、ゴーゴリが後期の著作において、反動的な思想をのべているのは、決して一時的な偶然ではないのです。しかし、彼のあの强度の誇張と諷刺の連續がなかつたならば、彼は、あれ程に早く、あんな錯亂した精神狀態にならずに濟んだでしようし、又あれ程、反動的な政論の發表も見ずして濟んだに違いありません。

彼は、彼自身の、强烈なリアリズムに彼の頭腦が堪え得られなかつたのです。つまり、わたくし流に言えば、彼は、彼自身の鼻のたくましさに、體が堪え得られなかつたに外なりません。

これは眞實のリアリストの悲劇です。そして、この恐ろしい悲劇は、自分の書きかけた原稿をストーヴに投入れ、狂死することによつて、幕をとぢたのです。

これこそ『鼻』の悲劇ではありませんか。

安川特務刑事

殷武巖

『お客様ですが』帳場からの電話である。現地の當局宛の文書をタイプしていたので、おりてゆくからロビーで待たしてくれと電話を切つて散らかつている原稿や打ち上りの文書や用紙などを抽出にしまい込み、扉に鍵をかけて急いで表階段から玄關わきの帳場におりたら、かなり長身の協和服にソフトの一見朝鮮人とわかる二十七八歳位の男が、たつていたが二階からおりていく僕を見て、それと氣づいたらしく二三歩進みでて慇懃な態度で挨拶をするのである。どうも思ひ當る者がないのでいぶかしそうに朝鮮語で『どなたですか』ときいたら、如何にも臆病そうに『實はこういうものですが』と名刺をさし出すので受け取つて見ると首都警察廳外事科特務安川栞とあつた。何んだ警察だつたのかと思うと興ざめがして少しがつかりしながらぶつきらぼうに『御用は』と事務的に日本語できいた。相手は明らかに狼狽の色を表わしたが努めて鄭重にいやそうぢやないと制しながら、お話がうかゞいたいから靜かな所でゆつくり會いたいと、朝鮮語で低いが力をいれた平安道辯でさゝやく様な調子でたのむのである。然し餘り興味を感じないばかりか、うるさいと思つたので早く片付けてしまう積りで『よかつたら僕の部屋に行きましよう』といつて、案内してソファを勧めて語らせたのであつた。

彼は新義州で生れ他の朝鮮青年と同様に就職に困り遂に滿州國巡査となつたが、良心との闘いは絶えまなく続き犯罪者のようなびく〱した生活をしてはいるが思い切つてこの生活を清算する程の勇氣もないし、そうかといつて自分をすてて職務に忠實專念する決斷力も持ち合せない。常に尊敬しうる同國人に出會つて現在の朝鮮青年の最も正しい生き方を質してみたいと願つていた。しかし適當な人物に行き會うことはできなかつた。幸今度こそ機會に惠まれた。先生こそ狹い朝鮮にのみこだわることなく日本から全東亜それから西洋いや全世界の動きからその方向までも眺め得る立場に居ると思うから、自分の切實なこの難問を解決してくれというのである。

行く先毎にくりかえされる特高の例の形式的な設問・即ち公使様の思想傾向、旅行目的、毎日の動静、それからついでに僕の思想傾向を成べく上手に探り當てようとする意圖のもとに、見えすいた親切や諂でつきまとう彼等に對するテ位はわきまえているので、もつともらしい身の上話しで信頼を得てから、仕事を容易に運ぶ底意だなと思ひながら聞いていたが彼は始終朝鮮語で話るのであつた。彼等の所謂國語で話すのがこの種の人々の常であり、喋る段になると僕自身日本語の方が樂であつた。殊に此の青年のように流暢な平安道辯で喋られると、ひどい慶尚道辯の僕などは彼等に解りやすく教科書式言葉で調節する苦心が重なるので尚おさら、しどろもどろになつてしまうのである。實際のところ外國人と話す方がどれ程樂かしれない。母語に關する限り惨な僕にくらべて彼は實に立派な朝鮮語を驅使するのであつた。

僕は偶然外國公使館に雇われて働いているうち國際情勢のめぐり合せによつて、その公使が滿州え來なければならなくなつたから、通譯をつとめたり文書を作つたり會計をしたり走り使いなどをするために、ついて來たのであつて、決して有能だから選ばれてきた者でもなく、勿論公使の顧問でもないから、見當違いの過大評價をしないで欲しい。それに僕自身何等確乎たる人生觀を持つているわけでもないから、他人の生活態度決定に役立つ程の意見はないから全然不適任であると答えた。彼はこの返事を豫期していたかのように『いや實はあなたが到着の日ホテルの事務所で名前をきいて中國人かと思つて、早速面會して旅行豫定その他についてきこうかと思いましたが朝鮮人といわれて消えてしまいましたよ。今時分創氏をせずに堂々と朝鮮姓名を使つているのに驚きました。これはいけない情ない自分の職業を見られては恥だから同僚を代りに伺わせようかと思いましたが敬意と申しましようか好奇心とでもいいましようか何んとなくお會いしてみたかつたのです。毎日何回となくこのホテルに來ることになつていますので自然ロビーや食堂に行かれる所を見ることもありました。外人に對してペコペコすることなく、ホテルのボーイや事務員に對しても尊大振ることなく親しみのある言葉や態度で接するので安心しました。輕蔑される氣遣いなく自分のなやみが告白出來ると思つたのです。決して惡企みなどありませんから眞面目にお受取り下さい』と熱心なのである。

どうも要領のよいまとまつた理論の展開に不得手な僕には、歯も立ちそうにない問題だが相手が餘り熱心なので、何んとか調子を合せなければ濟まないようなはめになつた。全く思想調査を受けるようなものである。うかつなことを言おうものなら職業斡旋をたのまれそうな氣がしたので特務で結構だと言つてしまつた。責任のがれのいゝ加減な出まかせと思われるのもいやなので、多少の理論づけを試みたが坊さんの説教めいたものになつてしまつた。つまり『誰でも人間として進歩的役割を果すのに好都合な環境を望まないものはない。しかしわれ〳〵現在の朝鮮人がそれを望みうるだろうか。單なる動物的生存に必要な環境でさえ仲々獲得出來ないではないか。それよりも決心如何に依つては現在の生活環境に於ての最大限の進歩的役割が果し得るということを理解する方が重要である。君は他人があまりなりたがらない仕事をする立場に居る。よし君は決心するがよい。朝鮮人として、いや人間として恥しくない仕事をして見せると。それから良く研究するがよい。日本の警察制度やその活動の善惡兩面をつぶさに知ることを與えられた任務として、恰も細菌學者が恐ろしい病源菌を研究する樣に全力を打ち込んで研究しなさい。必ず必要な時があります』とやつた。考えこんでいた彼は『然し現實は餘りにも冷酷です。同胞、殊に知識青年からは嫌われるし上官からは常に監視的態度で臨まれて見れば、餘程しつかりした信念と根據がない限り常に動搖し惱まざるを得ません』

『同情します、然し多少でも自分の考えというものを持つている朝鮮人でその樣な立場に置かれていない者はありません。要は個人的な矜持を持ち個性の尊嚴にめざめることです。規則であろうが、いやなことを强制されてはたまりませんよ。骨のある人間というものはそんなものではありません。それに何でもかんでもいうなりになるからとて信賴され尊敬されるものではありません。別に信念とか根據など必要ないことです。よく民族的誇りを持てと言われていますが、そんな誇りを持つた民族などありませんよ。まして朝鮮民族は所謂自慢になることより恥しいことの方が多いですよ。過去と現在は少しも誇りと言えるものではないが、將來の希望を持たないものでもなく、またわれわれの努力で是非良くしたいものだ。それに可笑しい位忠實に守つてきた同姓不婚の慣習のせいか體質的には優れて居り、先天的素質は惡くないと思われる節が多いから必ず立ち上れると信じて良い。自分を知らず相手も知らずに神頼みだけで敵を作つてきて世界を相手に大『聖戰』をおつぱじめることは海賊的痛快味はあるかも知れぬが、その結果は知れている。あまりみつともない卑屈な態度はお互に愼むべきだ』と思い切つたことを喋つてしまつた。最初は多少警戒していた氣持もだん〳〵一個の眞面目な同胞青年に對する信賴と熱情に變つて雄辯になつた自分を發見してちよつと氣まりが惡かつた。

彼は日本帝國にはまだ戰運があるのではないか？　朝鮮民族は無理矢理に同化されてしまうのではないか？　日本

が敗北してもわれ〳〵は新らしい主人に支配を受けることになるだけではないだろうか？　という點を一番氣にしていたようだつた。そしてこれらの點に關する見通しのことを信念とか根據と言つたらしかつた。とにかく僕の日本語混りの『お話しに深く感激』した許りか『同胞感の温かさ』を始めて味わつたと彼は繰り返して別れたのであつた。その後も數回彼は訪ねてきたがその時は在留同胞の生活狀態や『滿洲人』との關係や名の知られた朝鮮人などに關することを詳細に話してくれたし古い知人である朝鮮で郡守を勤め榮轉して興農部科長をしている人の姓名『朴浩根』だけの手がゝりを提供したら、半日でその創氏名と勤務先を洗い出して吳たのであつた。それだけでなく朝鮮カフエに案內さしてくれといつてライオンとかタイガーとか何んでも猛獸の名のカフエに行つたらきれいな朝鮮女性が大勢いて大部分が平安道辯を華やかにあやつり、一諸に行つた滿洲富山房にいるエスペランテイストで開城出身の金君と案內役であつた筈の彼自身だけが話が合い、お客の僕はそつちのけにされるばかりか、女逵は僕の話が良く通じないらしくて少しも興が出なかつたから、麥酒で醉つた勢で妓生のいる所はないかと彼にきいたら、あるにはあるがつまらぬ妓ばかりだと答えた。よしかまわぬからいこう！　映畫だ文學だといつても俺には解らん。通俗か古典でも聞きにいこう。今度は俺がおごる。と言つたら安君は僕の顏を見て一杯の麥酒で金時になる程だから飲めそうにもないのに氣の毒だなといつた顏で聞き流していたが、金君の方は良い氣持になつたと見えて恵比壽顏で贊成した。おごると大きなことは言つてしまつたもの丶、懐具合は恐く二百圓たらずの日銀券が上着の內ポケツトにあつただけなので、つまらんことを言つてしまつたなと後悔したり、まあなんとかなるさと空元氣になつたりしているとも知らず、安君も行く氣になつたらしく立ち上るのである。

外に出ると建國十周年記念とかで思い〳〵の扮裝で高脚馬踊りに熱中している一群を取り圍んで大變な群衆である。やつとの思いで群衆をかき分けて通り拔けて大馬路附近の、とある横通の空家のような二階家に安君は默つて入つて行くので、ついて入ると二階に上るのである。二階も壁こそあるが、ぺーチカ以外何の飾りも家具もない無愛想そのもののような空部屋なので狐につまゝれた樣な氣持で立つていると、障子の外から聲がするのである。二言三言安君が返事をして暫くすると若い女が二人跳び込んできたが、裳の長い白粉氣のない普通の朝鮮人でやはり平安道辯なのである。麥酒と料理が運び込まれた。三人とも飲めない者揃いと見えて食う合間にちびり〳〵飲んだり、唄つたりするが妓たちが西道雜歌民謠なら片端から唄うので、われ〳〵は聞いて居れば良かつた。興がのれば唄い出す位であつた。僕が南道人だというので本當の唄のできる妓生が一人加わつて六字白、與打鈴、城主ブリ、楚漢歌などを相當上手にやつた。彼女達にも飲ましたり食わしたりして、葡萄酒が瓶のまゝ出たりお菓子や果物も澤山出され、夕方の六時頃から十一時過ぎまで遊んで會計ということになつて傳票を持つて來させて俺が拂う、いや俺に任せろと傳票の奪い合いが始まつた。しかし誰にも全部一人で拂える自信はなさそうである。傳票は遂に僕の手に落ちたので恐る〳〵覗くと合計六十何圓ではないか。驚いたのである。そして一ぺんに氣が大きくなつて計算違いではないかと確めさしたら、間違いはないとの帳場の返事なので二割程の心附を加算して合計金八十何圓也を拂つて堂々と出てきたのである。歸り路何回も後を振り返り二人と別れてから始めて安心してホテルに歸つたのである。

安君が特務刑事であるにしても、どうしてそんなに安く勉强するのか今でも解らないまゝである。二週間程の滯留中何度もお茶を一緒に飲みにロシヤ人の喫茶店に行つたりしたが、彼は一回も自分の職務上必要な情報を聞こうとはしなかつたので、遠慮しているものと思つて必要なことは聞いてくれるように話しても、それは旨くやつて置きますよ。と言つて取り合おうともしなかつた。これは一九四二年九月當時の新京での話である。終戰後いろ〳〵の困苦が在滿同胞に降りかゝつたことを聞いて、今彼はどうなつているかと思つている。

低迷

李殷直

「つくり出すことほど、むづかしいことはない。でも、むずかしいことを、やりとげたときの、よろこびは、仕事をやつたものでなかつたら、わからないよ」

額に、二筋、三筋、深い皺をよせて、委員長のKは、さも、さとりきつたような顔つきである。

——私は、そんなわかりきつた言葉を、ききに來たのではありません。一體、何故、私たちの仕事が、行きつまつたやうになつてゐるのか、それを眞劍に考へて、打開策を立てゝもらひたいと思つて、やつてきたのです。——

三詰は、のどにつきあがつてくる言葉をかみしめ、委員長の机の片隅のたまつた塵をみつめながら、いつはてるともない年寄の睡氣を誘ふ言葉をきいてゐた。

壁の時計は、九時で、とまつたきりである。もう二時になつてゐる筈だ。三喆は、あせりを感じた。二時半までには、市の教育課長に逢はねばならない。

「委員長、失禮します。市役所に行かなくてはなりませんから」

立ちあがつた三喆に、委員長は、手を差し出しながら、

「君、なにもあせることはないよ。まあ、皆と仲よく仕事をしていくんだね」

微笑をうかべ、なだめるやうにいつた。

三喆は、委員長の、冷い手をにぎつた。そして、なんということなしに、涙ぐましいものを感じた。

表に出ると、寒そうに襟を立てた人たちが氣せはしげに街をあるいてゐた。

電車は、なかなか、やつて來なかつた。流線型の新型自動車が、何臺となく、輕い音をのこして走り過ぎた。半分位は、進駐軍のだが、そうでないものゝなかには、油ぎつた、豚をおもはせる顔が、若い女などをつれて、ふんぞりかへつてゐたりした。

風に吹かれながら、三喆は、省線の高架線越しにみえる高い煙突の數を、いつとはなしに數えはじめてゐた。

……あの煙突の煙り一つが、すくなくても、月に五十萬の仕事はやりますよ……そうですね、まあ二割として、月、拾萬圓はもうかりますね。もつとも闇屋專業の人たちは、五十萬位の月收は、さらにありますよ……。

經濟部のJ君が、二三日前、やはり三喆とこの場所で、電車を待ちながら、ひからびた顔を、ゆがめて、呟いた言葉である。

視界のなかにあるだけでも、煙を吐いてゐる煙突が、五十はあつた。

とにかく、もうけてゐる連中は、一刻も、一日も休みなく、もうけつゞけてゐるのだ。

月並な感慨が、三喆の胸をゆすぶつた。家で、空の米びつを前に、佛頂面をしてゐる妻の顔が思ひうかんだりした。

ようやくやつてきた電車は、扉がしまらないほどに人間があふれてゐた。三喆は、挑みかゝるようにとびついていつた。

市役所の入口は、赤ん坊を背負つたり、買物袋を提げたりしたお内儀さんたちが行列をして寒そうに立つてゐた。辛抱づよい、それらの氣力のない顔の前を通るとき、三喆は、あらたな胸苦しさを感じながら、急ぎ足で教育課のある二階にあがつていつた。

課長の机の前には、先客があつた。三喆は女事務員の持つて來てくれた椅子に腰かけて課長のあくのを待つた。

先客は、何處かの小學校の校長らしく、學校經營面の物資の不足について、くだくだしく並べ立てゝいた。それも遠慮つぽい口振で、課長の表情をうかゞうやうな話し方である。同じような用件で來てゐるだけに、三喆は、神經を

とがらせた。

課長は、なにか別のことを考えてゐるらしく、たゞ申譯のように、ときどきうなづいているだけである。

三喆は、また焦立たしさをおぼえた。課長の無責任な態度もさることながら、同じようなことばかり繰返して、たゞ時間をひつぱつてゐる先客の無神經さや、その卑屈な恰好が不愉快であつた。

「ぢや、わかりました。一二三日中に、誰かをやりましよう」

課長は、話を打切るように、大きな聲でいつた。それでも先客は、なかなか椅子からはなれようとはせず、口のなかで獨言のように、呟きつゞけた。

課長の顔には、いらだゝしさと、輕蔑感が露骨にあらはれた。

その課長の表情に、三喆は、强い反感を感じた。年老いた先客が、このように卑屈でくどいのは、何時も、だまされたり蔑まれたりして、暮してきてゐるためなのではないかという考えがおこつたりした。三喆は、老人にかはつて思ひきり面罵してやりたいような衝動に驅られた。

あきらめがついたのか、ようやく、先客が立ちあがつた。そして腰をかゞめて挨拶をしてゐるのに、立上つた課長は、そちらの方へは見向きもせず三喆に、とつてくつつけたような愛想笑ひをみせながら、

「どうも、お待たせいたしました」

と、先客に對したときとは、まるで人がかはつたように叮嚀な恰好で、あいた椅子をしめした。

「實は、先程、こちらからお電話を申しあげたんですが、もうお出かけになつたあとだとのことで、お待ちしてゐました。で、早速ですが、あの校舍は、どうしても、新學期までにお返し願はないことには、なにしろ、その筋のきつい意見だものですから……」

課長は、まず、三喆の豫期したようなことをいひ出した。

「校舍のことまで、一々、その筋の御意見を伺はなくちやならんのですか?」

野卑な皮肉だということを自覺しながら、三喆は冷笑をうかべていつた。

「まあ、崔さん、そんなにいじめないで下さいよ」

課長は、するい笑顔で、煙草をとり出しながら、三喆にすゝめた。

「いや、僕は、やりませんから」

三喆は素氣なく斷はり、

「何故、そのやうなことをいうのですか? 何時もいじめられてきたのは私たちでわありませんか?」

自分でも、はつきり氣づくほど、たかぶつた聲になつてゐた。

「いやね、私、個人としては、何處までも、あなた方のために御便宜をはからいたいんですよ。それでもね、なにしろ、このまゝ校舎をお貸ししたのでは、新憲法第八十九條の違反となつて、責任者が處罰されるといふんですよ」

「新憲法第八十九條ですつて?」

「そうですよ。ほらこゝにあるでしよう。財政のところですがね、公金その他の公の財産は、宗教上の組織若しくは團體の使用、便益若しくは維持のため、又は公の支配に屬しない慈善、教育若しくは博愛の事業に對し、これを支出し、又はその利用に供してはならない、といふんです」

課長の顔には、勝誇つたやうな色がみえてゐた。

何時かある席上で政黨の話がでたとき、公然と保守政黨を支持し、新憲法は日本の國體を冒瀆するものだと非難してゐたこの課長を、三喆は忘れてゐなかつた。

「それでは、私たちの組織は、公の支配に屬しい教育をやつてゐるというのですか?」

「そうですよ。あなた方は、何處までも、自主獨立の團體ではありませんか」

「一體、誰が、そういつた結論を出したのですか?」

「それは、その……その筋ですよ」

「その筋とは誰のことですか?」

「弱つたな、どうも……」

課長は、煙草に火をつけながら、意味あり氣な笑ひをうかべた。弱つたという言葉とはまるで反對の、何處までも、對手を見下げるような、そり返り方である。

「一體、市の施政方針をきめるのは、市會ではないのですか?」

「それは無論、市會ですよ」

「では、市會以外に、市のやることをきめるその筋というのが何處にあるんですか?」

「なにしろ、日本はいま被占領地ですからな」

片手には煙草を持ち、片腕は、煙草をもつた腕の下に組んで、課長は、ひややかな眼つきで三喆をみつめた。

「あなたは、この市の教育の責任者として、民族の如何を問はず、兒童の義務教育が、充分に行はれるようにつとめるのが仕事ではありませんか?」

今度は、いやな顔をして、課長は答えなかつた。

何時も繰返してゐる押問答であつた。課長には、はじめから、三喆のいうことをきいてやろうという考へなどは、すこしもある筈がなかつた。

「憲法を口實にしたり、その筋を口實にして、私たちの兒童を、校舍から追ひ出そうというのが、あなたの腹だとは思ひませんがね、どうも、私たちは、そういう風に受取らずにはゐられないですよ」

「とんでもないことを……」

課長は、大仰に驚いてみせた。

「六・三制になつて校舍が足りなくなつてゐることは、私たちもよくわかつてゐます。しかし、私たちは、六年までの兒童を收容する校舍もないことを、御承知でしよう」

「よくわかつてをりますよ。だから、私たちは、無理をして、校舍をお貸ししてゐるではありませんか」

「それを今更、出ていけとは殺生ですよ」

「誤解しないで下さい。私自身の意見ではありませんから」

どじようのように、すりぬけることの上手な課長であつた。三喆は、すつかり不愉快な暗さにとぢこめられた氣分で市役所を出ると、ぼんやり電車道を歩きながら、さまざまのことを思ひかえした。

解放後の、民族全體の、盛り上る氣力がたかまり、全國的にK・Rの組織ができたとき、この縣廳のあるK市にも、何回となく朝鮮人の大會が持たれ、縣本部や、K市支部ができた。そして、崔三喆も委員の一人に選ばれた。

崔三喆は子供のとき日本に渡り、中學も大學も、苦學で出たのち、戰爭中は出版社や新聞社につとめてゐた。そういつた文化方面の經歷をみこまれて、文化部の仕事を受持つことにはなつたが、はじめのうちは、どういう仕事を、なにから、はじめてよいか見當がつかなかつた。そのうちに、東京にある總本部からの連絡や指示もあり、まず、一番力をいれてはじめたことが兒童の敎育のことであつた。

日本中でも、屈指の、朝鮮人の多いこのH縣には、戰時中、十數萬居るといはれてゐたが、終戰後、潮のひくように大量に引揚げてしまい、一九四六年の春には、およそ五萬位になつていた。世帶數は、およそ一萬位、一戶平均一名の學齡兒童が居るとみても、一萬の兒童が居るわけであつた。ところが、終戰後も、ひきつずいて日本の小學校に通つている子供は、その幾割もなく、大抵は、家のなかで遊んでいた。

解放されたから、いずれは、本國に引揚げるのであり、どうせ本國に歸つたら、役に立たない日本の勉强などさせても仕樣がないというのが、父兄たちの言草であつた。しかし、實際のところは、ながい間、朝鮮人の子だと、さげすまれてきた日本の學校へ、行きたくないという子供たちの氣分に、親も引摺られて、そのまゝ家で遊ばせてしまつて居たのであつた。

K・Rの縣本部や支部の文化部は、これらの遊んで居る子供をあつめて、學校をつくるということに沒頭した。あちらにも、こちらにも、寺小屋式の小學校が、矢次早に出來上つた。先生一人が、一年から六年まで敎へなくてはならなかつた、しかも敎科書はなく、黑板さへ、滿足にあるところはなかつた。それより、子供を敎へる先生の居ないのが、一番大きな難關であつた。

勢い、この寺小屋式の簡易學校は、朝鮮語を敎へるだけの機關となり、ようやく朝鮮で普通學校を出ただけの人が、朝鮮語をわかつてゐるだけのことで、先生となつていた。それでも、子供たちは、この俄作りの素人先生から、怪しげな方言や、誤つた綴字の、朝鮮語を、熱心に習ひ、家に歸つては、大きな聲を出して、朝鮮語の活字を讀みあげた。

それだけでも、いや、それだけに、父兄たちは、さも奇蹟のあらはれのように感歎し、感激した。誰しもが、ながい間、文字や言葉を失ひ、强いられた日本帝國臣民として、日本語だけをつめこまれてきてゐたために、なかば日本化して、日本語は上手にしやべれるが朝鮮語は、ほとんど忘れてしまつていた。わけても、日本で生れ、日本で育つた子供たちは、朝鮮語は、一言もわからない人間になつていた。心深く、民族の解放と獨立とを願ひつゞけてきた親たちは、このような現はれを、悲しみもし、また、心苦しくも思つてゐたのであつた。

解放直後、すぐにも引揚げるべく荷造りをしながら、この朝鮮語を知らない子供や家族の群を眺め、唖然として坐りこんでしまつた人たちも、すくなくはなかつた。

その子供が、一言も朝鮮語をわからなかつた子供が、はればれとした聲で、朝鮮語の本を讀むことができるようになつたのをみたとき、親たちは、たゞわけもなく、うれしくなり、ついには祝盃の一杯もあげたくなり、感きはまると、子供を抱きしめて、慟哭せずには居られなかつた。

しかし、人々は、寺小屋では充分な敎育ができないことを、眞劍に考へて居た。はやく大きな學校を建て、立派な敎科書をあてがひ、立派な先生にきてもらうことを願つて居た。

三詰は、あちらこちらを走り廻り、一日もはやく、立派な學校を、たくさん作りあげるために努力した。だが、まず問題になるのは校舍のことであつた。K市だけでも三千近い子供たちを收容するためには、三箇所位に、千人ずつはいれる學校を建てなければならなかつた。一級五十名だとすれば、二十級になる。二十の敎室のある學校を一つ建てるには、一坪五千圓の建築費と見積つても、そんなに安い建築ができる筈はないが、二百萬圓、それに、事務室、職員室、音樂室、圖書室、醫務室、それから机や腰掛、黑板その他の設備を合はせて、どうしても四五百萬圓の金になる。三つの學校を建てるには、一千五百萬圓位の金が必要であつた。だが、三千世帯あまりのK市の朝鮮人に、これを割當てると、一世帯五千圓平均になる。

大部分が、その日暮しの貧しさであるのに、五千圓平均の負擔は、とても想像のつかない數字であつた。

K・Rの常任委員會や執行委員會で、幾度となく、このことが論議された。人民大會でも論議されたが、解決策はなかつた、ところが、戰災を受けて、人口の大半が減つてしまつたK市には、戰災に逢はない小學校の割合が、はるかに多く、戰災區域の小學校は、半分も教室を使はないところが多かつた。

そうだ！　我等は、使はれてゐない、あの教室を借りればよいのだ。また、我等は借りる權利があるのだ。何故なら、我等は市民として、あらゆる税金を拂つてゐるのだ。また日本の政府は、ながい間、我等に奴隷教育を强いてきた。ゆがめられた我等が、解放されて、おのが母國の教育を受けることにたいして、日本の政府は、全面的に援助せねばならない義務がある筈だ。我等は、我等の子弟たちのために斷然、あの空いている教室を借り受けねばならない……。

人々は、口々に、叫び立てた。その聲に送られ、その聲を代表して、幾人かの交渉委員が選ばれ、三喆も、交渉委員の一人として、縣廳や市役所を訪づれ、縣知事や市長に逢つた。そのとき、はじめて、教育課長の毛木に逢つた。交渉は、もつれにもつれたが、結局、朝鮮市民の要求が通り、三箇所の空いた小學校の校舎を借りることができた。

方々に散らばつてゐる子供たちが、倉庫の片隅や、あるいは寺のお堂や、あるいは飯場のなかや、あるいはもとの風呂屋の板場などから、よろこびに、顏をほてらしながら、寄りあつまつてきた。習ひたての、朝鮮語の「解放の歌」を、たからかに歌ひながら、二十人、三十人、五十人と、群をなして、鐵筋の三階建の、そのむかし、自分たちが通つた國民學校と同じつくりの學校に、意氣揚々とはいつてきたのであつた。

そういう立派な校舎で、朝鮮の學校が、はじまるという噂が傳はると、それまで、日本の小學校に通いつずけて居た子供たちまでが、みんな轉校してくるようになつた。

その頃は、K・Rの總本部から發行した、教科書が、種類こそすくないが、學課目別に送つて來られ、先生になる人も、どうにかあつまつてきた。學校の內容は、日に日に充實していつて、どうやら、學校らしくなつていつた。

學校をつくることに夢中になつてゐたK・Rの人たちも、いくらかほつとして息を休めてゐる間に、急に疲れが出たように、ぐんなりしてしまつた。そして、K・Rの組織强化とか、あるいは地方の人材と、中央の人物との交流などが行はれ、三喆も、東京の中央機關にいつて仕事をすることになつた。

三喆は、H縣での文化部の責任者として、非常な成績をあげたといつて、多くの人々にほめそやされ、おだてにのるまいと、心をひきしめながらも、いつとはなく、自分が拔擢されて出世したような氣持になり、ひそかに自己滿足に浸つたりした。

しかし、中央機關にきてからの、三喆の仕事は、ともすれば宙に浮いたような感じがした。忙しく立働いてゐながらも、自分が、終日、机の前に坐つてやつたことが、たゞ頭のなかで描かれた作文に過ぎないような、不安の念に、つきまとはされたりした。

やはり、文化部に關係した仕事であつたために、H縣からの報告などをみるときは、特別な關心を持たずには居られなかつたが、生徒數や、先生數は、だんだん增えていき、健實な歩みをつゞけているように思はれ、他の縣の報告などゝくらべてみて、ひそかに誇りたい氣持になつたりした。

あわただしいなかに、一九四七年の秋の、K・Rの全國の總會がもたれ、役員や部署の異動があつて、三喆は、久し振りに、H縣附近の、同胞の密集してゐる地域をみてまわる機會にめぐまれた。

三喆は、故郷に歸るやうな、なつかしさでK驛に降り立ち、眞直ぐK・Rの縣本部を訪れた。K市は、三喆が、十箇月程前に、東京に發つときよりは、目立つて新築の家が增え、その復興のはやさに、驚ろかされた。電車通りに溢れた人々も、活氣ついてみえ、どことなく、生々とした賑やかさであつた。

思出を刻み込んだ、忘れられない横丁を曲つて、縣本部の建物がみえるときには、思はず駈足になつていた。三喆は、事務室のなかにいるであらう常任委員の、誰彼の顔を描き彼等も、突然の來訪に、びつくりして迎えてくれるだろうと、旅先から家え歸つてくる中學生のようにはしやいだ氣持で、事務所の戸を開けようとした。ところが戸には內側から鍵がかゝつていた。横の木戸からはいつてみると、事務所の中は、空屋のようにうつろで、人の氣配がなかつた。

時間が早過ぎるはずはなかつた、壁の時計は九時十五分過ぎになつてゐた。三喆は失望してぼんやり立ちつくした。

十時頃になつて、ようやく常任委員や部員たちの顔がみえはじめ、顔馴染は、一々、大袈裟におどろいてみせながら

「やあ！ いつ來たんだい？」

などゝ、わさとらしく三喆の手をつかんで振つたりした。

三喆は、素直な氣持で、一緒によろこびの挨拶を交はす氣になれなかつた。

久し振りだから、お茶でも一緒に食べながら、つもる話をしようじやないかという、友人たちの誘いをふりきつて、三喆は市內の小學校をみにいつた。

たしかに報告通り、子供たちの數は、三喆がいた頃とは、比べものにならないほど增えていた。しかし、何處となく全體の雰圍氣に緊張味が缺け、活氣がなくなつてゐるよう

にみえてならなかつた。
驛に降りたときや、街の様子から受けた印象と、自分たちの機關に歸つて受けた印象とが、あまり違ひ過ぎるのに氣を滅入らせずにはいられなかつた。

三喆は、妙に孤獨を感じた。誰とも話をしたくなかつた。そして賑やかな通りを避け、燒跡の横丁を通つて、山の手の方へ歩いていつた。

海のみえる丘の中腹の枯芝の上に腰をおろし、三喆は自分がこのK市を去つてから一年足らずの間の、時間の經過を考えた。何か取りかえしのつかない大きな失策を犯したような苛責の念が、こみあげてきた。

あの意氣に燃え、情熱に燃えた雰圍氣は、何處えいつてしまつたというのであろう?

何か、根本的な缺陷が、あるという直感だけは、動かし難いものゝような氣がした。だが、その缺陷が、何處にあるというのを、はつきり指摘するのは、なんだか氣のひける思ひであつた。しかし、三喆はその缺陷を徹底的に突きつめずにはいられなかつた。

それは、第一に、仕事のできる指導層の人たちが、自分の仕事の場を、はなれてしまつたことであつた。

K・RのH縣本部が結成されるとき、もつとも活躍し、大衆の先頭に立つて、强烈に民族意識を昂揚させ、進むべき方向を力强くしめしたのは、最初の委員長であつたMであつた。Mは、戰時中にも非合法運動をやめず、解放されるまでの四十歳の三分の一を、牢獄で過してきた人であつた。彼の燃えるような力のこもつた熱辯に、大衆は、我を忘れ、拳をかためて、團結を誓ひ、K・Rの掲げた線をとおして、新らしい祖國の建設にむかうことを口々に叫んだのだつた。彼は、委員長の椅子に坐つていることはほとんどなく、いつでも、縣内の同胞たちのあつまりに出掛け、絶えず何かを考へ、何かを計畫し、それを實践に移すことをつとめていた。

だがMは、三喆が東京に行く半年前に朝鮮に歸國した。Mのほかにも、Mとともに足まめに動き廻つた二三人の委員が歸國した。勿論、それらの人々の歸國は、當然なされねばならないことであつたが、一部の人々は、そのとき、M等の歸國を强く反對した、というのは、本國に歸つて、國家建設のために働くことも大事であるに違ひはないが、そのため折角つくつたK・Rの組織が弱化すれば、それは、歸國できない生活條件にしばられてゐる在日同胞の生活に、大きく影響することであり、ひいては、同胞の期待を裏切るものであるからだとのことであつた。

しかし、M等は自分たちの、働く場所は本國だという主張をかえず、H縣下の、すべての同胞に惜しまれながら歸國してしまつた。

　次の大會に、Mにかはつて、委員長となつたのは、五十をはるかに過ぎた、漢學者のKだつた。Kの温厚な親爺ぶりは、戰鬪的なMと違つて、迷う人々に好感をあたえはしたが、とても、大衆の先頭に立つて建設的な計畫を實踐し、民主革命の方向への啓蒙運動などは期待できなかつた。

　大會が終り、役員が決定したとき、三詰ら若い委員の幾人かゞ集つて、そういつた述懐をしたものであつた。すると、なかには、すでにK・Rの組織の地盤はできているから、温厚な好々爺の方が、かえつて人望を得るような仕事をするかもわからないという者もいた。

　だが、一年後の、このH縣の本部の仕事振りをみるとき、三詰は、M一人の力の大きさと、組織の指導者としてのMとKの力量の差の甚しさを、はつきり認めずにはいられなかつた。結局、Mが、その部署をはなれたことによつて、H縣のK・Rの組織は、決定的に弱化してしまつてゐるというほかなかつた。

　三詰は、自分の後任となつて、文化部の仕事をしてゐる委員の仕事の業績を考えた。そして、自分が、うかうかおだてにのつて、東京に行つたばつかりに、H縣下の文化面の仕事が、内容の伴はない形だけのものに轉化してしまつたことを、自分の責任として考えずにはいられなかつた。

　缺陷の第二は、仕事をする人々が、情熱と感激を失つて、單に事務的になつてしまつているということであつた。K・Rの役員になることは、何かの要職につくのと同じことだというような考えから、まず役得から考えていると思はれる節があつた。だが、これは第一の問題と結びつくことで、結局は、上に立つ責任指導者が優れていれば、或程度、自分の仕事にたいして自覺の足りない者も、指導者に教えられ導かれて、奉仕的な仕事をすることに意義を見出すこともできるようになるのであるが、責任指導者に、強い統率力と、逞しい實踐力と、深くはばひろい指導力がなければ、意識の淺薄な役員は、めいめい勝手放題なことをして、いよいよ組織の力を弱めてしまうのである。

　第三は、情勢の變化であつた。解放直後のK・Rが組織される頃は、本國には、いろいろな惡條件があるといえ、いまにも人民政府がつくられるような氣運が動いてゐた。人々は、深い意識もなく、たゞ無條件に、K・Rの掲げる進歩的な綱領に贊同していた。ところが、本國の政治情勢が行づまりをみせ、進歩的な勢力が、開城から手前は、勢いに押されて表面からかくれると、その反應はたゞちに日本にも現はれ、所謂、妥協派が、その本性をむき出しにして、いたるところでK・Rのやり方を非難しはじめた。そして、それにわをかけるのは、日本の保守陣營の强力な擡頭であつた。K・Rの仕事は、ますます窮屈になるほかなかつた。

だが、缺陥はそれだけではない。

朝鮮民族全體の水準が、いまだ資本主義社會以前の、自覺さえできない狀態にあるということこそ、すべての仕事の癌であつた。人民全體の完全な自覺と意識がなくて、完全な民主主義政治ができる筈がない。だが、朝鮮人の八割以上は、新聞さえ讀めないのである。

すべての缺陥の根本原因はこゝにあつた。その缺陥を除去する仕事は、一にも二にも、ただ啓蒙以外の何物でもない。

……其處まで考えたとき、三喆は、いたたまらない思ひで立ち上つたのだつた。

自分が、大衆のために、すべてを捧げて仕事をすると誓つたからには、その誓ひにもとらない仕事をしなくてはならない。

三喆は、すぐ東京にもどり、中央機關の仕事にたいして辭職願ひを出した。すると廻りの人々は、いろいろ三喆をなだめた。中央機關での仕事の方が、もつと大事だということを何人もの人が力說した。それは、三喆にもよくわかつてゐた。地方の機關を巡回しながら、いろいろ不備な點を指摘して、それを直す方法や方向をしめしてやる。そういつた任務が、どんなに重大でかつ必要なことであるかを、いはれるまでもなく、深く考えていた。

しかし、そのような間接的な仕事では我慢できなかつた。三喆は、直接大衆の中に立つて、大衆とともに歩く、末端機構のなかで仕事をしなければならないと、强く決心していた。

東京にいくとき、まだ文學青年らしい夢を捨てきれない三喆は、文學仲間の多い東京で、いろいろ勉强もできるということを、心ひそかに樂しみにしていた。そして、彼の妻も、都住ひをあこがれていたゞけに、物の足りなさを覺悟しながら、いそいそとついていつたのであつた。

嚴しい氣持になつて、仕事のために再び彼がK市に歸ることをいい出したとき、妻は、暫く返事もせずに考えこんでいた。そして、そんな大事なことを、何故前もつて、自分に相談してくれないのかと、不服そうにいつた。三喆は、妻の言葉のもつともさを認めた。そして、かなりくわしく、K市に歸つて仕事をせずにはいられない動機を、妻が理解してくれるように、やさしく話してきかせた。だが、妻は、夫の言葉などそんなに熱心にきいてはいなかつた。すぐ引越しの準備や費用のことを心配しはじめた。

K市に歸つてくると、三喆は、縣本部の文化部の部員になりたいと申出た。しかし、委員長はじめ、常任委員たちは、中央の委員までやつている三喆を、たゞの部員とすることを承知しなかつた。

そのような形式や、體裁をいうべきではないと强く主張したが、三喆は、決局、あらたに縣本部にできる教育者だけの集りの責任者と、縣内の教育について相談し合つたり仕事を計畫し合つたりする委員會の責任者とを兼ねさせられた。

三喆は、皆があきれる位、あちらこちらへ足まめに歩きはじめた。だが、仕事は次から次へとつかえて、解決できないでもがいている間に、意外な大問題が持上つた。

市役所から、貸してある校舍を、新學期までに返してくれというのであつた。

市の教育課長と逢つて來た報告をかね、今後の對策について、緊急常任委員會がもたれた。何彼と、多忙なことを口實にして澁つていた常任委員たちは、委員長のKが指定した定刻の午後二時より二時間もおくれて、ようやく委員長室にあつまつた。

「それでは、はじめましよう」

Kが、重苦しい聲で開會を宣言した。そして壁の柱時計を見上げた。ところが、この時計は、まだ動かないまゝになつていた。Kはなんだか氣のひけるような顔で三喆を下から見上げるようにした。

三喆は、教育課長の毛木に逢つた一部始終を、かいつまんで話した。

「で、學校は、どうしても返せというんですか?」

經濟部の責任者であるJが、怒つたような聲できいた。どんな場合でも、すぐ感情的な口をきくのが、この男の癖であつた。

「けちくさいもの、さつさと返してやつて、一つでつかいやつを建てゝやらう。學校だつたら、わけなく金はあつまる」

社會部のRが、すぐそれにつずいた。樂天的なことを氣輕にいつてのけるかはりに、責任を負はないのもRの特長であつた。

「R君は、すぐそんな風にいう。それが簡單にできる位だつたら、我々は最初から借りはしなかつたんだ。すくなくても、このK市に學校は、二つは建てなくちやならんのに、K市だけで、どうしてそれだけの金があつめられるんだ。そんな空威張りをしないで、我等はなんとかして、校舍を返さなくてもすむように運動すべきだ」

總務部のSは、即座にRの意見を封じた。冗帳面なSは、野放圖なRに、決して好感を寄せていなかつた。

「一つ事政部に嘆願してみたらどうだろう?」

書記局のBが、外務部のUをかえりみながらいつた。

「いや、あまり期待できないでしよう。そういうことは、軍政部で直接干渉しないことだし、やはり市長を口說き落とすことですな」

髮に油を光らせ、いつも洋服のズボンの折目をピンと立てゝいるUは落着きはらつた聲で靜かに答えた。

「あの市長では、とても話にならん。まつたく反動の親玉だから、一體、あんな親爺が、どうして追放にならないで、市長なんかに當選したのか、日本の民主化も遠いはなしだ」

Bは、吐き捨てるようにいつた。

「しかし、なんといつても、K市民の輿論が一番重要な問題だから、一般市民のこの問題にたいする輿論を正確に調査し、なお一般市民が我等に理解をもつてくれるように宣傳する必要があると思うんだけど」

文化部のTがいつた。すると、Rは、それをなかば嘲笑するように、

「輿論は、調査するまでもなく、朝鮮人なんか朝鮮に歸つちやえという調子だから、朝鮮人の子等を、市の校舎から追ひ出すのには大賛成に違いないさ。宣傳したつて、そんなにきくもんぢやないし」

否定的にきつぱりいつた。するとTは
「そんな考え方は、まるで日本の反動に加擔するようなものだ。日本の一般市民が、排他的なのは反動政治家から、無理に押しつけられて、そう思ひこんでゐるからであつて、それは眞實の輿論ではないんだ。そのおくれた大衆を自覺させて、民主的な人民の提携を成功させるのが我等のつとめではないか。それはかならず出來ることであり、またしなくてはならんことだ」

色をなして、主張した。

「そんなの、たゞの理想だよ。一體、どんな方法でそれが簡單にできるんだい？　市役所では明日にでも出ていつてくれというのに、いまから、日本の市民を啓蒙して、所謂人民の提携をとなえる、正しい輿論てものを起そうとしたら、それはもう十年位後のことだよ」

Rは負けてゐなかつた。氣まずい沈默がながれた。

「あゝ俺たちの新聞があつたらな、こういうとき、じやんじやん書いて宣傳するのに」

宣傳組織部のAが慨歎するようにいつた。

「まつたく中央の機關ぢや、何をしていて、今迄滿足な新聞一つ出せないんだ」

Bは怨みを、そこへ結びつけた。

「こんな風に言ひ合つたのでは、いくらたつても意見がまとまらないから、誰か、効果的な案を出しなさい」

Kは、議長らしく催促した。

「やつぱり喧嘩しないで、向う側とよく話合うべきですよ。我等の立場も、よく諒解してもらつて。そうですね、こちらから關係者が四五人、向うからは、市長と教育課長、それに軍政部の教育課の人にも來てもらつて、おたがいに、じつくり話合えば解決の方法もあると思いますよ」

Uがいうことを、Kは一々うなずいた。

「それでは、そういうことにしたらどうでしょう？」

Ｋが皆にきいた。

「賛成です」

Ａがいうと、つゞけて四五人、賛成の發言をした。すると、Ｓは苦い顔で
「座談會も結構だが、豫算は何處からでるんですか？」

と、Ｋにつゝかゝるようにいつた。

「なんとか、方法をつけないと」

Ｋはしぶい顔で呟くようにいつた。

「御存知のように、先月の人件費もやつと拂つたんで、會計には宴會の費用なんか一文もありませんよ」

Ｓのきめつけるような言葉に皆、默りこんでしまつた。

それまで沈默を守つていた三喆は
「金を使はなければ話合えないということはないぢやありませんか？　いくらでも方法はある筈です」

よどんだ空氣を突き破るようにいつた。

「それも、そうですね、どうです？　このことは崔君が、主になつてやつていることだし、崔君に具體的な案を立ててもらうことにしたら？」

Ｕが、三喆の顔色をうかがうようにしながら、皆の氣をひくようにいつた。

「それがいい。どうです委員長、この問題は崔君に一任したら？」

すかさず、Ｕと仲のよいＡがあとをついでいつた。

「みなさんが、そういう意見なら、御苦勞でも崔君に一任することにしましよう」

Ｋが、低い小さな聲でいうと、Ａをはじめとしてまた四五人、つずけて賛成の發言をした。

それで緊急對策委員會は終つてしまつた。三喆は、何か背負投げを喰はされたような氣がした。氣のはやい者は、どんどん席を立つていつた。

「だから、いはないことぢやない。苦勞して面倒なことをして、金ばかり使つて、子供の學力を無理に低下させるより、日本の學校え通はせれば、こんなことで頭を痛めなくてもいゝんだ」

Ｕは、あくびまじりに、ぶつぶつ呟いた。

その無責任な言葉が、ひどく三喆の神經に障つた。もともと、Ｕは、學校を、朝鮮人の手でやることに反對であつた。朝鮮人が教育事業をはじめても、能力が貧弱だから、學力ばかり低下して何の効果もないというのが彼の持論であつた。

三喆は、この問題のためにＵと何回も議論をしたことがあつた。だが今この場でまた爭うのも、氣づまりだつた。默つて立ち上ろうとすると、それを抑えるように、Ｕは
「教育者の良心的な立場として、崔君は、どう考えるのですか？　苛責の念に驅られませんか？」

いくらか皮肉めいた微笑をうかべて、しつこいまでに、

三喆の限を追つた。三喆は坐りなおした。徹底的に話合はねばならないと思つた。

「苦勞は、他人にまかせておいて、自分は樂な道を歩こうと考えるのなら、あなたの意見も一理はありますがね、しかし、今の段階において、朝鮮人の民族的な立場を考えれば、どんな苦しいことでも、自分たちの力でやつていかなければならないでしょう。成程、現在では、私たちの力にあまる仕事です。だからこそ、我等は努力に努力をかさねて、この仕事をやり遂げるべきぢやないですか？　今、力にあまるからといつて、これを放り出してしまつたのでは、私たちは何時まで經つても、自分たちの手で、子供たちを敎育する力は持てないでしょう。何時までも他人の力を借りなくてはならないでしょう。そんなことで、どうして民族的な進歩がありますか？　そんな悲觀論をのべてないで、あなた自身が、何故、直接子供たちの前に立つて、子供たちの敎育のために、全力をつくしてみようという考えにはならないのですか？」

　三喆は、喰入るように、言葉をつずけた。Uは顔をそむけた。

「崔君の いうのは、原則としては正しいかもわからないが、翼のないものが、飛べないように、力のない者が無理をしたのでは、たゞ自分の命を縮めるだけのことですよ。どうも理想論が多過ぎるんでね、我等の周圍には」

捨せりふめいた一言を殘して、Uはぷいと立ち上つた。人間としての、Uにたいする怒りが、三喆の胸につきあがつた。

　戰時中まで、日本の反動陣營で出している御用新聞にはたらいていたUは、K・Rの組織のとき、眞先にとび出してきて、派手なことをしてあるいた。だが、彼の仕事振りは、何處までも打算的な利己心がつきまとつているようにみえた。自分の手柄が大きく宣傳されそうなこととか、直接自分の利益になりそうなことには、誰よりも積極的であつたが、地味な見榮のない仕事には、何時も尻込し、かげで冷笑したり、非難したりした。そして、逢ふ人毎に自分は、K・Rに出て奉仕作業をやつているので、飯が喰えなくなつたと、大仰にいひながら、每晩、數千圓のかかる酒席にはべつて飽食していた。

　こんな野郎は、同胞の利益のために、自分を奉仕している人間ではなくて、同胞の利益を飮んで生きているうじ虫のようなものだ……そんな怒りに燃え立つのを、三喆は、ぐつとかみしめた。

『叛逆的な直接行動をやらない限り、俺たちは、すべての人間を抱擁していくべきだ。いはば俺たちの祖國は、喰ひ荒された食膳のようなものだ。すべての人間が侵略者の食慾に蝕まれて、滿足な形をしているものは 一つもないのだ。皆、肉のない骨と皮だけの人間に、いはゆるかすのような人間になつてしまつているのだ。だから、俺たちは、同胞の誰をみても、そのいやらしい缺點が眼について仕方がないのだ。だからといつて、そんなことばかり指摘し合つたのでは、一體、誰が、我等の祖國を建設するのだ。おたがいに缺點をかばい合つて、はやくまともな體に回復するように、助け合ひながら、力を結集して仕事を進めていくのだ、決して、小さい缺點を指摘して爭つてはならない』歸國した、委員長のMが、いつもいつていた言葉であつた。

その言葉が、ふつと思ひうかんだ。三喆は、たけりたつた自分の感情を恥しく思はずにはいられなかつた。

泣き笑ひのような表情にかはる自分の顔が、鏡にうつるように思はれた。立ち上つて出ていこうとしたUは、三喆の顔をかえりみて、怪訝な風をみせた。三喆は、てれくさい笑顔を向けながら手をさし出した。

Uは、ちよつと驚いたような眼つきだつたが、やがて、力をこめて握りしめた。

「御苦勞だが、一つ、頑張つて下さい。あなたが、そのように頑張つてくれなければ、今度の事は解決しませんよ」

Uの言葉が、その場の出まかせのお世辭であることは、三喆もわかつていた。だが、そういはれて再びおこる氣持にはなれなかつた。

……默つて、仕事をすればよいのだ。そのうちに、皆もみせかけでなく、本氣で仕事をするようになるだろう……。

三喆は、また電車道え出ていつた。

五時から、小學校の教員だけの集まりがあつて、子供たちの教育についての懇談會があることになつていた。その席には、日本の教員組合の、經驗をつんだ先生も、參席することになつていた。

すきつ腹をかゝえて、三喆は、鈴なりの電車にとびついていつた。

——長篇『ある教育者』の一部——

社告

地方支社で、雜誌代の送金がまだ本社販賣部に届いていない向がありますが、本社の方でも帳簿整理上大變困つた居りますから、そういう支社は至急御送金下さい。今後は是非とも先金でお願いします。

朝鮮文藝社販賣部

編輯後記

われわれは、いま、嵐の眞中に立つている。嵐は、いつ凪ぐとも知れない强さでもつて、いま、われわれのまわりを、吹き荒んでいる。

そして、一部においては、この强烈な嵐の前に、枝を折られ腰を斷たれて、降つた者さえある。

○

だから、斯ういう烈しい季節だから、文學は無用だという論さえ、見える。

しかし、斯ういう烈しい季節だからこそ、文學は餘計に重味を加えて行くのであつて、この烈しさに堪えて行けない文學は最初から文學と呼ぶには輕すぎるものではなからうか。

○

吹けば飛ぶような、たんぽぽの文學は、われわれの祖國である朝鮮には、曾つてなかつたものである。

文學が、男の一生をかけるに價する仕事である爲には、それが、斯ういう烈しい嵐の中でこそ光り得るものでなければならない筈である。

○

文學者と自稱する人達は、いまこそ自分の文學を、この風濤の前に立てゝ見るべきである。

われわれの祖國が求める民族文學とは、斯ういう嵐に堪えて殘り得たものを言うに他ならない。

○

五月一日から、われわれは、國際郵便規定の新しい變更により、朝鮮からの作品を手に入れることが出來、又その飜譯も出來るようになることと思う。

この雜誌の本來の計劃の一つである現朝鮮文壇の全面的紹介も、遠からず着手出來そうな氣がする。

そして、出來れば、朝鮮文學のベスト・セーラーも、單行本の形で紹介したいと思う。

○

宋卓彦氏の『春香傳と李朝末期の庶民精神』は、數少い朝鮮文學史の硏究家としての氏の、最も得意とする題材で、春香傳の時代的意義を知るには絶好の文獻であつた。

○

われわれは、今後も、斯ういう文學史的硏究と資料を、努めて載せて行く豫定である。

○

來月號から、面目を一新して、頁數を可能な限り、もう少し增して見るつもりである。

そして、日本の現役作家の助力も、もつと得たいと思う。

○

目次のカットは慶州西丘里にある古墳の中から出土した石扉陽刻仁王像一對の中の右扉の寫眞である。其の奇古な、幽怪な仁王の面貌は、原始的な、魂のこなれない古代新羅人の朴訥な心情を見る感がある。

○

『ゴーゴリ風景』、小說『低迷』共に、意をこらしたつもりである。

（牛）

朝鮮文藝 七月號

一九四八年六月廿日印刷
一九四八年七月一日發行

定價 二十圓
半年分 百二十圓
一年分 貳百四十圓

編輯兼發行人 朴三文
東京都新宿區大京町二八

印刷人 關根竹四郎
東京都文京區大塚坂下町五七

發行所 朝鮮文藝社
電話大塚一八七三番

配給元 日本出版配給株式會社

一九四八年六月二十日印刷納本

一九四八七月一日發行

朝 鮮 文 藝

定價 二十圓

第2部　在日朝鮮文学会機関誌

一　『文学報』在日朝鮮文学会

文学報

一九五三年八月五日発行

NO.4 1953

在日朝鮮文学会

文學報 目次

1953年 第4号

表紙　曹良圭　　目次カット　全和光
　　　　　　　　カット　李在庸

主張

朝鮮停戰とわれわれの眼

七月二十七日ついに朝鮮停戰は成立した。午後十時、私ははたと手を休めて眼をとじた。とにかく一応戰爭はおわつたのだ！　祖国の北半部の人々は、この三年來はじめて空襲のない夜を眠ることができる。

人々は地下壕からでて両腕をのばし、大気を胸いつぱいに吸いこんでいることであろう。子供たちはぴちぴちと街路をとびまわつているにちがいない。そして兵士たちは。……平和はいいものだ！みおぼえのある平壌や咸興の山や街が思いうかぶ。涙があふれた。たしかに平和はいいものだ！　しかしわれわれは眼をみひらかなくてはならぬ。平和はいいものであるがゆえに、眼をみひらいてこの平和の敵をみつめなくてはならぬ。

みおぼえのある平壌や咸興といつたが、これはいまは廃墟だ。燒野原だ。そして幾十百萬の人々の生命、――これがあの本年二月までに投下したという「四十三萬八千トン」の爆彈・ナパーム彈・細菌彈によつて殺されたことを思いおこさなくてはならぬ。これらの爆彈をつくり投下させることで、何人の奴がいつたいどれくらいを儲けたというのか。このなかには日本人も含まれていることを、日本人は知らなくてはならぬだろう。「北鮮軍の侵入」「共産軍の侵略」などということはアメリカ人I・F・ストーンその他の著書をまつまでもなく、いまはもはや「神話」にすぎないことは周知のとおりである。それは二年余にわたつた停戰会談の経過をみても明らかであり、さらには「李大統領の捕虜釈放で休戰成立が一ケ月おくらされたことは、だれが考えだしたかわからないが、現実には実に見事な『冷却期間』となつて現れた。ニューヨーク株式の大暴落もなかつた……」（朝日新聞　板門店・中村特派員二十六日発）というのをみても、容易に判断できるのである。「だれが考えだしたかわからないが」といつているが、それは誰でも知つている。もちろん中村特派員自身もよく知つている。それはいうまでもなく「ニューヨーク株式の大暴落」を回避したものどもだ。そして戰爭をはじめたものは、この「株式」を「大暴落」しなければならぬまでにつり上げた平和の敵どもだ！

平和はいいものだ！われわれはこの平和を涙のあふれるほどに欲するがゆえに、眼をみひらいてこの平和の敵どもをみつめていかねばならぬ。平和のための武裝をゆるめてはならぬ。

西粉の抗議

金　民

一

都教育庁に対する抗議が連日のように続いていた。

未亡人西粉は、豚の餌をいれた器のへりに手をついて、どんよりと曇つた空を見上げながら今日も出かけるべきものかどうかと、ちよつと戸迷つていた。幾らもない濁酒(マッカリ)ではあるが、もう今日あたりには麹をいれなければ、またまづい酒になるだろうし、それに、この七月に入つてからは、五日も仕事にあぶれてしまつたし、抗議のためにまる三日も休んでいるし――。

こう思いながら西粉は、キーッと軋む豚小屋の戸をあけた。

むつとする狹い小屋の中には、横倒れのままの親豚のたるんだ白い大きな腹の上に、五匹の子豚共が重なりあつて、吸いついていた。

『ほら、チョッチョッ』

西粉は、それらを払いのけるようにせわしく舌うちをした。すると、目先きもきかない仔豚共は、山羊のようななきごえをあげながら親豚の腹からころがりおちて、餌の器の上にはいあがつたり、西粉の手をペロペロ舐めたりしはじめた。

『チッチッ　あつちい　行つて、』

西粉は、まつわりついてくる仔豚共をよけながら餌の器を持ちあげて親豚の鼻先きにさしだした。しかし親豚は、頭をピクッともたげたきり、ふーつと溜息みたいな息をついて、相変らず横倒れのまま、動こうともしなかつた。黒い鼻のあたりに汗がにぢんで、横腹の下半分は泥と糞尿でぐじよぐじよにぬれていた。

『なにせいたくいつているんだ。産後にはなんでも喰わんことには――』

こう独りごとをいいながら西粉は、その節くれた男のような手で餌をひと掻きかきまわして、顔をゆがめてしきりに「チッチッ」と舌うちをしながら親豚の鼻のあたりをつっいた。親豚は、相変らずたるんだ目をぢつと見開いたままだつた。仔豚共は、糞尿の泥の中をよろよろと匍い出てきた。そしていつのまにか西粉の裳の下にもぐりこんできて、足のうえを舐め出した。西粉はびつくりして『うつ、この……チッチッ』

と、いいながら、仔豚共を邪剣に小屋の中えほうりこんだ。親豚は後脚を二三度ばたばたしたが、その気力もないのか又、元のとうりにぢつとしていた。

そのうちに喰いつくだろうとばかり考えていた西粉は、これは確かに何かの病気にとり憑かれていると思つた。

『なに、ぜいたくいつているんだ。喰わなければ死ぬばかりぢやないか』

西粉は餌の器をいまいちどつき出して見てから引つこめながら、何よりもまづ、小屋の中の糞尿を掻き出して敷藁もとりかえてやらなければならないと思うと、むしように腹がたつてきて、小屋の戸をバタンと閉めて、立あがりながらカーッと唾を吐きつけた。

その時、ふと西粉は、めしをたべているとばかり思つていた息子の永洙が、ランドセルを片手にぶらさげたまま、自分の背中の方をぢつと凝視めて立つているのにきがついた。あけ放しになつている破れ障子越しに、狭い部屋の中のとり散らしが目についた。

『もう出がけるのかい?え?』『ようお金くれよう』『まだお金かい?昨晩あれ程いつても分らないのかい?』

『ようーお金くれていけよう』

『この!この分らずめ』

西粉は、きつい目で息子を睨めつけた。

息子の永洙が、PATの会費をくれと、せがみ出したのは、もう十日もの前からのことであるが、アブレと、抗議のために、二百円のお金が未だやれないでいた。

都立とは名ばかりの朝鮮小学校は、学校経費の殆どを、貧しい父兄達のふところをはたいてまかなつていた。今度のPTA会費も、新入生の机と腰掛の一部を買入れる費用であることは、永洙の口から言われなくても、西粉にはよく分つていた。よく分つているだけに、そのどうしようもないのが腹立たしく、朝めしもろくろく食べないで、西粉が仕事に出て行つてしまわれては――と気づかつて、ぢつと後をつきまとつているのがまた、訳もなくくしやくしやした。

『え?まだお金だ?ソンセンニム(先生)にちやんと話してやると言つたぢやないか?』

そんな言葉にはききなれている永洙は、まばたきもしないで、母の顔と汚れた手を見交した。そして、見る見るほほをふくらましたと思ふと、

『やだい――』

と一言言つて、足をならした。

『この物分らずめ、あれ程いつても、まだそこにつつたつているのか?』

西粉は、慌しく台所に馳けていつて、そこいらの棒きれを手にし

て出てきた。永洙は、うしろを見い見い泣き出しながら、狭い路角をゆつくりと曲つていつた。

永洙の泣きごえがきこえなくなつたとき、西粉ははじめて、ふーつと深い溜息をついて、握りしめていた木ぎれをなげ出した。そして、今日はどんなことがあつても仕事に出かけようと思つて、つぎはぎだらけの黒いモンペに太い尻を急しく押し入れた。

西粉は終戦の年の夏に炭坑の山崩れで、あつけなくその夫に死に別れた。それ以来女手独りで、永洙に総てをかけながら働いてきた。西粉には、何よりも頑丈なからだが唯一の頼りであつた。買い出し、屑鉄拾い、濁酒造り、行商と、たえず少しでも割のよい仕事をえらんで辿りついたのが今の職安の日傭労働であつた。四〇をはるかに過ぎているとはいえおしひしがれても、もうそれ以上のどんなことにでも耐えられそうな背の低い体躯、そして目立つて短い胴ががつしりしていてモンペからはみ出す大きな臀部と、男のような地下足袋姿は、世間態を考える余裕はなかつた。

モンペの紐をきつく結えつけて日焼けした短い太い首を横にしいしい、荒い櫛をせわしくいれていた西粉は、なにげなしに、部屋の隅におちている帳面を鏡の中に見出した。

『あのあわて者が、また帳面をわすれやがつて』

西粉は帳面をとりあげて、あたふたと路地を走出しながら

『ヨングスヤーヨングスヤー』

と、大げさに息子をよんだ。西粉は、バラックの間のじめじめした狭い路地のつき当りまできたとき、そのつき当りの街道のまがり角の電柱のそばに、永洙がぼんやり立つているのが目にとまつた。

『ヨングスヤー』

母の聲にきがついた永洙は、目をかがやかしながら広い街道を眞直につききつてとんできた。

『なあに？かあちやん』

『この忘れんぼう、帳面だよ………はい』

といいざま、西粉は永洙のランドセルをひつたくるようにしながらその帳面をおしこもうとした。しかし、ランドセルの背中を横にひく永洙の顔にはありありと深い失望の色がうかんだ。

『ちがうよ、イチネンセーの時のだい』と言つて、うしろも振りむかないで馳けていつた。

西粉は、何だか気の抜けたような気持で、ぢつと表紙の繪を眺めた。共和国の旗がひるがえつていた。国語の帳面だろうと西粉はひとりで心にきめながら、パラパラとめくつて見た

『こんなに空いた所がまだあるのにほつぽり出して——』

西粉は、その帳面の空いた欄の一つ一つに永洙が、黒々と一ぽいに字を書きこまなかつたことが又腹立だしく物足りなくて、いまいちど帳面を一枚一枚、その節くれた指でめくつて見た。同じ形の字が行儀よく並んでいたが、半ばごろになると、半頁ほどが空いていて最初の二枚は、まつさらのままだつた。

『あれ、二枚は、一字もかかないで、—あの我儘ものが—』

こう独りごとを言つて西粉は、つき出た厚い唇をあけたまま、日焼けした黒い額に太いしわをよせて、小さい目で横にらみに、路地の方を見やつた。

『永洙ネ、そこに立つて何してるんだよ、帳面なんかひらひらさせて——。後家の手習いでも始めたんかい？』

西粉は、拍子抜けのしたような聲で

『アイグ、おばあさんの言うことつたら…。』と言いながら、モンぺの膝のあたりをはたいた。

隣の七星の婆さんは、いつに似合わずに、白いコタリ（朝鮮婦人のゴム靴）に、朝鮮服のいでだちであつた。たたみこんでおいた折目の目立つセルのチョゴリの胸前をかきあわせている風釆は、いつもの職安のあのお婆さんとは別な人のように見えた。『どちらえ出かけるんですか?』

『こんなに朝早く、私に他にいく所なんかあるかね?・朝鮮に行くんだつて、こんな手ぶらでおめおめかえれるわけでもなし……』

と、言つて笑つた。西粉は、お婆さんの顔をさぐるように見つめた。そして思ひ出したように、

『……お米がもう一粒もないんですよ……それで今日はしごとに出ないと—』

『アイグー、誰かしごとに出かけるなとめたんかい?さあ洗濯物は片付けて——そしてその顔に、おしろいでも少しぬりつけなよ、ハッハ、そりや、別に間男をこしらえにいくのとわけが違ふが』

お婆さんは、出初めの酒を試飲してきたらしく、井戸の水を手ですくつてがぶがぶと飲んだ。そして、まだそこにつんと立つている西粉を、けげんそうにのぞきこんだ。

『何かあつたんかい?永洙はさつき学校に出かけたんだろう、ハッハ、何かあるはずがないじやないか、——で?抗議に出られないと言うのかえ?』

『——豚のこともあるし』

お婆さんは、さもあきれたように、歯のぬけた大きな口をあけた。

『あ、なんだと? 今日がやまだと言いふのに抜けるなんて…人間の形をしているものは誰だつて引つぱつていきたい日なのに。さ、洗濯物をとりいれなよ、今日いかないと、バンドン（反動）だと—』

西粉は、かりそめにもバンドンだときめつけるように念をいれて言ふ七星の婆さんのことばに、さつきからのむかむかしたものがこみあげてきた。しかしお婆さんは、相手にかまわず、

『バンドンだよ、イヌンマンにひつつく者だよ、え?ハッハ、』

と言いかけて、ふと西粉のきつい、いらいらした目つきに、笑いを止めて、西粉ににぢりよつた。どこかの時計が七時を打つた。誰だつて貯えのある身分で、毎日抗議に出かけるのではない——こう思ふと、七星の婆さんはせつかくの酒気もさめていつた。中風でねている爺が、いまさつき出て來るとき、

『今日一日位は休んで仕事え出てもええやろう、うちは子供もいねえから』と言つたのをやりこめてきただけに、西粉のいつにないそつけなさが憎かつた。

『え? いかないね?もう抗議なんかいらないんかい? はつきりと返事しな、え?』

七星の婆さんは、恐ろしい權幕で喰いさがつた。半白の髪の毛がふるえていた。

『いかないとは、言わないが、一日だけぬけないと、どうにもならないんだよ婆さん』

西粉は、おしこむようなこえできつとなつて言つた。

『勝手にしな、——うちの七星は、どうせ收容所に入つているからなー、いつ奴ら（李承晩）に殺されるか分らないからな…』

『なにもそんなことまで引つぱり出さなくてもいいぢやないかよ』

『ふん！今日がやまだと言うのに！皆で学校をたててやる抗議をする――子供は学校えいくし、お母さんはしごとえいけるし、いい身分だね』

この糞婆め！と西粉はおもつた。お互に、底の底まで知つていながらこのようにチクリチクリ心の痛い所をさしえぐるのに、耐えられなかつたのだつた。

『この婆が、何を、先走りしていうんだよ。え？　誰もそんな下心で言つてるかい？』

『大きく言つたね、アイグ、あの顔つたら』

いまにも、つかみあいが始らんばかりであつた。

その時、バラバラと雨滴がばらつき出したと思ふと、ゴーと、空鳴りとも、爆音とも見分けのつかない音がして、ひんやりした風が路地を突きぬけていつた。と西粉は何かにつかれたようにまつすぐに家の方え戻つていつた。そして、ぬれたままの洗濯物を部屋に投げ入れて、職安の方え急いだ。七星の婆さんも、いつの間にか着がえて傘をにぎりしめたまま、そのあとにつづいた。

『畜生！また降つてきたな』

配置票を切つている窓口の学生服の事務員は、貯水池の現場まで、賃金をもつていかなければならないと考えながらアクビをしてこう言つた。

『降つてきたぞ、早くしろ、』

職安の前に列んでいる失業者達は、めいめいにいきりたつて、怒鳴つた。こんな雨の日に配置のとれない者は、より一層怒りだした。

『貯水でも清掃でもよいから、配置票をきれ』

しかし、雨が降れば、アブレはふだんの倍以上にもなつた。西粉よりやや遅れてきたが、番号の早い七星の婆さんは、さつさと配置がとれた。

『雨だね。え？　やつと降つてきたね』

七星の婆さんは、配置票をヒラヒラさせながら、さつきから空模様を気にしている労務課長の顔のあたりを窓ガラス越しに雨傘の先きでつつついた。彼は、反射的に顔をそむけたが又、雨つぶの斜めに打ちつけるガラスに顔を近づけながらどなつた。

『おい、もうおしまいにしろ、畜生！いよいよ本降りだ！』

雨のせゐで、働かせないで賃金を支払うことを考えると、彼は、ガマンがならないのだつた。西粉はぐいぐいと前に押しつけられた。女の悲鳴があがつた。あと、配置票がいくらもない証拠である。西粉は、傘をわきにはさんだままつまさきをふまえて押しつけた。

『ガタッ』と窓口が降りた。西粉からあと三人目であつた。西粉は、やつと見つけ出した七星の婆さんに、わけもなくにつと笑つて見せた。

『雨が降つたら食わんでもいいんか？』

『この馬鹿野郎共！叩き割つてやるぞ……』

『もつときれ、もつと』

ずぶぬれの失業者達は、わあつと窓口に殺倒していつた。

ガチヤンと軍隊ズボンの臀面がガラス窓を叩き割つた。労組の若者の一人が、ガラス窓の枠に、蝙蝠のように威勢よくとびついてアヂをぶちはじめた。

『さあ、いきましよう』西粉は七星の婆さんのそでをぐいと引張つた。

二

都教育庁の表入口には、『抗議集団の無断出入を禁ず』と書いた大きな木の札がぶらさがつていて、守衛数もだいぶふえていた。しかし抗議にきた人達は、それらには目もくれずに、ずんずん入つていつて、どしんどしん足音をたてながら階段をのぼつた。西粉と、七星の婆さんは、階段を殆ど昇りかけた所で、追いついてきた守衛の一人に呼びとめられた。

『あの――どちらえ行くんです？』

『そんなこと、分りきつているじやないかよ』

七星の婆さんは邪慳に言つた。

『……でもね、一応きいておかないと』

『何をきくんだよ、え？』

西粉は、ひつこんでいろと言わんばかりに、一言言つて、睨めつけた。二階の廊下から一齊に多くの顔がいどみかかるよう見下した。もう六〇をこえたであろう守衛は、当惑したような顔をして立止つた。そして、思いついたようなふうで、

『皆さんとご一緒ですね』と、言いながら階段を上つてきた。一人の令監（老人）が、なれなれしくその守衛に話しかけた。

『おやぢさんは、せがれは何人いるんだよ』

『いや、は　、一人きりでね』

背のひくい守衛は、黒い正帽をとつてはげた頭をふいた。すると横から、

『おやぢ、夏期手当はいくら貰つたんかい』と、職安風の人が、責めるような口吻できいた。

『まだだよ、呉れるかどうかね―』

『くれと言えばいいじやないかよ。』

『……でも、なかなかね、それが……』

こう言いかけていた、守衛は、

『次長さんです　』

とあわてて、帽子を深く被つた。そして、

『ちよつと、そこの通りみちをあけて下さい』と、ペコペコと頭をさげた。廊下のすぐ隣の部屋から出てきたのは、〇〇次長であつた。抗議団の人達は、教育庁のお偉ら方（？）については、あらまし知つていた。そのすまゐがどこにあるのかもあらまし調べてあつた。

『逃げるんかい？え？』

七星の婆さんが、次長の行手をふさいだ。

『え？にげる？』

きつとなつた次長は、婆さんを見下すようにして言つて、通り抜けようとした。

『次長―頼みまつせ』

一人の青年が次長の肩をぽんと叩いた。

『いやや　、ええ…』

次長は、ひやつとしたように、俄かに相好をくずしながら、肩をすぼめて階段をトントンと下りて行つた。

名前だけが、『都立』の、朝鮮人学校（全都で十三校）関係者五〇〇余人の抗議団の人達で、二階の狭い廊下は、身動きも出來ないほどだ。すわつたり、腰掛けたり、或はせわしく往つたりきたりしながら、ひつきりなしに吐き出す煙草のけむりや、また、大きなこえで話しあつたり、笑つたりするだけで、二階の各部屋の事務の機能をマヒさせることが出來た。若い女の事務員たちは、戸をあけて

廊下をのぞいて見もした。七星の婆さんは、廊下の奥の方に腰掛けて、いつになくおしやべりをつづけていた。

　西粉は、暗い廊下に、一つぱい貼りつけてある写眞（モデルスケール・完全給食の××校）をぢつと見つめた。そして、大きな手で、その写眞にさわつて見た。汚れた指あとがついた。

『一体、いつになつて、始めるんだろう』と、西粉は顔をそむけた。人達は相変らず、賑かに口口で怒鳴つていた。

『…大水になりそうですね―』

　窓の外を眺めていた、おばあさんの一人が言つた。

　底の抜けたようなどしやぶりだつた。前方の屋根や、構内に列をなしている高級車の背中にぼやけた白い雨しぶきがたつていた。構内の奥の教育庁再建工事場から、砂利攪拌機の唸りがきこえ、頭にナイロンのフロシキをかぶつた子供達が、電車路をよこぎつていくのも見えた。

　十時になつた。しびれをきらしていた抗議団は、×課長室に、ドヤドヤと雪崩れこんだ。廻転椅子にもたれて、雨脚をながめながら、コップの牛乳をのみほしていた×課長は、つとめて、悠然と言つた
『あの―、ちよつとまつていて下さい、いま教育長さんを―』

　彼はこれまでいくども抗議団につるしあげられた。それで、なるべく、抗議団をさけるようにしていた。

『教育長は、もうにげたんだよ』

『確答すると言つて逃げるとは―』

　ひとしきり、抗議団はざわめいた。

『……教育長は、いま――。とに角、一応出て下さい。代表の方だけにして下さい』

　こう言いながら、×課長が倚子から立ちあがつて、コップのふちをくるくるまわしたが、もう抗議の人達は、いつもの場所に陣どつて幾重にも課長をとりまいた。頭のおもいきりはげたＰＴＡの会長は、腰を下しながら課長に言つた。

『これは、皆が代表ですよ、』

『そうだ、わたくしたちはね、みんながね』一人の婦人が、子供をあやしながら、相づちをうつた。

『ちよつとまつて下さい。静かにして』

　ＰＴＡ会長は、目をパチパチさせて、皆を、笑顔でなだめた。そして、いつもの要求を、一通り説明しだした。『……新学期が始つてもう三個月をすぎます、このことは、課長さんも御ぞんじでせう？』

　課長は、ふちなし眼鏡の中から細い目で皆を一まわり見わたした。

『……ところが、そんなに事情はよく分つておるといいながら、雨がもれても、新入生がふえても、ミカン箱を机のかわりにしても、教室はたてまさないし先生も朝鮮人はなかなか採用して呉れないし……』

　課長は、会長のことばをさえぎつた。

『全然採用しないわけではないじやないですか？』

『とに角、さいごまできなさいよ』

『もう、よーく分りますよ、だが、それが』

　課長のことばが言いも終らぬうちに、

『何をよーく分つているんだ？』

『一度だつて朝鮮人学校 にきて見たことがあるのか？』

　室内が一度に怒号で一ぱいになつた。西粉は、つまあしをたてて、中学生の大きな肩ごしに、

『チョーチョームウル、クチョトナ（まだあいつに何か言わせておくのか）』

と、どなつた。

『皆さん、そうあわてないで』

会長は、まだ話しつづけた。

『何度でも、繰かえしますが、私達は、日本の学校とちがつて、朝鮮人の民族教育を施しているわけですがね？ところが第一に、朝鮮の教員をなかなか採用しない。採用するにしても、思想がどうの、学歴がどうのと条件をつける。しかし、私達のほしい教員は、朝鮮の民族教育を施しうる教員がほしいのであつて、大学出の、朝鮮語もしらない人は、必要でないのです。このへんのことは、課長さんも、ようくお分りでせう？それに、毎年生徒数はふえると――、これも自然なことでせう？だが、教育庁では、予算がない一点ばりぢや教育が出來ない事になるでせう？それも、私達父兄達が、日本の学校の父兄達みたいに、曲りなりにも、生活が出來れば、学校運営も、少しは樂になるわけですが、いま、ここにきている学父兄達の生活がどんなものであるか、相像出來ますか？』

『一度、わたしの家にきてみろ』

『――今日も、仕事を休んできたぞ』

課長は、ききあきたと言ように、いきりたつ人たちには目もくれなかつた。そして、言いわけのように

『そりや、わかるがね、私達としてはね――』

と、いいかけて、何を思つたか、両手を後頭部に組んで、廻転倚子を小きざみに左右にふつた。

『今日は、確答して貰わぬことには』会長は、課長の椅子の背にひぢをもたせて言つた。課長は、何もきこえなかつたように、マッチの軸をとり出した、そして、耳をほじくり出すために、頭をよこにかしげて、左の方の目を細めた。

『イノムセッキが』（この犬畜生めが）

七星の婆さんは、人の群をかきわけた。しかし、それよりも先に、西粉は、課長の顔の近くまで出ていつた。

『つんぼか？え？つんぼか？』

課長は、赤いマッチの軸と、西粉の顔を見交したが、一言も言わなかつた。とつさに、出てはきたが、西粉は、ことばのあとが、つづかなかつた。口口に怒つていた人達も、ちよつとのあいだ、ぢつと課長の目を、にらみつけていた。部屋の中の方の沈默に、廊下にはみ出ている人達は、ぐつと人の群をおした。前におされながら西粉は、

『え？朝鮮人の子供、あきめくらにするつもりだ？戰爭の……戰爭のお金はあるだろ、出せ、さ、出せ』

黒い西粉の顔からは汗がふき出た。

『え？朝鮮人は、私は、わたくしは、何も分らないだ。字も分らないんだ。さ、私にも、勉强させろ、私はあきめくらだ、あきめくらだあきめくらだ』西粉は、両手の掌で、机の上を叩いた。

しかし、課長は相変らず默つていた。そして、紙とペンをもつたまま、皆の者と一諸に自分の顔を見ている書記の方を、ちらつと見て廻転椅子を横にした。

西粉は、廻転椅子の背を両手で、わしづかみにして、ゆすぶつた。

『あんた達は、こんな所に座つている。私達は字もよめない。貧乏だ。私は、文字も分らない。ゴマカシてばかりいて、何とか言え、

いえ、いえ、いわんか』

しかし、彼は、はげしく、ゆりうごかされながらも、両手で、椅子をささえて、机の眞中あたりをぢつと、見つめていた。

もう、人達は、がまんがならなかつた。

『この狸野郎め、何で默つているんだ』

『何か言え、つんぼか？今日は返答すると言つたぢやないか？え？』

多くの拳骨が、彼の目のすれすれの所までとんでいつた。

七星の婆さんは、両手を宙にふりあげながら、

『戰爭ばかりして、朝鮮人をいぢめると、罰があたるぞ、バチが、バチが』

と、バチバチを両手をうちならした。

課長は、放心したように、一言もしやべらないまま、椅子の背にもたれようと座りなおした。

とつさに西粉は、机の上においてあつた、赤インクビンを、彼の方え払いやつた。眞赤なインクが、彼の眞白いワイシャツの胸のあたりにとんでにじんでいつた。

『あつ…こ、この』

彼は、ばね人形のようにとびあがつた。そしてあたりを見渡した。しかし、抜道はどこにもなかつた。西粉は、血ぬれたような手を、にぎりしめながら、

『お前達は、こんな所にすわつて……字もよめる……お前達は……』

と課長につめよつた。

『…そう…無茶なことを、とに角、このことは、よく教育委員会にも…』

と言いかけて、ますます胸にひろがつていく赤インクをはたはたとはたいて、いびつに笑おとしたが、その顔は、泣きべそをかくようにひんまがり、ひくひく動いていた。

◎…会員のプロフイール〔4〕

『湖東の星』の 詩人 南時雨

南時雨…この名前を日本語でどう呼ぶのだろう！とひそかに彼の口から何か出るのを期待するのは無駄な事である。彼は朝鮮語以外にめつたに他国語を使わぬからだ。〃ミナミシグレ〃〃ナンジアメ〃と呼んでローマン派のような名前だと便乗する似而非朝鮮人は呪われてあれ。と言つて、彼は日本語を分らないのではない。日本人に対してはちやんと日本語を使ひ、ロシア人に対して流暢な露語を驅使する。（高校で露語講座まで担当している）倖なるかな彼は、陸史、憑虚（玄鎭健）の故郷である慶北安東の産。早大露文を出て民族教育に携る傍ら、詩集〃英雄伝〃叙事詩〃湖東の星〃〃童謡集〃〃春のたより〃の作品集を出している。学生の信任も甚だ厚いようだが、それは作品からばかりでなくその誠実さからのようだ。ただひたすら『湖東の星』に続くものを待望してやまない。

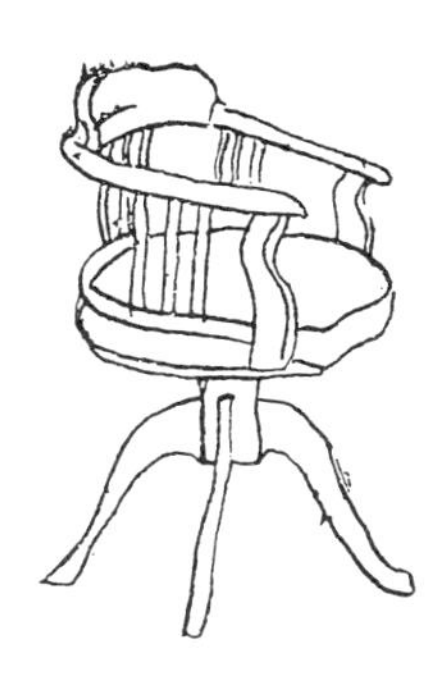

或るノート

―「王山の麓」―

全和光

自分はいつか、無名の革命家であり、先驅者である叔父を主人公として、自分の生れた王山の麓の靜かな部落の悲劇を書かうと思ひながらずる〳〵べつたりに今日まで至つたが、今まで書けなかつた理由として、先づ第一に才能がないこと、第二に絵筆をにぎつていたこと等である。先日來そのノートの一部をほこりをはらつてめくつて見たが、以下はその一部分であるに過ぎない。

○黒つぽい松の木におほわれた高い王山。

○白い雲が靜かに王山の背後へと動く。

○長い塀に囲まれた大きな邸宅、その邸宅の前に、如何にも対照的なみすぼらしいわらぶきの家、自分はそのわらぶきの家で生を惠まれる。

○大きな邸宅には三人の女人と四人の子供と六十才の下男の小父さんだけで、その中に叔父の妻である色白の小じんまりとした感じの七年間の孤閨を守つて來た四十女の叔母もいる。

○叔父の実兄である伯父は安州の日帝の官庁の主要な地位に居り、皮肉にもその実弟である叔父は民族独立の爲め地下生活をしていてつかまり、平壤の獄舎生活七年になる。

○塀の東側に大きなつゝじの木、そのつゝじの木が正面に望められる部屋、この部屋には書棚があり叔父が讀んだであらう英書、ロシア語の本がぎつしりつめられ、ネヅミのハイセツ物で黄色くよごされたのや、しめつてかびのはえたのもある。私達少年の従兄弟達はその中から挿繪のある本をめくつて見ながら遊ぶ。

○こけむした庭。

○屋根にぼう〳〵と生えた草。

○瓦と瓦の間にスゞメが出入りするのを朝日のさす時よく当見する。いつかはそのスゞメの巣をヘビがおそおつたことがあり、そのヘビを見たとか、見なかつたとかさわいだこともある。

○身体のわりに、頭の大きい、顔色の青白い六才位の叔父の息子、無口で笑い顔を見たことがない。

○幾分憂いの表情のある叔母、典型的朝鮮女性の四十女。

十年後の叔父の出獄

○冷しいような目、低い音聲、十幾年ぶりで対面の叔父と自分。

○叔父は出獄後十日もたゝない中に死んだのだ。

○死ぬ爲めに出獄したようなものだ。
○だが叔父の死は外ではない。叔父は日帝の獄舎で九十九まで殺されたのだ。そして獄舎で死なしたくなかつたので、シヤク放という手段でおいだして殺したようなものだ。
○中学の帽子をかぶつて四五人の親セキの人達と共に墓参に行く。
○赤い山の土。
○ゴーウッと松の木がなる風の音。
○顔を一瞬くしや〳〵にしたかと思ふと聲をはりあげてアイゴ……と泣き出す叔母、皆もその泣き聲にすゝり泣く。叔母の後につゝ立つている息子、無表情な顔。
○自分は涙も出なかつたし他郷生活からなつかしい母と共に墓参に來たせいか、母の顔ばかり気にしていた。母も涙で顔をぬらしたが母は又私にばかり気にとられていたらしく、その母の姿が青い空の下で泣いているのを、小便の爲めにはなれたところへ行つてふりかえり見た時、叔父の死よりもあの青い空と白い衣の小さく見える母の姿がかなしく感じられとめどもなく、涙が出てしかたがない。

叔父がつかまるまで

○叔父がつかまるまでの話は二つ三つ伝はつているが、さたかでないのが残念である。だが叔母から聞いたのが一番近いので、以下それに肉をつけて見る。
○叔母がねている部屋の戸をたゝく音がきこえるので、目をさますと叔父の開けてくれという聲！それがニワトリの一番はじめにないた直後だつたから一時半頃だつたらしい。二回目のトリの鳴く聲を聞きながら叔父も叔母もねむつたらしく永年の別居生活から叔父の帰宅はまるで夢のようで叔母は叔父の手を両手でにぎつたまゝね入つたといふ。
○三回目のトリの鳴き聲がすんでまつ暗い中にも黎明のきざしが動きはじめようとする頃、叔母ははつと目がさめたのである。手をにぎつていた夫のかげはなく手さぐりに夫の体をさがしたがすでにぬくもりもなかつた。それよりも驚いたのは誰かが開けてくれと戸をたゝくが、なんとなしに背すじがさむくなるような恐怖感におそわれ、わな〳〵ふるへていたといふ。あにはからんや叔母が立ち上ると同時に四方八方に私服警官が戸といふ戸に立ちふさがつて電池で戸を照らして入るのだ。
○叔父はその時は天井にかくれていて天井から屋根へとぬける穴を用意していたらしく、屋根に上ると上衣をぬぎ、(白衣だから暗闇に目立つのをおそれ)屋根から塀へ塀から裏山(王山)へと逃走
○叔父が栗の木の間をぬけ出て先祖の墓地のところでふりかえる時自分のうしろを影のようについて來たものに気がついた、黒い影は墓標とならんで動かなかつた。
「誰だ？」叔父は靜かにそしてするどく聲をかけた。

「　」

「きさま誰だ？」

その時返事のかわりに空をさくような音と共に花火が飛んだようであつた。ピストルを打つて來たのだ。

「動いては命がないぞ！わるいことはしないよ、おとなしく両手を上げて下りて行こう」警官はかううそぶいた。

その時は叔父も手にピストルをにぎつていた。叔父も一発打ち返した。だが叔父は対手をころすよりも逃げることを考へていた。急に腰をかゞめると叔父は逃げだした。遠方から銃聲が豆をはじくように亂射する音がして來た。

叔父がつかまつたのは明け方の五時頃だつたといふ。

詩　草

李　錦　玉

草に埋れて
空を覗く
空は
まるくなく
三角のようだつた
草の細い切つ先に
紙細工のように
らんるの涙が
高く　高く
光つていた

鋭利な銀の鋏が
三角の空に
三角の空に
涙を　さらに
こまかく
こまかく
きり散らしていつた。

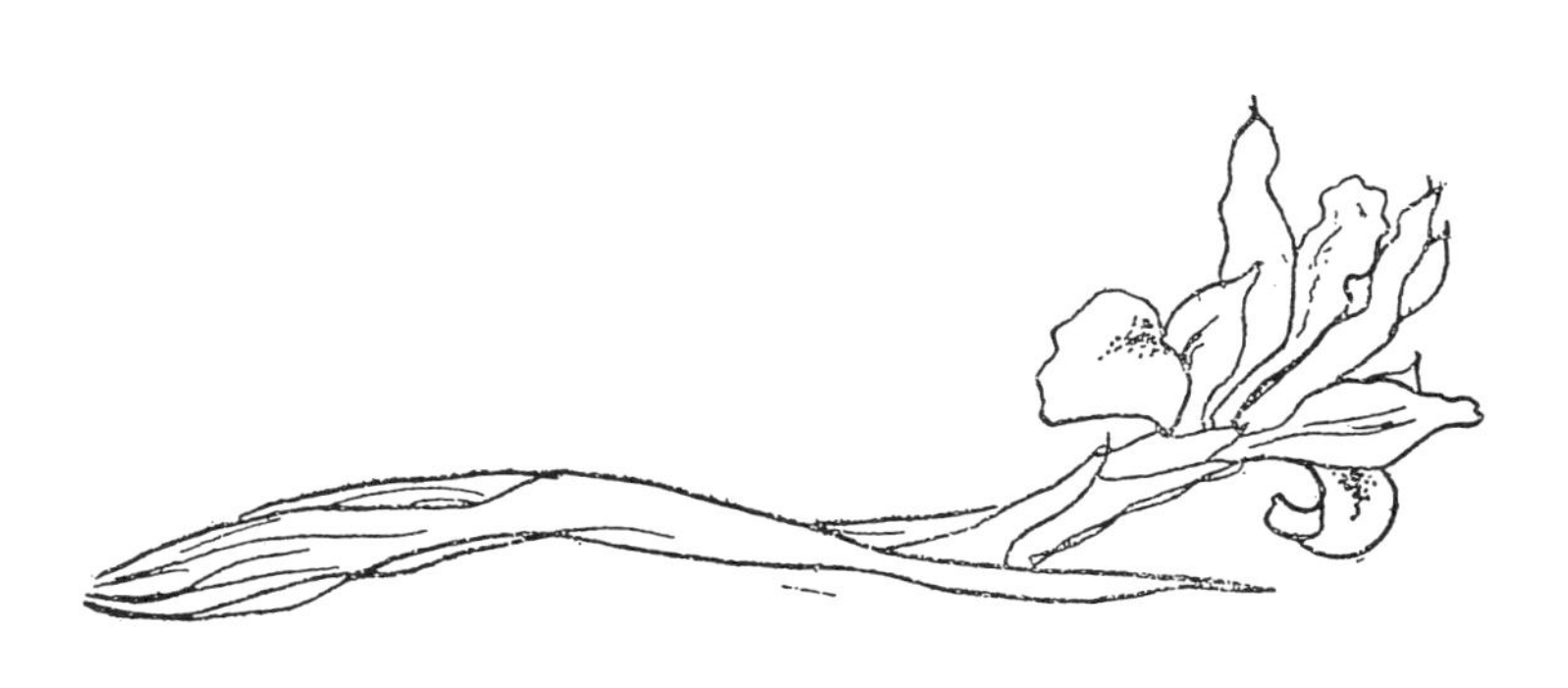

ニュース・リール

金東錫

ヤンキーの撮つたニュース映画で
まだ見たことのない祖国の土地を
私は見る。
なつかしさで
私の心臓はこだまする。

だが——
その美しい山野を縫う鉄道線路と
みすぼらしき藁ぶき家の群の上を
カメラは
ジェット機の航跡とナパーム弾道を追う。

その時——
私には聞える
私と同じ血の通つた人の
最も絶望的な叫びを。

焔と黒煙は私の心臓を焦す。

われた下駄

朴実

とう〱　お前ともお別れだ
ひとつきもの　永い秒間を
苦楽をともに刻んだ　お前だつたが
いま、あえなく眞二つに裂けたお前を
心づくしの　火葬にしよう。

お前は　おれと同じように
貧乏だつた。
安つぽい車さえ　乗る事もなく
きれいな鼻緒と　取りかえる事もなく――
それでも　お前はよく働いた。

十三貫の　痩せこけた小さな体だが
お前にとつては
とてつもなく重い体を　背負つて
亀の子のように
三つ　四つの停留場なんか
平気で　おれを運んでいつたお前

戸別訪問のとき
はじめは軒下でためらつていたが
今では　どんな　高い敷居でも
どんな　低い敷居でも　ためらいもせず
勇敢に踏み越えて行くお前

闇にまぎれて歩くとき
カランコロンという
お前の快い音楽に
官犬(くろいぬ)ども　酔いしれるのか

一度も　咎められた事のないお前
そんなお前を　いまのいま
酷く　侮辱した奴があつた。

お前よりも　高貴な階級で
コッテリ　油をなでつけた
コードバン・シューズ奴
そいつの主人だつた。
「割れた下駄なんか放(ほ)つてしまえ」と。
お前だつて　立派に
革命の足になつて働いたんだ。
ぜいたくな　貴族達の
さげすみと　はづかしめの中に
お前をさらしておくものか。

とうとうお前ともお別れだ。
全身に炎をまとい　ほゝえみ
ペチ〳〵と跳ねながら
お前はこう叫んでいるようだ。
――うまず　たゆまず　ひるまず
　歩け　歩け　歩け――と。

――『デンダルレ』三号より

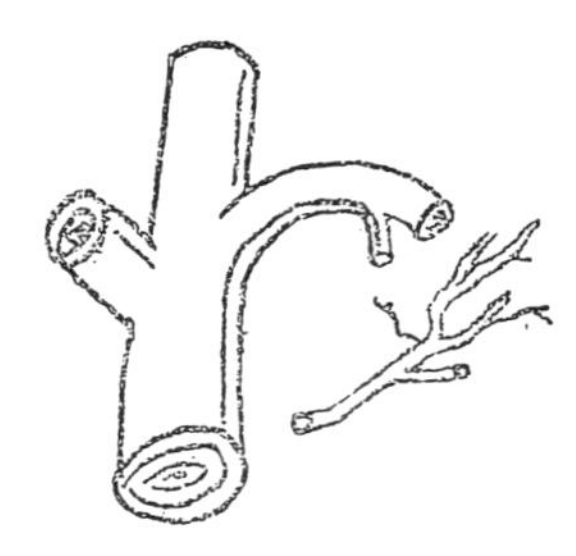

たたかう朝鮮文学・芸術の現状

金達壽

もとよりここ（いまの日本）においては私たちとしても朝鮮の文学といい、芸術といつてもそのうごきを具体的にくわしく知ることはできない。平壌放送による通信とか、中国北京をへてまれにおくられてくる出版物をみてこれをおしはかるしかないのであるが、一口にいうと朝鮮の文学・芸術活動はこのまる三年間にわたつている祖国解放戦争をつうじて、かくだんの発展をとげたということができる。ことに解放戦争の一年後におこなわれた金日成元帥の談話、正確には「作家芸術家にあたえる激励の言葉」（五一年十月号の「新日本文学」に掲載）を一期として、飛躍的な発展の途についたのであつた。

戦争はもちろん苛酷であつた。米帝のナパーム彈と焼夷彈とは無差別に都市という都市、村という村をことごとく焼きはらつた。しかしこのなかからなお朝鮮文学芸術総同盟機関誌「文学芸術」は発行されつづけられたし、「戦線文庫」というシリーズものの出版物もぞくぞくとだされた。画家や舞踊家も戦線へとでたばかりでなく、その画は遠くハンガリーのブタペストへまではこばれて展覧されたし舞踊はモスクワや北京の舞台にまで進出してくりひろげられた。撮影所では国際コンクール入選の劇映画「郷土を守る人々」等々がつくられた。これはいま日本へも到着しているが、税関でおさえられている。

昨年の十月北京で開かれたアジア太平洋地域平和会議に参加した文芸總委員長の作家韓雪野から、雑誌「文学芸術」を含む三十冊ばかりの詩集・小説集・劇曲集その他が私たちの手もとにおくられてきた。それが、解放直後にでたものとくらべるとその紙質といい内容といい、むしろぐんとよくなつているのに私たちは眼をみはつたものである。

ほとんどの詩人や作家たちが健在で、いつせいにペンをとつてたたかつているさまがよくうかがわれた。この人は南にいるのではないかと思はれていたほどじゆうらいは風俗的作家と目されていた朴泰遠が「祖国の旗」という長篇を連載したりしていて、雄大な民族のロマンをきづき上げようとしている。

多くの新人もみうけられ、民族の英雄・新しい性格が追求されている。

朝鮮労働黨中央委員会第五回総会では金日成委員長から「われわれ

は思想活動に関係のあるすべての団体や機関の事業の指導を根本的に改善し、特に文学芸術総同盟の事業に深い関心をはらわなければならない。」と報告され、同時に「いま文学芸術総同盟の内部にひそんでいる偏狭な地方主義的、宗派主義的思想の残滓」が指摘された。

こうしていまは、きびしい敵前での自己批判をも活潑におこなつているようである。これはまた敵前なおその力量の深さをしめすものにほかならない。

在日朝鮮人のあいだにおける文学・芸術（活動）も祖国このような現状を反映し、または日本のこのような民主的活動からの激励のもとにまだ少からぬ混乱がみえるとはいえ、着実に発展していつているということができる。「在日」という事情から朝鮮語・日本語による活動が同時的におこなわれているのが特徴的であるが、許南麒はその飜訳をも含めて多くの詩集をだしたし、南時雨も在日朝鮮人のたたかいをうたつた詩集「湖東の星」につづく童謡集「春のたより」をだした。

小説では李殷直もかきつづけているし、朴元俊は反米帝のたたかいを描いた「孫令監とその一人息子」（「人民文学」六月号）からあたらしい出発をおこなつた。なおこの新人では詩に李錦玉、金時鐘、呉林俊その他、評論に李賛義らがあり、小説には金民、金石範その他がある。

以上は機関紙「月刊文学報」をだし、さらにこれを近く雑誌「文学報」に発展させることとした在日朝鮮文学会によるものたちの活動であるが、ほかに機関紙「文化工作」をだしながら活潑に動いている学生を主とした文化工作隊の活動もある。

さる六月十六日私たちのもつ唯一つの劇団である朝鮮演劇研究所の二つのレパートリーによる公演がおこなわれた。「牡丹峰劇場時代からのみなさんが、今度いろいろな欠陥（一撥主義的カンパニア主義等の左翼小児病的傾向）を自己批判し……」この第一回公演を祝しておくられた前進座河原崎長十郎のことばであるが、このことばがしめすようにこれはこの劇団の再出発を卜するものであつた。

しかしながら木下順二に刺戟されたという許南麒の意図不明な民話劇「月」といい、朴英鎬の「どん底」をまねたと思われる植民地移民の抜けみちのないような暗い生活を風俗的に描き出した古い「灯」をもちだしたこの公演からは、いろいろな問題がてらしだされた。「――自己批判」をしたのはいいしそれは明らかに発展であるが、しかしそのあまりいわゆる芸術至上主義的方向にながれることは警戒されなければならないし、反対されなければならない。

これはひとりこの朝演のみとはいわれず、在日朝鮮文学会においてもみうけられる私たち共通の弱点である。裏返された逆な面からもなおそれがみられる。いま当面のこととしてこの弱點の克服が望まれている。

五三・六・二〇

アメリカの進歩的な雑誌〃Masses and Mainstream〃誌の編集者であり、文学、繪画、音樂等多方面にわたつて活潑な評論活動を続けている。そして今、芸術の起源、美の本質、リヤリズムと芸術の諸問題について論じた書物を執筆中との事である。（これは〃How music expresses Idea Sidnney Finkelstein International Pub, New york 1952. の飜訳であり、三一書房から出版される予定）。

平壌放送『文学報』を報道

朝鮮民主主義人民共和国の平壌放送は去る五月二十六日、別項のように在日朝鮮文学会機関紙『文学報』第二号の「主張」をとりあげ報道した。尚「民主朝鮮」(政府機関紙)五月二十七日付において同放送を掲載している。以下は民主朝鮮からの翻訳である。

(註＝五月三十日付朝鮮通信―東京建設通信社――にも掲載されている)

【ピョンヤン二十六日発朝鮮中央通信KNS】日本の反動政府が暴虐な措置をとつて日本にある朝鮮人学校を閉鎖させてていらい、在日朝鮮人の民族的教育にたいする不当な圧迫は、日増しに苛酷になつてきた。これについて東京で発行されている、在日朝鮮文学会の機関紙『文学報』の最近号に「われわれは民族教育を要求する」という主張であらましつぎのように論じている。

「現在わが在日朝鮮人の教育状態はどうか、朝鮮人学校は閉鎖され、学校をまもろうとした朝鮮の子供たちは日本の警官によつて虐殺された。それればかりではなく、今年にはいつてからはこの閉鎖された学校の朝鮮人児童が日本人学校に入学することさえ禁止されている。日本当局は、在日朝鮮人の民族教育すなわち朝鮮語による教育を一斉禁止している。われわれは、民族のいかんを問わず、その民族の言語と教育がその民族の独立の基礎となつていることをよく知つている。

われわれ在日朝鮮人は、堂々たる独立国である朝鮮民主主義人民共和国の公民である。だからこそわれわれは独立した民族としての民族的教育に関する当然の権利を要求するのである。われわれから民族的教育を奪いさることは、すなわちわれわれに朝鮮語を使うなというのと同じことである。もし日本人に対して日本語を使うなといえばどうなるだろうか？吉田反動政府のこうした不合理にみちた暴虐なファショ的だん圧処置に反対してわれわれ朝鮮人は、あくまで勇敢に斗うであろう」

さらに同紙は、このように強調してからこのたび中国から日本に帰つてきた日本人の児童が中国で自由に民族的教育をうけていた事実を例にあげながら、朝鮮人の児童教育に対する吉田反動政府のだん圧措置を糾だんしている。

紹介

音樂の社會的意義
―音樂は如何にして思想を表現するか―

フィンケルシュタイン
田村俊夫訳

李亟玉

マルクス主義によれば『芸術も階級的な役割を果している』のであるが、マルクス主義の立場から書かれた芸術の本は比較的少い。がそれでも文学や絵画については相当多く出されている。從來、ともすれば社会分析の浅薄さ乃至は社会と音樂との関係が並行的に述べられていたのが通例であつたが、フィンケルシュタインは有機的にその関係を検討し、社会の典型的な本質を鋭く分析している。

彼が『私がこの書物を書いた理由は、音楽家、作曲家、音楽学者及び進歩的な人々でさえも音樂の細かい専門的な分析にのみ熱中するような傾向があつて、音樂の社会的な役割や、音樂と社会との関係を見落すような傾向があつたから、こういうものを打ち破るためであつた』といつているようにマルクス主義の立場から〃社会〃と〃音樂〃(内容と形式において)との有機的な関係を摑もうとしているのである。彼は音樂を通して過去の誤つた理論をたゝき、故意に覆いかくされていた古典音樂から民主的精神をひき出し又芸術理論を通してファショ的独占資本主義に挑戦し、一般的危機を正確に摑んでそれを越えた社会主義社会への方向を明示する。そして現在のアメリカ社会の矛盾を鋭く解剖して独占資本が如何に非人間的な行爲をなし、それが如何に芸術の発展を阻害しているかを追求している。ソヴエト社会やその音樂を故意に歪めて解釈しようとする全ゆる反動的傾向に対して挑戦している。それは音樂を上部構造として捉えているが故に可能なのである。上部構造とはたゞ単に下部構造を反映するばかりでなく、それに対して積極的な位置を占めているからである。しかもフィンケルシュタインは決して音樂内部の鋭い分析をおろそかにしているのではない

彼は日本版への序文で次のようにいつている。

『階級斗争、即ち一階級による他の階級の搾取の上に立てられた過去の社会においては、芸術は全ゆる人間のかたい友好関係を表現することはできなかつた。搾取階級や支配階級は彼らが搾取している人々を自分たちと密接なつながりをもつていると考える事ができなかつたばかりでなく人間とは看做していなかつた。搾取されている

人々もまた搾取する資本家を自分たちと密接なつながりをもっているものとは考える事ができなかつた。このようにして各階級は歴史上それぞれ独自の芸術を創りだした。けれどもこういうような階級社会の時代にありながらも正しい豊かな人間性を描写し、人間の発展の可能性をより一層おし進めた芸術のみが社会的な遺産に永遠の価値のある貢献をしたのであつた』といつている。

このような観点に立ち乍ら彼は先ず形式主義的な現代音樂を批判する。〃革新的と自負し〃〃未來のため〃にのみ作曲している現代音樂が一般に理解されないのは反リアリスティックだからであり、人間的な表現や思想を否定して巧妙な技巧的操作に熱中しているからである。このような現代音樂は帝国主義時代の芸術、即ち帝国主義を批判的にみないで帝国主義を国民に侵透させようとする経済的、社会的、歴史的勢力を神祕化しようとする芸術である。資本主義そのものの発展は現代の〃革新的〃音樂の表面的な反抗を生みだす。しかしこの反抗は支配的な経済的政治的権力に対する反抗ではなく、むしろリアリズムそのものに対する反抗なのである。もっとはっきりいえば封建制度に対するブルジョアジーの斗いの中で生れたリアリスティックなドラマ、思想、人民への愛情、生活の喜び、こういつた偉大な人間主義的な伝統に対する反抗である。第二次大戰直後ファシズムの軍隊が崩壊して社会主義へと移行した新しい国国が現れ、また中華人民共和国が出現しそれと同時に反リアリズム的傾向が帝国主義世界の中で尚一層支配的となつてきたことは何ら驚くには当らない。反リアリズム的傾向は獨占の集中、社会主義に対する悪質な中傷、ファシズムの名残りに対する援助、戰爭不可避論を説く国々ではどこでも栄えた。反リアリズム的傾向は無知の代表となり反動の武器となつた。このように彼は規定しているが何故このような非芸術的な音楽が作り出されるか。それは彼らが正しい人間観をもつていないからであり、反動勢力の走狗となつているからである。

それでは美しい眞に一般大衆から理解され、かつ社会的に大きな役割を果す音楽はどういうものでなければならないかという問題に論及する。現代のリアリズムは労働者階級の世界觀の上にたゝなければならない。土地、鉱山、工場で生活必需品を生産した労働者階級は芸術的に発展するための手段を奪われてきた。資本主義制度の下においては交響曲とオペラ、室内楽と交響曲は商業的にも美学的にも敵対していた。技術的に優れた演奏家と作曲家は対立し古典音楽は現代音楽に対立した。全てがビジネスとなつた。このような一面性を打破すれば全ての人々は芸術的才能をのばす権利と能力を持つことができるであろうし、完全な人間性を獲得し、全ゆる科学的知識を得られるようになるであろう。このような一面性を打破することは即ち社会主義リアリズムの内容であり到達点であるといえよう。彼はかくしてソヴエト音楽の問題を取りあげ、又一、九三六年と一、九四八年の批判問題に論及する。

ソヴエト音楽界の批判は新聞でさわぎたてるように〃上からの〃独断的なものでもなければ〃命令〃でもない。作曲家と民衆とを密接に結びつけることのできる手段を与えて作曲家が成長できるようにしようとする努力のあらわれである。一、九三六年のこの批判はソヴエトの文化生活の基本原則と過去の優れた遺産を攝取して芸術を発展させる必要を再確認したものであつたのである。一、九四八年の批判は作曲家、音楽家、批評家、大衆による広範な討論によつつて開始されたがそれは作曲家に国民の質的変化、国民の要求等を自覚させることによつてソヴエト音楽をより一層発展させようとしたものであつた。その批判は演奏会場とオペラ、職業的な音楽とアマチュアの音楽、器楽曲と聲楽曲、古典音樂との間に存在していた対立を打ち破ろうとするあの社会主義リアリズムの新しい水準の基礎であつたのだ。

彼は最後の章で〃アメリカ音樂〃を取扱い現在の帝国主義的なアメリカ社会の鋭い分析の上に立つてアメリカ資本主義社会の矛盾と人種的な偏見が如何にアメリカの音樂を堕落させたかを述べている。これは小さな章であるけれども劃期的な分析であつて刮目に値する。今日世界各国における作曲家が自分自身の將來のために直面している問題は、世界の平和ならびに諸国民の友好と相互理解のために斗うということであり、又全ゆる聽衆に理解されかつ彼らを感動させる事のできる力強い人間的な表現とリアリスティックな劇的な内容をもつた音樂を創るように努力しなければならないという事である。〃通俗的〃な音樂の世界ばかりではなく演奏会場にまで侵透している商業主義の障碍を打ち破つて、作曲家は自由のために斗わねばならない。

アメリカの民俗音楽に偉大な貢献をしたのはニグロであつた。ニグロの音樂は怒りであり諷刺であり嘆きであり生活の満ち溢れた喜びであつた。それは又ニグロ民族が、愛する権利、笑う權利、生きる權利を斗いとり主張することのできる手段であり、又彼らを一つの財産と考え人間としての權利を否定しようとする圧迫者に正面から立向つて人間の權利を主張することのできた一つの武器でもあつた。このニグロの音樂はまじめな作曲音樂にも〃通俗〃音樂にも貢献しているのであるが、アメリカの批評家や形式主義者たちはこれを認めようとはせず〃粗野〃で〃くだらない〃音樂でせいぜい白人のなぐさめものとしか考えていなかつた。

眞に価値のあるアメリカの芸術は民主的な芸術でなければならない。民主的な芸術はリアリスティックでなければならない。しかもアメリカが建国当初からインディア民族の略奪と奴隷制度と更に獨立戦争後においても法律とリンチによつて强行された半奴隷制度とニグロ蔑視の上に建てられたものであるという事を自覚した芸術でなければならない。けれども作曲家たちが音樂は生活や思想の斗いを表現するための手段であるという事を自覚し、ニグロ民族の音樂的な発展を妨害しているいろ／＼な束縛が破られないかぎりアメリカは偉大なリアリスティックな音樂を生みだすことができない。もしもこのような斗いが実行されなければアメリカの音樂は商業主義的なきうくつな制限や檢閲によつて質はます／＼下り、二、三人の富有な後援者たちからおこぼれにあずかつたわずかのパン屑と会社の広告料によつて細々生活しながら、文化生活の片隅で息の根を保ちつつ生活しつゞけてゆくようになるだろう。若しもこの樣な斗いが実行されるならばすべての音樂はアメリカの国民にとつて生活の中で意義のある重要な一つの新しい力を得るようになるであろう。平和的進歩のために力を合せて斗つているアメリカの国民をげきれいし、又このように斗つている世界の全ゆる國民とアメリカ國民との固い結合を表現したような作品が生れてくるだろう。このような作品であつてこそそれは世界の文化に対し歴史的な貢献をすることができるのである。

フインケルシュタインは現在、（後一七頁え続く）

ひとやの友に

李静子

いま　あなたは
日本の　どこかの牢屋（ひとや）にいる
いま　あなたは
冷い壁にかこまれて
暗い床の上にすわつている
空の青さを見つめる事も出來ず
空のふかさをのぞく事も出來ず
暗い　ひとやの中に　いる。
いま　あなたは
ふりしぶく　雨の音も
ふきあれる　風の音も
きこえぬ　ひとやにいる
闇の中にただよう
冷気の重さの中に
やせた体を横えている。

いま　あなたは
つむつた瞳の中に
青い空が映つたろうか
ふかい空を　のぞき得たろうか
横えた胸の中に
ふりしぶく雨の音
ふきあれる風の音が
ひびいたろうか。

暗い　ふかい　そらから
ふりしぶく　権力の雨
ふきあれる　弾圧の風が
一たばになつて
いま　あなたのいる
暗い　牢屋（ひとや）　をおそう
闇の中にただよい
冷気の重さの中にかくれて
あなたの魂を　おそう。

いまあなたは
ひとやの壁に
自分の息をはく。
ぬくみのある　あなたの息を
くらやみに　ただよつているものに
冷気のかげにひそんでいるものに
あなたは
ぬくみのある自分の息をはくだろう。

――『デンダルレ』三号より――

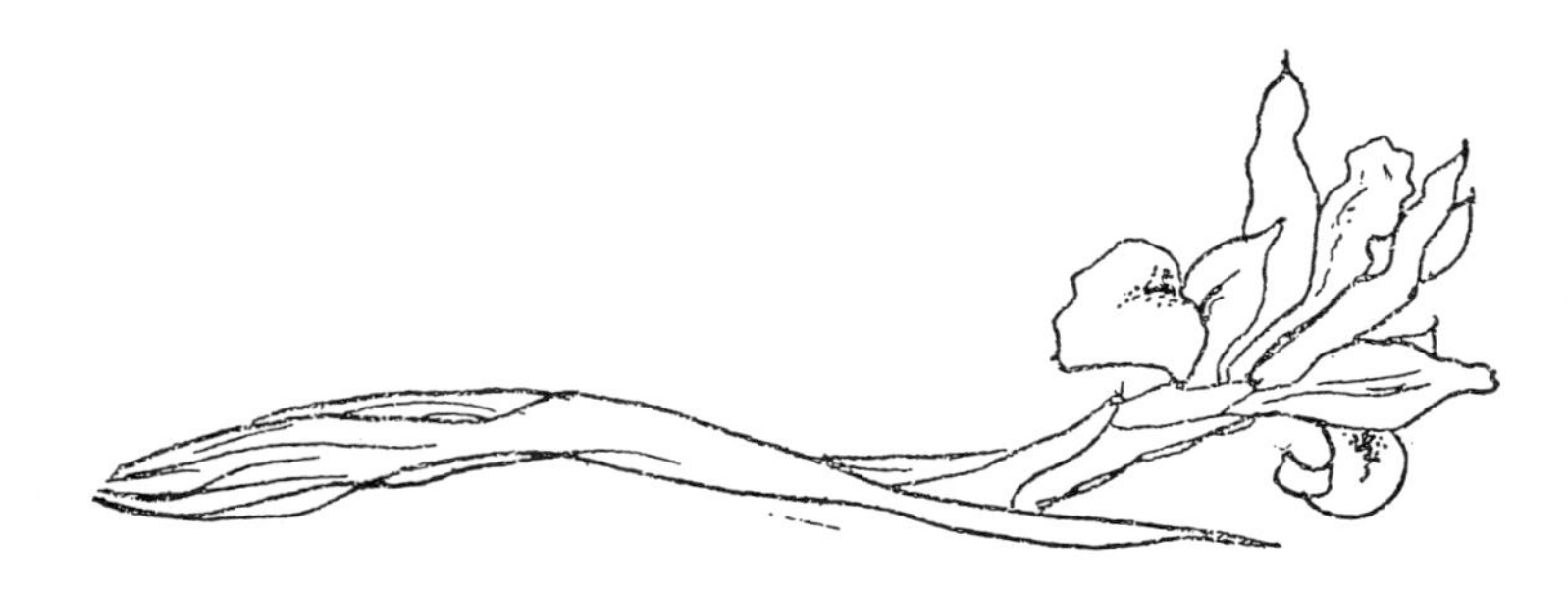

わがふるさとの母に

呉林俊

オモニよ
もし　玄海灘の波が　暗い　闇夜にさらわれ
　ていないとすれば
どうして　会うことがむづかしいのでしょう
どうして　行かずにはおられましょう
あなたの　乳房に　黒いホクロのあつたこと
　もよく憶えている
あなたの　デュモニに　はいつていた莨が
いつも　すくなかつたことも
そして　それを吸うときに　口もとによつた
　ふかい皺の一つ一つに
くらしの　あせがこめられ
くらしの　涙がすじを引いていたことも
よく　おもい起すことができるのです
しんかんとして　更けゆく夜
薄暗い　はだか電気のしたで　せつせと内職
　のスリッパを編んでいた
あの　神戸の裏長屋の　四丈半は
あなたのいそがせる
針糸の　かすかな音によつて　ささえられま
　した
その音はいまも　僕の心の中から消えさらず
　にいます
あゝ
あなたのしわは　なほ　ふえたことでしょう
あなたの好きな　莨はあるでしょうか
朝鮮の冬は　一きわきびしく
オンドル部屋は　つねにあたたかくしておか
　ねばならないのですが
薪は　誰が山から取つてくるのですか
あの　キムチすら
いまは　もう貧しい人民には食えなくなつた
　ことも　よく知つているために
なほさら　胸がうずくのです
なほさら　胸が痛むのです

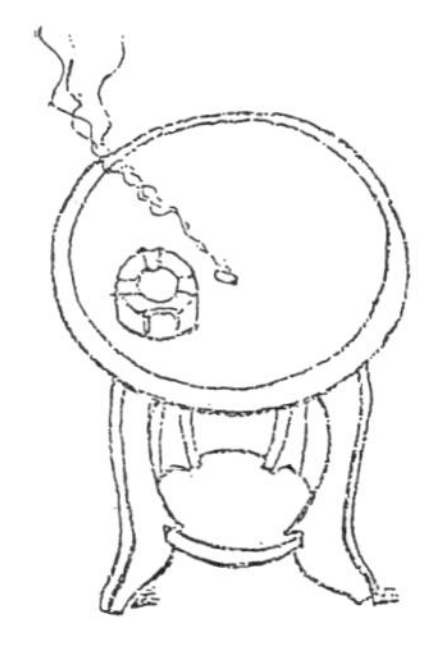

私はうつたえる
—在日朝鮮人として—

李殷直

終戰の年の十月末のある日のことだつた。私は、本國へ引揚げて行く友人の家族とともに博多行の汽車に、のつていた。あの頃のことだから、勿論ひどく混んでいた。

たしか名古屋を過ぎた頃だと思うが、駅にとまると、ホームに群がつていた人々が、窓口から足をつっこんではいつてきた。夜だつたので、窓はほとんど閉められていたのであり、車の中の人々は、なるべく入れまいとして、窓を抑えていたが、外の人たちは、強引に手や足をつっこみ、しまいには、丸太棒をさしこんで、中で窓を抑える人を突き倒しながらはいつてきた。

私の友人は、その丸太で顏をつかれ眼鏡がこわれた。逆上した友人は、丸太をさしこんだ男がはいつてくるやいなや、顏をつきあげてなぐり合いをはじめた。友人の細君が驚いて悲鳴をあげ、あたりの人間が騒ぎ出して、ようやくつかみ合つている二人をひきわけた。

丸太棒を突込んだ男は、餘程口惜しかつたとみえ、肩をふるわして泣き出した。二十七八位の頑丈そうな体つきで、顏は赤黒くやけみるからにどうもうな感じだつた。

「お前さんも朝鮮人じやないか。何故可哀想な同胞に手を出すんだよ」

若い男は、そういつて泣いた。

友人は暫く眼をこすりながら苦い顏をしていたが、冷靜さをとりもどし、わびるようなことをいつた。すると若者は泣きやみ、あらたまつて叮寧な挨拶をはじめた。

「しがない商売をはじめてみましたが、おとなしく待つていたのでは、一日中立つていても汽車にはのれません。あんなことをしないことには、こんなリュックを背負つてどうにもなりません。」

男は強引に持込んだリュックをしめした。中には米がつまつているようだつた。大阪へ運ぶんだということだつた。

若者は、いろいろな話をした。勿論郷里の言葉で、「二年も牢屋のようなところで畜生のようにあつかわれましたが、ようやく人間らしい気持になり、商売というものゝ味もわかりはじめました。着て帰る服でもつくれたら、私も引揚げます」

そういつて、徵用で九州の炭坑につれてこられたことや、二年も辛抱したが、帰してもらえず、戰爭が終る二ケ年前に、炭坑を脫走して工事場の飯場へもぐりこんだことなど、ほとばしるような口調でならべはじめた。

「癪にさわることばかりです。いまゝで苦しめられたり、いじめられたりしたことを考えると、日本人なんか、かたつぱしからたゝきのめしてやりたい」

若い男は、また涙をみせながら、わめくようにいつた。

日本に來るとき、彼はむしろ期待をもつたということだつた。貧しい百姓暮しで、いくら働いてもボロを脱ぎ去ることができず、麥飯か高粱の粥をまぬがれない生活が、つくずくいやだつたので、三度三度白い米の飯の食えるという日本には、ながいこと憧れていた。それに日本の山は青々と茂り、到るところ溫泉が湧いて、景色のいゝところばかりだという。都会はにぎやかで、素晴しいものがたくさんあるとのことだ。日本に行つたら見物もし、樂しいことだつてあるに違いない。……そういう夢で、親や兄弟と別れるときも、涙一滴みせないでむしろ徵用されたことを幸運だと思つて、日本へやつてきたということだつた。

ところが、着いた日本というのは、明けても暮れてもタボ山しかみられない炭坑の山の中だつた。宿舍は豚小屋よりひどく嚴重な高塀がはりめぐらされ、坑內は心臟を凍らせるようにおそろしいところで、十二時間も働かせられて、出てくると、眞直ぐ宿舍の中に閉じこめられて自由な外出など一歩もできない。着換のシャツは滅多にもらえず、洗濯も思うようにできないで、虱だらけになり、部屋は蚤や南京虫の巢窟といつてよく、安眠なんてことは金輪際できつこなく、坑內では、地下足袋も破れ放題で、年中怪我の絕間がない。体はだんだん瘦せおとろえ、病氣になつても、ぶんなぐられるのでやすむことはできない。給料は、直接送金とかで、郷里の役場あて送つてしまい手渡されるのは月、拾円位のもので煙草さえ満足に買えない。しかも郷里の役場では、愛国貯金という払出しのきかない空通帳を家族に渡すだけである。それに三度三度の食事は、たしかに白い米がはいつていたが、年中芋か何かゞ混ぜてあり、腹八分どころか、腹三分にしかならない程度でいつも空腹感からのがれることができない。

「監獄の方がなんぼいゝか」

監獄にいれられたことのある男が、年中そういつていたというのだ。

監獄どころか地獄だつた。怪我で死ぬか病気で死ぬか、どつちみち死なないことには炭坑から出されやしない。毎月幾人かの仲間が死んでいつた。

生きる途はたゞ一つ、脫走することだつた。うまく軍の工事場あたりにもぐりこめば、飯はたらふく食べられ、賃銀は日に拾円ももらえる。逃げない奴は馬鹿というものだ。それでみんなが逃げたがつていた。だが、炭坑には、労務係と名のつく監視が到るところ棍棒をもつて張り番をしているので、隙がなかつた。だがりこうな人間は忍術つかいのように消えてゆく。

ある日若い男は、親しい仲間と脫走することにした。ところがいざ決行というとき、若い男は猛烈な腹痛で身動きができなくなつた。仲間の男は一人で脫走した。しかし運惡く、すぐつかまつてしまつた。雪の降る寒い晩だつた。つかまつた男は、柔道三段だという特高の刑事あがりの勞務係に素裸にされた上、荒繩でしばられて、息をひきつるまでになぐられて、雪のつもる表にほうり出された。労務係のやつはストーブの傍で、徵用工たちに渡るべき筈の酒をくらいそのまゝねこんでしまつた。朝になつて氣ずいたときは逃げそこなつた朝鮮人は、とうとう息絶えていた。

「いまでもその男の死顔が眼にチラチラする。畜生、どうしたら仇を討つてやることができるんだ。えばりくさりやがつた日本人の奴等一人残らずぶち殺してやりたい。こいつらだつて腹の中じや、おれたち朝鮮人をばかにしてるんだ。畜生…」

若い男の眼に憎しみが炎となつて燃えていた。

「こら… このやろう！ そばよるな…」

若い男は、口のまわらぬ下手な日本語で、わめきながら、よりかゝつてきた日本人の男を邪劍につきとばした。彼は毎日炭坑で、そのような科白とともに、そのような恰好でつきとばされていたということだつた。

○

終戰直後汽車の中などで、日本人を邪劍につきとばして座席をとつたりする朝鮮人の若い男などが、たしかにあつた。だが、この乱暴な男たちの、訴えようのない憤りと悲しみと苦痛とを、理解できた日本人が何人居たことだろう。彼等は毎日豚や牛のようにひつぱたかれ蹴られそして殺されたのだつた。終戰と同時にあらゆる職場からほうり出され、家も、食うものも着るものもなかつた。彼等はたゞあのはけばのない憤怒の念だけで生きていた。

かつぎ屋が唯一の途といつてよかつた。身体をはつて、あたりをつきとばしながら、生きるあてをさがした。郷里に帰れる日を、指折り数えながら、彼等は、憤怒をカストリでまぎらわしながら、帰るための旅費をかせいでいたのだつた。

○

戰後やたらにマーケットができ、屋台のカストリ屋ができた。安直に商賈ができるというので、われを競うてとびついたありさまだつたが、たいていはつぶれてしまつた。もともとあれは経済が正常に立直るまでのほんの、一瞬間に燃えさかつた花火のようなものだつた。

私の知人である幾人かの若者が、屋台店を出して、いくらか得意気になつて招待してくれたものだつたが、彼等は、全然といつてよいほど素人ばかりだつた。商売というのも一種の技術である。小僧にはいつて十年の年期奉公をするというのも、やはり一種の技術習得のための方法であつたということができる。屋台店が経済の復興とともに、本建築になり、立派な商店に変化していつたにもかゝわらず、その頃は、俄か商人である私の知人などは跡方もなく何処へか消え去つてしまつていた。

その頃である。私は同胞集団部落に住んでいた。同胞たちの大半はカストリ焼酎をつくつていた。新聞などでは、朝鮮人がこの闇行爲によつて膨大な新円をかせいでいると宣伝していた頃である。ところがこの密造なるものは、想像に絶する過激な労働であつた。夜通し火をたき、しこんだもろみをもつこかつぎのようにして、あちこちと動かす。しかもよく失敗する。年中警察にばれやしないかというのでびくびくしている。それで得た利益というのは、焼酎一斗で、わずかに五・六百円位だつた。一斗の焼酎をつくるためには、家族が四日五日もかゝつていなければならなかつた。あれだけの労働をすればどんな低賃銀の仕事でも、二・三千円にはなるものと思えた。ある日私は、この密造で検挙された人のことで警察署長に逢いにいつた。俳句などをつくつているという署長は珍らしく物わかりのよい人だつた。彼は部落の住人である私よりくわしく密造の実態をつかんでいた。製品単価までくわしくわかつていた。そして彼のいうには、

「あんな割の合わない商売というものはありませんよ。むしろ気の毒な位です。そして儲けは、とんでもない人たちに吸われてしまう。マーケットあたりの顔役などは、あの人たちの弱味につけこんで値をたゝきおろすんですよ。いわば、あの顔役たちが儲けるためにたゞ働きをさせてカストリをつくらせているようなものです。まともな職業をみつけてあげられたらと思うのですがね。どうもそれは警察の仕事じやないので……」

そういう署長は、決して密造の摘発はしないつもりだが、たゞよその管轄であげられたものはしかたがないといつていた。

そういう人間は、署長としてはおよそ不適格だつたとみえ、すぐ退職になつてしまつた。

部落の人たちのあつまりなどにいくと、私はよく力説したものだつた。

「やがて統制経済がはずれると燒酎は全然売れなくなる。たとえ売れるにせよ、こんなに不健全で、儲けがすくなくて、安定しない生活なんかつずけるものじやない」

それは朝連の指導方針でもあつた。するとわが同胞たちは反問するのだつた。

「じや、何をして食つて生きるんだべ」

「だから、まともな職業を……」

「その職業つちゆものを、さがしてくんろよ。おらあたちも燒酎なんかつくりたかねい」


私は返事に窮してしまう。同胞たちは嘲けるようた眼つきで私をみる。世間知らずの青二才め、何をぬかしてやがる、といわんばかりだつた。

私は絶望感に襲われるのだつた。危機は刻刻迫つている。なんとかしなければならないという焦燥感だけでいらいらしていた。

そのうち千名あまりの武装警官が動員され、五十台もトラックがやつてきて、部落の全財産を掠奪していつた。同胞たちはすつかりたたきのめされてしまつた。

「どうして生きていくんだ！」

「何をして食べていきやいゝんだ！」

日本の職業安定所が、何も朝鮮人のためにできているものじやない、ということ位は、われわれにもわかつている。しかし、日本の職業安定所は、在日朝鮮人に職業を興えてやる義務を負うているはずである。何故なら、朝鮮人は、日本の政府によつて働かされるために無理矢理につれてこられたのである。日本の政府は、当然この人たちに生活できるような仕事をあてがわねばならないわけだ。

それなのに、日本の政府では、朝鮮人に職業なんか世話しちやいけないといつているらしい。

「日本人だつて失業者多いんですからね、とても朝鮮人んか……」

失業しているわれわれ朝鮮人は、日本のあらゆる役所の窓口でこの科白をきかされる。

冗談じやない…　失業者が多いのは、失業者をたくさん出すような、下手くそな政治をとつている日本の政府のやりかたが悪いのであつて朝鮮人が悪いからではないのだ。

だから、われわれ朝鮮人は、日本の政府や、その反動政治家の代

弁者である、あらゆる手先にたいしてかみついていかねばならないのだ。

「おれたちを、むりにひつぱつてきて、こんなに苦しめときながら、何を勝手な理屈をこねやがるんだ。さあ、飯をくわせろ！ 仕事を与えろ！」

これは在日朝鮮人の九十％以上を占めている飢餓線上の人々が、腹をちぎるような思いで叫んでいる言葉だ。

ところが、いわゆる良識なるものをそなえているとかいう日本の人々の中に、このようなことをいう人がいる。

「朝鮮人のやりかたは、どうも無茶だ。一人一人が静かに立場を陳情すれば、日本の役所だつて、よく面倒をみてやるだろうに、すぐ徒黨を組んで群をなしてやつてきてさわぐ。憎まれるのはあたりまえだ。野蛮な暴力的な態度だ。まことにけしからんことだ」

いかにも、もつともらしい言い方である。ところが、この言葉は、朝鮮人に餓死してしまへということゝ、同じ意味をふくんでいる。

朝鮮人は、むしろ、静かにしていたいのだ。なるべくなら日本人に愛されたいのだ。気でも狂つた人間でない以上、むだな暇をつぶして不愉快な思いをして、大きな聲を出したくはないのだ。

私の隣の人は三十年前に日本にきて、十八のときから、十八年間も、東京市の塵燒場の仕事をした。彼は人生のなかばを、東京市民のために奉仕したのである。ところが終戰になる前、彼の働いていた塵燒場が米軍の爆撃で燒けてしまうと、彼はあつさりくびになつてしまつた。それでも善良無類のこの朝鮮人は、東京都を極度に信じていた。お願いすれば、かならずなんとかしてくれるという気持を、確固たる信念としてもつていた。私が彼の信念をすこしでも批判するようなことをいうと、彼は言葉をつくして、ときには腹をたてゝ、私をやりこめた。

彼は、無慮三ケ月も、ほとんど日課のように職業安定所の窓口をたゝいてひたすら頭をさげてお願いした。

「あの気狂い朝鮮人、またやつてきたよ」

この科白を、窓越しに、冷い嘲笑とともにきいたとき、さすがの彼も、信念をなくすほかなくなつた。彼は、なけなしのふところをはたいてカストリをくらい、酔つぱらつて私のところへおしかけてきて、疊をたゝきながら慟哭した。

彼が狂わんばかりに泣いて一週間ばかり経つてから、わが部落の朝鮮人が五十名ばかり、団体になつて職業安定所におしかけた。

彼を嘲笑した事務員が、あおくなつてがたがた震えながら、彼にたいして最上級の敬語をつかつた。そして不思議なことには、彼が三ケ月もかゝつてもらえなかつた就労手帳を、われわれのたゞの一回の交渉で、たやすくもらうことができた。

お願いすることが、どんなにかばかげていることであり、要求することが、どんなにか正しいことであるかを、われわれは身をもつて体験したのである。

団結して、大衆が群をなしていつて騒がないことには、絶対に生きていかれないということを、現実的に教えてくれたのは、日本のお役所である。だから、われわれは、お役所の教育にしたがつて、忠実に実踐をしているだけのことであると、いゝたくなる。これは皮肉な逆説めいたいゝかただが、われわれにとつて眞実である。

一九四九年九月八日朝連・民青が解散になつた。これは米軍司令部の命令でやつたことで、日本の政府の責任ではない、と、あらゆる日本のお役人がいつたものだつた。

だが、特殊な小部数の民主団体の機関紙をのぞいては、新聞ラジオ等、あらゆる報道機関が鳴物いりで、政府発表の、朝鮮人誹謗記事を満載し、そして宣伝した。

今の社会における民衆の輿論なんてものは、たいてい、宣伝によつてつくられるものだ。新聞が書き立てれば、黒だつて白になりかねない。

お湯屋でも床屋でも、井戸端会議でも、朝鮮人は暴力を好む不逞の徒だということになつた。

恰度、関東大震災のとき警視庁が、朝鮮人が暴動をおこしているといつて、宣伝したのと同じたぐいである。あのとき、まつさきに朝鮮人をつかまえたのは警察と憲兵である。だから、正直なること無類で、官を信ずること世界に冠絶する日本の民衆は、朝鮮人を極悪人と断定した。そして、あのような惨虐無道の大虐殺が開始されたのだつた。

いわば米軍司令部の名のもとに、日本の政府と報道機関は、朝鮮人をたゝき出してしまへという輿論をつくり出したようなものだつた。

○

人間はパンのみにて生きるものにあらず、とは、何もキリストのみがいつていた言葉ではあるまい。

いまの人間は、新聞位讀めないことには、電車一つのれないのである。

ところで、朝鮮人の七十%以上が文盲であつたといえば、善良なる日本人は仰天してしまうであろう。たとえその数字は認める人でも、文盲というものが、どういう状態を意味するものかという実感は、絶対にわからないであろうと思われる。

文盲とは、まず新聞とラジオ、そらゆる一切の文字を記したもの（漫画本から親が死んだという電文にいたるまで）とは縁がない。文盲にとつてそういつた代物は無用の長物だからでそる。次に、一人では絶対に汽車も電車ものれない。何処でおろされるのか、何処を通るのかわかつたものじやない。

戀愛はできるかもしれないが、ラブレーターなんてものは、絶対必要のない戀をしなければいけない。

映画は絶対にみるべきものでない。意味もとれず眼ばかりちらちらしているのでは、たまつたものでない。

文字通り暗黒の世界である。新聞もラジオもない南方の原始的な島あたりだつたら、気も楽であろうが、この繁雑で、高度な文化を亨樂している社会で、一切の文物から隔絶されている状態というものは、たゞ悲惨というほかはない。

日本帝国主義というものは、朝鮮人をこのような状態にとゞめておいたのである。この暗黒の中で暮している朝鮮人が、帝国主義なるものに、憎しみと呪いを感ぜすにはいられるものであろうか？

戦後、朝連は、民族をこの暗黒状態から救出すべく、情熱的な文化活動を開始した。自分たちは豚小屋のような貧弱なバラックに住んでいながらも、惜しみなく金を出しあつて学校をたてた。そして、奪われていた祖国の言葉や文字や歴史を子弟に敎え、夜は、精力的な文盲退治の講習会をひらいた。

それを、朝連の学校、朝連の財産というので、かたつばしからぶつ潰し、没収してしまつた、このような無茶な暴力をふるう政府が一体どこにあろう。

この問題は、他に論ずる人がいるであろうからひかえるが、たゞ、在日朝鮮人児童の六割におよぶ不就学児童のかなしむべき状況についていわずにはいられない。

現在、在日朝鮮人の正確な統計数字がわからないから、したがつて、義務教育該当年齢の児童数も正確にはつかみ出せない。だが、大体、十二萬はいるであろうといわれている。

この十二萬名の中、正常に通学している児童数は、明瞭でないが五萬前後にしかならないと想像される。

一例をしめせば、神奈川県教育委員会の調査によると、一九五二年五月現在で、小学校在学児童二二〇〇名、中学校二九三名、高等学校三二名となつている。神奈川県の在留朝鮮人数は二萬乃至二萬五千といわれているが、県の統計数字は大体一萬八千名あまりということである。したがつて推定学童数は、およそ三千八百名になり、小学生は二千七百名、中学生が千百名位と思われる。ところで二千七百名のうち、就学しているのは二千二百名であるが、それも二割は長期欠席者である。したがつて平常に通学している者は、千八百名を越さない。約九百名、すなわち三分の一が不就学である。そして、中学になると、三分の二が不就学である。

神奈川県における朝鮮人児童の就学率が特別悪いのならとにかく、むしろいゝ方に部類している。それが、半分近くも不就学率を出している。全国を平均した場合、六〇%近くが、不就学児童となつていると思われる。

一九三八年一月文部省の指令によつて、朝鮮人は日本人の義務教育法に従う義務があるとされた。それは別な言葉でいえば、日本の政府は、朝鮮人児童に完全な義務教育を施す責任をもつているということである。そして、六割の不就学児童をつくつているのである。この責任は、徹底的に糾弾されなければならない。

大阪や下関など、朝鮮人の密集地域にいくと、これら朝鮮人の不就学児童が、路地に群をなしてたむろしている。

この子たちの煙草売りや、靴磨き等、眼をそむかせるようなあわれな風景が描き出されている。それらの地域にいくと、映画館の開館と同時に、朝からさわいでいるのは、ほとんど朝鮮人の子である。

街頭へほうり出されたこの子たちが、一路不良化の途をたどるのは当然すぎるほど当然のことであろう。

〇

最後に二つの最近の事実をのべてみたい。

地方版の新聞記事にもなつたことであるが、この冬、神奈川県のある朝鮮人の家へ、用もないのに、二人の刑事がきて家宅捜索をした。すると、少しばかりの密造をした容器ができてきた。刑事はひどい言葉でその家の主婦を罵倒した。これに対し口答えをしたというので、刑事は、その主婦の髪をひきずつて蹴る打つの暴行をした。おかみさんの悲鳴で近所の人たちがかけつけると、刑事はピストルをぶつ放した。血気にはやる朝鮮人の青年がたまりかねて刑事にとびついていつた。

そのごたごたで、数名の朝鮮人が検挙されたが、二週間も入院しなければならなかつたおかみさんにたいしては、慰謝料のかわりに罰金だけがきた。そして新聞記事は、毎度おきまりのことではあるが、警察の側の一方的な宣伝記事がのつているばかりで、現実のありのまゝの描写もなく、被害者の言訳など一言ものりはしなかつた。

このさわぎで、その家の二人の小学生の子供は、三ケ月も学校を休まねばならなかつた。

もう一つは、この四月、ある朝鮮人小学校で入学式を挙行したが、新入生の三分の一にあたる十名の子供が式の日に学校へこなかつた。先生が心配して家庭訪問をしてみると、ほとんどが、

「はじめて学校へあがるというのによ、あたらしい着物一枚買ってやれないで、破れ放題の、ぼろだらけでさ、何の面目あつて子供をはれがましい式の場につれていけるだかね。死んだ方がましな位でさ」

そういつて親たちが泣いていたというのである。

われわれは、このかなしみを、何処へ訴えればよいのであろうか?

共和國創建五周年記念

文學作品募集

光榮ある朝鮮民主主義人民共和国の創建五周年を記念し、在日朝鮮文学会では文芸総、解放新聞社後援のもと「朝鮮停戦、祝賀朝鮮民主主義人民共和国創建第五周年記念文学作品募集」を行う。

在日朝鮮人のおかれた困難な境遇を正しい意味で妥協なく直視し、文学的にこれと対決し、そのなかから前進のための新しいモラルとタイプが典型的に、新しい書き手によつて創造されねばならない。多くの人々の応募を希望する。

募集要項は次のとおり

▽種類＝小説、詩、シナリオ、戯曲、ルポルタージュ、文学評論、童話、童詩、
（国語を原則とするも日本語も可）
▽締切＝九月五日
▽発表＝九月九日式典、入選作品には授賞。
▽審査員＝金達寿、許南麒、朴元俊、李珍珪、崔殷恒、李殷直、南時雨
李賛義
▽送先＝東京都新宿区新小川町五月書房内　在日朝鮮文学会書記局

在日朝鮮文学会会計報告表

4月分〔4,1～4,30〕

収入		支出	
前期繰越金	8 716,00	出版支出	11.000,00
出版収入	3.560,00	交通費	3.135,00
会費収入	1.400,00	通信費	1.758,00
寄附金	4.320,00	書記局費	12.420,00
		書記局費内訳	
		人件費	5.420,00
		書記部屋代	4.000,00
		書記長活動費	3.000,00
計	37.996,00	計	28.983,00

残高 9.013,00

5月分〔5,1～5,31〕

収入		支出	
前記繰越金	9.013,00	交通費	1.255,00
出版収入	2.700,00	通信費	900,00
会費収入	300,00	出張交通費	1.500,00
寄附金	11.420,00	書記局費	10.465,00
		内訳	
		人件費	6.465,00
		書記部屋代	2.000,00
		書記長活動費	2.000,00
計	23.433,00	計	14.120,00

残高 9.313,00

6月分〔6,1～6,30〕

収入		支出	
前期繰越金	9.313,00	通信費	320,00
出版収入	1.420,00	交通費	535,00
会費収入	2.205,00	出張交通費	5.410,00
寄附金	11.000,00	書記局費	10.050,00
借入金	6.135,00		
内訳		内訳	
文芸総より	500,00	人件費	6.000,00
人件費より	5.635,00	部屋代	2.000,00
		書記長活動費	2.050,00
計	29.918,00	計	16.315,00

残高 13.603,00

基金應募者芳名

▽二〇〇〇円　朴龍成
▽二〇〇〇円　李珧善
▽一〇〇〇円　蜂の巣
▽一〇〇〇円　李亨雨
▽一〇〇〇円　金容煥
▽四〇〇〇円　申大煥
▽一〇〇〇円　金永煥

▽五〇〇円　尻池パチンコ
▽一〇〇〇円　島本ゴム
▽五〇〇円　海洋ゴム
▽二〇〇〇円　神戸糊引
▽二〇〇〇円　国華ゴム
▽二〇〇〇円　蔡錭錫
▽一〇〇〇円　鄭溶朝
▽一〇〇〇円　大橋ゴム
▽三〇〇〇円　金性珉

新會員

七月一日現在まで次の諸氏が入会した。会員は四十三名である。

孫翼均（東京）　金東誠（東京）
李青溪（東京）　康敏星（東京）
金宙泰（東京）

編集後記

▽ついに停戦が成立した。平和勢力の勝利である。胸がぐうつと熱する。この平和はなお拡大されねばならない。その一翼をさらにわれわれは担わねばならない。祖国の焦土と同胞の屍骸と血の上に築かれた厳粛な平和を、戦争屋による再びの侵害から守るため、なお前進して斗わねばならない。

▽八・一五と停戦成立記念に五號をだすつもりでいた。四号が予定が狂つたため、それはむづかしくなつた。しかも「調印」をきいたのは印刷所に廻つてからであつた。四號の內容が時誼に徹しないうらみはそこにある。できれば容赦をこいたい。

▽紙數の関係で次号にのばした作品が多くある。「デンダルレ」(大阪)の人たちの作品もそこに含まれている。「デンダルレ」が朝鮮人文学サークル運動の一方の騎手たるよう、心から健斗を祈つている。

▽朝鮮文学会も「再建」して半年すぎた。現在・未來に新しい条件、困難がいろいろある。過去はどうであつたか、隘路は種々あつたにせよ、自已批判すべき点、山ほどある。勿論、書記局の怠惰と無能には更に厳格な自己批判と鞭を加える。日本における朝鮮への関心が益々上昇してきている昨今、「文学報」が暇つぶしの場でないことは明らかである。まだ一回も会費を払わず懇切な督促葉書を何度出しても、音信なし。ふんぞりかえつて——そうも映る——八円切手をはつた「文学報」を鼻先で見ているか知れない。邪推のつもりではないが、そういう人たちにも充分考えていただきたい。

▽同様のことが原稿の場合にも適合する。経験と力量を持つた年輩の会員が理由のいかにせよ、何故原稿かくのにルーズか。若輩を鞭韃、リードする意味においても自らの原稿で手本を示してほしい。そういう「喧嘩」の中からもさゝやかにせよ運動は推進できるのだ。

▽別項のように「作品募集」を行つている。ふるつて参加してほしい。次号(九月五日刊)は「停戦特集」とし、日本の広汎な文学者たちの意見と感想をきく予定。

▽李賛義の連載「在日朝鮮人作家おぼえがき」は本人の都合で本号はやすんだ。次号には健筆をふるつていただけるものとおもう。

最後に祖国の上をおもい、板門店になびく平和な共和国国旗のもとに、感謝と黙禱を他郷でわれわれはさゝげる。(石範)

文學報 第四号
定価 三十円
送料 八円
一九五三年八月一日 印刷
一九五三年八月五日 發行
編集兼發行人 金達寿
発行所 東京都新宿区新小川町二ノ八
五月書房內
在日朝鮮文學會

一九五三年八月一日印刷

編纂者紹介

宇野田尚哉（うのだ　しょうや）

1967年　鳥取県生まれ
大阪大学文学研究科教授
在日朝鮮人運動史研究会会員
〈編・著書〉
『「サークルの時代」を読む』（共著、影書房、2016年）
復刻版『ヂンダレ・カリオン』（解説、不二出版、2008年）
『「在日」と50年代文化運動―幻の詩誌『ヂンダレ』『カリオン』を読む』（共編著、人文書院、2010年）他

解説者紹介

宋 恵 媛（ソン・ヘウォン）

在日朝鮮人文学研究者
博士（学術）
在日朝鮮人運動史研究会会員
〈編・著書〉
『「在日朝鮮人文学史」のために―声なき声のポリフォニー』（岩波書店、2014年）
『在日朝鮮女性作品集―1945 ～ 84』（緑蔭書房、2014年）
『在日朝鮮人文学資料集―1954 ～ 70』（緑蔭書房、2016年）他

在日朝鮮人資料叢書17　〈在日朝鮮人運動史研究会監修〉

在日朝鮮文学会関係資料　1

2018年4月30日　第1刷発行

編纂者……………宇野田尚哉
解説者……………宋恵媛
発行者……………南里知樹

発行所……………株式会社 緑蔭書房
〒173-0004 東京都板橋区板橋 1-13-1
電話 03(3579)5444／FAX 03(6915)5418
振替 00140-8-56567

印刷所……………長野印刷商工株式会社
製本所……………ダンクセキ株式会社

Printed in Japan
落丁・乱丁はお取替えいたします。
ISBN978-4-89774-185-7